北京出版社

跨世纪青年学者文库

国家社会科学基金“九五”规划重点项目
北京市哲学社会科学“九五”规划精品工程项目

城市社区发展国际比较研究

侯玉兰 主编 冯晓英 副主编

课题组成员

组　长： 侯玉兰　北京市石景山区委副书记
原北京市社会科学院副院长（撰写第一章）

副组长： 冯晓英　北京市社会科学院社会发展研究中心
副主任、副研究员（撰写第二、三章）

成　员： 魏书华　北京市社会科学院社会发展研究中心
副研究员（撰写第五章、第七章 1、2 节）

白志刚　北京市社会科学院社会发展研究中心
副研究员（撰写第六章、第七章 3、4 节）

张洪武　北京市社会科学院社会发展研究中心
副研究员（撰写第四章）

致读者

在推进建设有中国特色社会主义的伟大实践中，社会科学担负着重要的历史使命。北京作为全国政治、文化中心，发展和繁荣社会科学，更是责无旁贷。

跨世纪的伟大实践，需要能够发挥跨世纪作用的社会科学理论；跨世纪的社会科学理论，离不开一批能够担当跨世纪重任的社会科学工作者。近年来，中共北京市委宣传部会同有关部门，精心组织实施了“培养跨世纪理论人才百人工程”，到本世纪末，重点培养100名左右青年社会科学学科骨干。编辑出版《跨世纪青年学者文库》（以下简称《文库》），是“百人工程”的一项重要内容，目的是鼓励青年学者以马列主义、毛泽东思想和邓小平理论为指导，对社会科学领域的重要问题，特别是对改革开放和现代化建设的重大理论和实践问题进行深入研究，积极探索有中国特色社会主义经济、政治、文化的发展规律，力求产生一批能够代表世纪之交北京社会科学水准的研究成果，为北京市两个文明建设服务。《文库》的出版，既是“百人工程”青年学者研究成果的展现，又是北京市大力加强社会科学研究工作的结果。

我们希望：《文库》所研究的理论和实际问题是跨世纪的，理论水准及对人们的启迪也是跨世纪的。《文库》的作者群是一批跨世纪的青年学者，朝气蓬勃，思想活跃，敢于迎接新世纪挑战，积极探索中国社会主义现代化的问题和规律，这是社会科学事业兴旺发达的一个重要标志。

作为多卷本文库，其出版需要一定的周期；周期长，使我们有可能精雕细刻出精品。入选“百人工程”的青年学者均为首都高等院校和北京市社会科学研究单位的具有副高级以上专业技术职务的教学和科研骨干。他们当中有的已是成果显著的后起之秀，有的已在某一研究领域崭露头角。尽管他们已具备较强的著述能力，我们仍然好中选优，优中择精——我们请由著名学者组成的专家评审组审定他们上报的著作选题和写作计划，淘汰率达70%，可见遴选之严格；且书稿完成后还要由专家审读通过，最后由“百人工程”领导小组决定能否进入《文库》。我们之所以这样不避烦琐，不惜拙工，所求无非是：将一批高水平的学术著作奉献给读者。

我们和作者期待着您的宝贵意见。

《跨世纪青年学者文库》编辑部

1998年1月

目 录

序 …………………………………………………………………………… (1)
前言 …………………………………………………………………………… (1)
第一章 绪论 …………………………………………………………………… (1)
第一节 社区发展的提出及其演变 ……………………………………… (1)
(一) 社区的概念 …………………………………………………………… (1)
(二) 社区发展的提出及其实践效果 …………………………………… (4)
(三) 社区发展的涵义及其基本原则 …………………………………… (6)
第二节 社区建设在中国的兴起 ………………………………………… (8)
(一) 城市社区建设兴起的客观必然性 ………………………………… (8)
(二) 社区建设的主要内容及实践效果 ………………………………… (13)
(三) 社区建设面临的问题 ……………………………………………… (18)
第三节 在比较与借鉴中建构具有中国特色的社区建设模式
…………………………………………………………………………… (20)
(一) 社区发展比较研究的视野与方法 ………………………………… (20)
(二) 在比较与借鉴中建构具有中国特色的社区建设模式 …(24)
第二章 社区管理组织制度建设 ………………………………………… (29)
第一节 社区管理组织的基本理论 ……………………………………… (29)
(一) 社区管理组织的特征、性质与作用 ……………………………… (29)
(二) 现代社会政府职能转换与市民组织发展的关系 ……… (33)
第二节 国内外社区管理组织发展状况 ………………………………… (38)
(一) 国外社区管理组织模式 …………………………………………… (38)
(二) 香港特别行政区社区管理组织特征 ……………………………… (50)
(三) 国内城市社区管理组织体系的发展状况 ……………………… (53)

第三节　国内外社区管理组织模式比较与分析 …………………… (70)
(一) 相似之点 ………………………………………………… (71)
(二) 差异之处 ………………………………………………… (72)
(三) 差异溯源 ………………………………………………… (75)
(四) 理性思考 ………………………………………………… (78)
第四节　中国城市社区管理组织的改革与再造 …………………… (82)
(一) 建立具有权威性的市级社区建设领导机构 ……………… (84)
(二) 发挥区级政府资源整合优势，为社区建设提供财力支持 ………………………………………………………… (85)
(三) 探索街道工作社区化的新途径 ………………………… (86)
(四) 居民自治组织的再造 …………………………………… (90)
第三章　社区非营利服务组织的培育与发展 …………………… (95)
第一节　非政府、非营利组织理论及其板块效应 ……………… (95)
(一) 非政府、非营利组织的基本概念及其组织特征 ……… (95)
(二) 非政府、非营利组织产生的时代背景 ………………… (97)
(三) 非政府、非营利组织理论简述 ………………………… (99)
(四) “三大板块”效应 ……………………………………… (101)
第二节　国内外社区非营利组织的形式以及操作手法 ………… (103)
(一) 国外社区非政府、非营利组织的表现形式及其特征 … (103)
(二) 香港非正规社会支持网络体系 ………………………… (114)
(三) 中国城市社区服务组织发育情况 ……………………… (117)
第三节　培育中国社区非营利服务组织的框架思路 …………… (129)
(一) 走势判断——前景光明 ………………………………… (129)
(二) 应注意把握的几个问题 ………………………………… (131)
(三) 国内现有社团组织的重新整合与改造 ………………… (134)
第四章　构建中国特色的社区服务体系 ……………………… (138)
第一节　社区服务理论 ………………………………………… (138)
(一) 社区服务概念 …………………………………………… (139)
(二) 社区服务的功能 ………………………………………… (155)
(三) 社区服务的目标和原则 ………………………………… (159)
第二节　社区服务的实践 ……………………………………… (161)

（一）国外社区照顾与社区服务的实践 ……………………（162）
（二）我国社区服务的实践 …………………………………（182）
第三节　中国的社区服务与国外社区照顾和社区服务的比较
……………………………………………………………（194）
（一）相似点 ………………………………………………（195）
（二）相异点 ………………………………………………（200）
第四节　我国社区服务的发展方向 ……………………………（203）
（一）建立健全社区服务的运行机制 ………………………（204）
（二）重视社区服务队伍建设 ………………………………（210）
（三）建立社会支持和服务网络 ……………………………（216）
第五章　构筑社区经济新格局 ……………………………………（223）
第一节　关于社区经济的理论探讨 ……………………………（223）
（一）社区经济的客观性 ……………………………………（223）
（二）社区经济的含义和基本特征 …………………………（226）
（三）社区经济的重要作用 …………………………………（229）
（四）社区经济与街道经济的异同 …………………………（230）
（五）社区经济与社区服务业的关系 ………………………（233）
第二节　国内外社区经济实践 …………………………………（234）
（一）国外社区经济实践 ……………………………………（234）
（二）国内社区经济实践 ……………………………………（241）
第三节　国内外社区经济比较 …………………………………（244）
（一）国内外社区经济的差异 ………………………………（244）
（二）国内外社区经济产生差异的原因 ……………………（245）
第四节　社区经济的发展趋势及对策 …………………………（248）
（一）社区经济的未来发展趋势 ……………………………（248）
（二）我国社区经济发展的对策 ……………………………（251）
第六章　社区文化的理论与实践 …………………………………（255）
第一节　社区文化理论探讨 ……………………………………（255）
（一）社区文化的基本概念 …………………………………（255）
（二）社区文化建设的内容 …………………………………（265）
第二节　国内外社区文化发展状况 ……………………………（275）

(一) 国外社区文化的理论与实践 …………(275)
(二) 我国社区文化的发展现状 …………(295)
第三节 中外社区文化比较 …………(303)
(一) 东西方文化差异及其表现 …………(303)
(二) 各国政府文化政策的区别 …………(304)
第四节 社区文化发展措施 …………(306)
(一) 调查研究和制定规划 …………(306)
(二) 体制建设和队伍建设 …………(307)
(三) 确定重点和工作落实 …………(308)
第七章 城市社区管理系统 …………(314)
第一节 社区管理的基本理论与实践 …………(314)
(一) 社区管理的理论架构 …………(314)
(二) 国内外社区管理实践 …………(319)
(三) 我国社区管理中存在的问题 …………(324)
(四) 我国社区管理的工作思路 …………(325)
第二节 社区人口管理 …………(327)
(一) 社区人口管理的一般理论 …………(328)
(二) 国内外人口迁移状况及政策措施 …………(332)
(三) 我国外来人口管理中的困难与问题 …………(343)
(四) 我国外来人口管理的基本对策 …………(345)
第三节 社区治安管理 …………(349)
(一) 社区治安的重要性 …………(349)
(二) 社区治安的基本方法 …………(349)
(三) 国外社区治安管理 …………(350)
(四) 我国社区治安实践探索 …………(356)
(五) 我国社区治安的对策措施 …………(360)
第四节 社区环境管理 …………(362)
(一) 社区环境的内容 …………(363)
(二) 社区环境与社区形象 …………(365)
(三) 国外社区环境建设经验 …………(366)
(四) 我国社区环境状况 …………(369)

（五）社区环境改善和管理的方法 …………………………（371）
附录
北京市居民社区生活调查问卷 …………………………（373）
北京人的社区心态 …………………………（388）
参考书目 …………………………（413）
后记 …………………………（417）

序

从50年代开始，由联合国倡导和发起的“社区发展运动”已经走过了近半个世纪的风雨历程，至今已遍及世界一百多个国家或地区，其中既包括发展中国家，也包括发达国家，取得了令世人瞩目的成绩。“社区发展运动”无论是在解决发展中国家的贫困、疾病、失业、经济发展缓慢等问题，推动其经济、社会进一步发展；还是在缓解发达国家由于经济、社会发展失衡而产生的贫富差距扩大、失业、青少年犯罪等问题，促进其经济、社会的协调发展方面都发挥了积极的作用。时至今日，“社区发展运动”仍是国际社会推动经济与社会协调发展的基本方法。

在我国，随着经济和政治体制改革的深入，政府转归和企业剥离的大量社会职能，需要在政府和企业之外寻找一个新的载体来承接；同时，随着经济的高速发展，城市化进程日益加快，城市建设和发展既带来了城市的繁荣，也带来许多新的社会问题，原有的城市管理体制已无法与之相适应。在这种社会变迁过程中，我们适时地将国际社会“社区发展”的理念引入我国的社会机制。1986年，以社区服务为切入点，开启了我国社区建设事业的序幕。今天，我国已经进入社区的全方位建设阶段，无论在社区建设理论还是实践上，都已经取得了一定的成效，积累了一些经验。但是，不可否认，我国社区建设还处于探索时期，还没有形成完整的理论体系；在实践上还存在着很大的局限性，需要进一步突破。在这种情况下，由侯玉兰博士主持的“城市社区发展国际比较研究”课题的进行，无疑对推动我国社区建设理论与实践的发展，具有十分重要的意义。

“城市社区发展国际比较研究”是国家社会科学基金“九五”重点规划项目。课题组经过三年多的调查、研究，取得了社区研究领域具有开创意义的重要成果，如《大城市社区建设管理体制研究》报告和《国外社区发展的理论与实践》一书，在理论界和实践部门都已经产生了积极的影响，一些观点和建议被北京市政府作为街道管理体制改革的决策参考；《关于在全市推广中学生参加社会公益事业服务劳动的建议》，也已被北京市教委采纳，并在全市中学生中推广。现在，该课题的最终研究成果，《城市社区发展国际比较研究》一书又呈现在我们面前。

《城市社区发展国际比较研究》一书，在我国社区研究领域中，第一次将社区建设放在国际社会的大视野中进行研究，为社区研究提供了一个全新的视角。课题组相继对美、英、法、日、墨西哥、巴西等发达国家和发展中国家，以及我国香港、台湾地区的社区发展理论和实践的演变过程及现状，进行了实地考察和调查分析；并对我国开展社区建设较为先进的北京、上海、石家庄、青岛等城市的社区建设工作进行了详细了解。在此基础上对国内外的社区发展情况，从社区组织、社区服务、社区经济、社区文化、社区管理等各个方面进行比较，总结了国际社会的有益经验，找出了我国社区建设方面存在的差距，提出了具有中国特色的社区建设模式，使其研究建立在一个较高的起点上，对我国社区建设的研究和实践具有启发意义。课题组综合运用社会学、经济学、城市管理学、人口学、统计学等方法，在比较研究的基础上提出了一些具有创新的观点和建议，如健全市、区、街、居垂直管理组织体系，促进

“街道体制”向“社区体制”转换，建构城市社区组织的双强模式，居民自治组织再造，社会支持网络组织的重塑等，都是推进我国城市社区建设的关键问题，既具有前瞻性，又有可操作性。上述这些研究成果具有较高的理论价值和实践价值。

《城市社区发展国际比较研究》一书的出版，将对我国社区研究理论的进一步完善和社区建设实践的深化产生积极的影响。希望社区研究和实践工作，能够藉此引起社会各方面更多的关注和更为广泛的参与。

北京大学社会学系教授　袁方

2000 年 3 月

前　　言

“城市社区发展国际比较研究”是国家社会科学基金“九五”重点项目。设立此课题主要基于以下考虑：

第一，改革开放的深入和社会主义市场经济的发展，使我国人民生活水平大幅度提高，城市化进程日益加速。随着收入的增加，人民群众对从居住环境到基础设施，从生活服务到文化消费，从社会秩序到人际关系等涉及社区管理、社区服务、社区文化、社区教育、社区治安的社区建设各个方面都提出了更高的要求。满足居民的这些需求，提高居民的生活质量，单靠市、区政府的力量是远远不够的，还必须更多地依靠基层组织，依赖社区的力量去完成。

第二，在由计划经济体制向市场经济体制转变，由传统社会向现代社会转型的过程中，城市社会管理领域出现了一些前所未有的社会问题，如环境状况恶化，流动人口增加，犯罪率上升，治安形势严峻等。经济体制改革深入带来的利益关系调整和下岗人员增多，使城市贫困群体人数呈不断上升趋势。与此同时，随着改革力度的加大，长期以来形成的“企事业单位办社会”的体制已经难以为继，单位对职工的生活后勤服务、管理功能和公共教育功能逐渐弱化，大量的社会职能从企业中剥离出来，逐步向社会转移，越来越多的下岗待业人口、离退休人员由“单位人”变为“社区人”，无上级主管的新社会组织和新经济组织、个体经营者日益增多。这些新情况、新问题的出现给社区管理带来了新的压力。如何做好这部分人的管理、教育、服务、生活安排，以及再就业工作，对各级政府，特别是城市基层管理组织的管理体制、运行机制、工作方式、人员素质都提出了更高的要求。

第三，50年代以来，联合国针对一些国家工业化和城市化急剧发展过程中片面追求“经济增长”引发的贫富分化、政治动荡、社会冲突等各种社会问题，提出了通过社区发展，促进经济与社会协调发展的设想，并为一些国家的社区发展提供了资金帮助和技术指导。由于社区发展立足于人们的生活区域，直接针对特定社区的问题和需要，通过政府机构与社区组织的通力合作和社会互助，谋求解决之方和发展之道，从而有助于使社会发展的总体目标通过社区自身的具体行动得以实现。经过四十多年的实践，社区发展在缩小贫富差别、缓解社会矛盾、改善社区环境、提高生活质量、促进居民参与等方面取得了明显成效，显示出强大的生命力。目前，全球已有一百余个国家推行社区发展计划。

第四，我国虽然在90年代初提出了“社区建设”的概念，并在实践中取得了一定进展。但从总体上说仍处于起步阶段，无论是社区发展的理论研究还是社区建设的实践经验，都相对薄弱，与社区在社会发展中所担负的日益繁重的任务很不相称，特别是缺乏社会主义市场经济下进行社区建设的经验。实践中的问题迫使我们必须了解和研究国外市场经济条件下社区发展的理论研究成果和实践经验，并结合我国实际加以学习和借鉴，为探索建立适应社会主义市场经济要求的城市社区管理体制和运行机制做一些基础性工作。

因此，我于1996年提出了“城市社区发展国际比较研究”的课题设想，得到北京社会学研究会副会长宋书伟研究员的热情鼓励和支持，并顺利通过国家哲学社会科学学科评议组专家的评审，被批准为国家哲学社会科学基金“九五”重点规划项目。

以往的社区研究大多是单就国内社区发展理论与实践的探讨，或对国外社区发展理论与实践的介绍，将国内外社区发展的理论与实践相结合进行比较研究的还很少见。本课题试图通过对一些市场经济较为发达的欧美国家及第三世界国家的实地考察和比较研究，了解这些国家社区发展状况及其在经济发展和社会稳定中的作用，社区发展的主要经验和做法，社区发展的特点与规律，国外社区发展管理体制、运行机制、资金来源、文化背景与我国社区建设的异同，明确我国在社区发展方面的优势与差距，以便根据国情吸收借鉴国外一些行之有效的做法，探索社会主义市场经济条件下社会管理体制改革的新路子、新机制，为建构具有中国特色的社区建设模式提供参考与建议。由此可见，这一课题的研究具有较大的理论和实践意义。

由于此课题是一个新的、具有开创性的课题，课题研究所需要的研究论文、专著都相对缺乏，研究的难度较大。面对这一全新的课题，全部由中青年学者组成的课题组不畏困难，表现了极强的敬业精神和探索勇气。在三年多的时间内，课题组成员先后赴美国、巴西、墨西哥、英国、德国、法国等国家的一些城市，以及上海、石家庄、成都、深圳、广州、福州、厦门、大连、沈阳等国内大城市进行了实地考察研究，搜集了大量的理论研究和实证资料，特别是在西城区、宣武区的部分街道办事处、居委会做了近半年的个案调查，获得了许多宝贵的感性认识，对社区建设中面临的问题、原因有了深入的了解，为课题的完成奠定了理论与实践的基础。

为使研究更具有针对性和科学性，我们还对北京五城区（西城、宣武、崇文、海淀、朝阳）10个街道办事处的1000户居民就社区需求、社区满意感、社区认同感、社区参与意愿进行了社区心态问卷调查。

在进行大量研究与调查的基础上，课题组先后完成、发表和出版了《大城市中心区社区发展比较研究》（市科委软课题研究报告）、《国内外城市社区管理体制比较研究》（论文）、《社区发展资金来源比较研究》（论文）、《国外社区发展的理论与实践》（译文集）、《北京城市居民社区心态调查报告》、《美国社区发展考察报告》、《巴西、墨西哥社区发展的做法及启示》等数十万字的阶段性成果。这些阶段性成果都产生了良好的社会反响，得到了学术界和社区管理工作者的高度评价。其中《国外社区发展的理论与实践》一书及《美国城市社区发展考察报告》成为北京市社区管理干部培训班的教材。我们提出的《关于在全市推广中学生参加社会公益劳动的建议》受到市领导重视，已被北京市教委采纳，在全市推广。关于街道体制和居委会改革的一些可操作性建议已在北京城市管理体制改革文件中得到体现。关于社区管理和社区参与的一些思路和设想已运用于石景山区社区建设的实践中，取得了明显成效。

本书就是在这些阶段性成果的基础上进一步拓宽、深化形成的专题论著，也是这一课题研究的最终成果。前瞻性、实证性和可操作性是本书的重要特点。由于考察时间和深入程度的局限以及课题组成员工作的变动，我们的比较研究没有也不可能覆盖社区发展的所有方面，而是突出重点，抓住人们普遍关注的社区组织、社区服务、社区文化、社区发展资金来源、社区管理等关键问题展开，力图在这些方面有所深入，有所拓展。

本课题的研究与全书的总体设计由侯玉兰负责。全书共七章，各章具体分工如下：第一章，侯玉兰；第二、三章，冯晓英；第四章，张洪武；第五章及第七章的第一、二节，魏书华；第六章、第七章第三节，白志刚。本书的附录“北京城市居民社区心态调查问卷”设计及《北京城市居民社区心态分析报告》执笔人为陈午晴、侯玉兰。全书由侯玉兰、冯晓英统稿、最终定稿。

第一章，为全书的引论部分。本章首先对本书所涉及的主要概念作了界定。接着从理论与历史的角度回顾了国外社区发展的提出、演变及其在社会发展中的重要作用。然后概述中国社区建设兴起的必然性及其面临的难题，提出了本书研究的目的与意义；确定了研究的视野与方法，为以后各章分类比较研究的展开做了必要的概念、理论与历史的铺垫，设定了总体框架。第二章至第七章为专题论述。其中，第二章和第三章均为社区组织制度研究，前者以社区综合管理组织为研究对象，后者则重点研究社区非营利性服务组织。第四、五、六、七章研究的对象分别是社区服务、社区经济、社区文化和社区管理系统。在每一专题研究中，大体分为四个部分：首先，对本章所研究对象的基本概念、特征、类型、功能、作用等基本理论问题进行准确的界定或阐述；其次，按照国别、城市分类方法就国内外在本研究领域的实践情况、各自特征作了全面介绍；第三，在此基础上，对我国与国外和香港特别行政区在本研究领域实践过程中的异同点进行比较，对其差异产生的体制背景、文化理念、经济发展程度等深层次原因进行理论分析，同时，就我国学术界和实际工作部门关注的热点、难点问题，提出理论思考或创新观点；最后，在借鉴国外经验的基础上，结合我国国情，提出本研究领域的改革设想或实施建议。

社区发展比较研究是理论性和现实性很强的开拓性课题，涉及政治、社会、经济、文化、管理各个方面。本书的完成仅仅是一项必须投入巨大努力的学术工程的开端，是进行社区发展国际比较研究的初步尝试，期望能起到抛砖引玉的作用，使更多的理论和实际工作者关注和投入到这项研究中来。

侯玉兰

1999年12月

第一章
绪　论

近年来，“社区”与“社区发展”（或曰“社区建设”）已成为当代社会人们使用频率最高的概念之一。那么，什么是“社区”，什么是“社区发展”，为什么“社区发展”引起人们的如此青睐，为什么要进行城市社区发展国际比较研究？如何进行比较研究？这些都是本章试图回答的问题。

·第一节·
社区发展的提出及其演变

（一）
社区的概念

中文“社区”一词译自英文 Community。社区作为社会学的一个基本概念，最早是由德国著名社会学家腾尼斯在 1887 年提出来的。其原意为“关系密切的伙伴和共同体”。通常是指以一定地域为基础的关系密切的社会群体。在这样的社会群体里，人们具有同样的文化特质，共同的价值观念；情感相依、守望相助、疾病相扶，形成一些基本的社会关系。

长期以来，社会学家根据自己的不同理解，从不同的角度对社区下过许多不同的定义。据著名的美籍华裔社会学家杨庆坤研究，社区一词的定义有 140 种之多。但无论定义如何不同，在对构成社区的基本要素上还是有许多共识的。根据大多数社会学家对社区所做的各种解释，我们可以把社区的构成要素归纳为以下五个方面：

第一，一定数量的社区人口。人是社会生活的主体，离开一定数量的人口，就无所谓生活共同体，就不可能形成社区。一定数量的人口不是孤立的，没有联系的个人，而是彼此结成一定的社会关系，共同从事社会活动的群体。他们是社区生活及其物质基础的创造者，是社区社会关系的承担者。人口数量的多少、人口密度的大小、人口文化程度的高低等因素决定着社区经济与社会的发展。

第二，一定范围的地域空间。人们的社会活动总是在一定的自然空间中进行的。一定范围的地域是社区存在的基本的自然环境条件。没有一定的地域，人们的一切活动都将失去依托而无法进行。某一地域的自然条件、生态环境，不仅会影响特定社区中人们活动的性质和特点，而且会在很大程度上制约和影响该地区的发展。

第三，一定规模的社区设施。社区设施是社区成员的生产与生活所必须的物质条件。它既包括如商业、服务业、文化、娱乐、教育等生活设施，也包括工厂、企业、交通、通讯等其它设施。它们不仅为社区成员提供日常生活服务，而且还为社区发展提供物质基础。社区设施的完善程度是衡量社区发达水平的重要标尺。

第四，一定特征的社区文化。社区文化是人们在社区这个特定的地域性社会生活共同体中长期从事物质与精神生活的结晶。它包括社区的日常生活制度、社会规范、传统习俗，以及与此相联系的某种共同心理，是社区得以存在和发展的内在因素。它渗入到社区生活的各个方面。一个社区的风土人情、管理方式、行为模式、价值观念等无不体现着社区文化。社区文化是社区认同感、归属感，以及社区凝聚力的深厚基础。不同特征的社区文化是一个社区和另一个社区相区别的主要标志之一。

第五，一定类型的社区组织。每个社区都需要有自己相对独立的组织机构来制定需要社区居民共同遵守的规章制度，管理社区的公共事务，维护社区的共同利益，保证社区生活的正常运行。社区组织可以是官方的、正式的，也可以是由居民自发组织的非官方、非正式的社会团体。这些不同类型的组织在社区活动中优势互补，各自发挥着不可替代的作用，从而使社区各种力量形成有机整体，使社区各种资源得到合理配置，促进社区经济与社会的协调发展。

作为一种地域性社会实体的社区，与一般行政区是不同的两个概念。两者有联系，也有区别。行政区是为了实施社会管理，依据政治、经济、历史文化等因素，人为地划定的。一般情况下，它的边界线是清楚的。而社区则是人们在长期共同的社会生产和生活中自然形成的。同一社区可能被划入不同的行政区，而同一行政区却可以包含着不同的社区。

根据我国的实际情况以及近年来在开展社区研究和社区建设的过程中学者、政府及公众形成的共识，也为了便于进行社区发展国际比较研究，我们将本书中的核心概念：中国城市社区定位于街道办事处所辖的区域及行政范围。居委会所辖的区域范围我们称之为微型社区。

这样确定我们所研究的城市社区范围，主要是基于以下两点考虑：（1）尽管我国街道行政色彩很浓，存在较为明显的“功能错位”，社区发育程度较低，社区情感因素较弱；但从总体上说，街道无论从人口、地域规模上看，还是从担负的责任和所起的作用上看，都同国外的社区，特别是美国大城市的社区颇为类似。在与市、区政府的关系上，我国的街道与纽约的社区也有相似之处。将社区定位于街道所辖区域，就使社区发展国际比较研究具备了对应的比较客体。(2) 现有的各街道办事处作为城区政府的派出机关，已形成比较成熟的管理协调组织体系，并在推动社区发展中扮演着主角。将社区定位于街道范围，有利于发挥政府对区域内各部门、各单位，特别是对居委会的领导、协调、组织和整合作用，有利于沟通同居民群众的联系，了解居民群众的意愿和要求，协调和监督政府各职能部门的下派机构更好地为社区居民服务，及时做到上情下达、下情上达。通过培育居民的社区参与意识和扶植非政府非营利的社区管理、社区服务组织，确定各类社会组织间合理的功能定位，形成政府领导、部门协调、社会参与的社区管理体制，促进街道工作社区化，最终实现街道体制向社区体制的转变。

(二)
社区发展的提出及其实践效果

"社区发展"这个概念最早是由美国社会学家弗兰克·法林顿在 1915 年出版的《社区发展：将小城镇建成更加适宜生活和经营的地方》一书中提出的。此后，美国社会学家斯坦纳在其所著的《美国社区工作》(1928 年) 一书中，桑德森与皮尔斯在他们合著的《农村社区组织》(1939 年) 一书中，也从不同的角度对社区发展的基本理论与方法进行了论述。与此同时，本世纪初到 20 年代，英、法、美等国曾出现了"睦邻运动"、"社区福利中心"运动等，但目前被各国所普遍接受和推行的社区发展的理论与实践则是二次大战后由联合国倡导发展起来的。

第二次世界大战后，许多新兴的发展中国家面临着贫困、疾病、失业、经济发展缓慢等一系列问题。针对这些问题，联合国经济社会理事会于 1951 年通过了 390D 号议案，提出通过建立社区福利中心来推动全球经济社会发展，并为此提供资金技术援助。但在后来的实施调查中发现，由于这些国家和地区的行政效率不高，且政府腐败严重，原来设想的依靠外力推动和敦促当地政府去建立社区福利中心的做法收效甚微。于是转向对扶持社区内民间团体、合作组织、互助组织共同推动社区经济与社会发展的可行性进行探索。在组织专家研究试点的基础上，联合国于1955年发表了《通过社区发展促进社会进步》的报告书，并成立了社会局社区发展组。之后，这一组织在亚洲、非洲、南美等地区推行社区发展运动，为农村社区发展项目提供经济、技术援助，制定教育培训计划，改造旧有的公益设施，修建水利工程等，促进了贫困地区经济的发展和社会问题的解决，取得了明显成效。

50年代末，一些发达国家在工业化和城市化过程中，忽视社会发展，出现了诸如财富分配不公、贫富两极分化、青少年犯罪增加、环境状况恶化等严重的社会问题；同时，由于工业化打破了传统的社区生活，使人际关系淡化，凝聚力减弱，居民对社区缺乏归属感和责任感。两种因素结合在一起，极易引发政治动荡、社会冲突，影响社会稳定，进而危及到经济发展本身。在这种情况下，联合国开始研究社区发展计划在发达国家的应用，提出要通过社区发展解决工业化和城市化带来的一系列社会问题。1959年，联合国在英国举办了《欧洲社区发展与都市社会福利》研讨会后，这一运动开始向发达国家扩展。1960年，美国政府制定的“反贫困作战计划”就将采用社区发展基本原则和方法的“社区行动方案”纳入其中，旨在通过实行外援和社区自助相结合的社区行动计划来解决贫困问题，开了发达国家推行社区发展战略的先河。之后，英、法、德及北欧国家也都普遍推行社区发展运动。

综上所述，在联合国有关组织的倡导和推动下，社区发展的成效日益显著，人们对其意义和作用的认识也日趋深化。社区发展已被越来越多的国家所接受。时至今日，全球已有100多个国家和地区在制定和执行全国性的社区发展计划，把社区发展置于社会发展的目标之中，依托和着眼于通过社区发展来促进社会进步。社区发展已成为世界性趋势。

（三）

社区发展的涵义及其基本原则

社区发展之所以被各国广泛接受，并在促进经济社会协调发展、维护社会稳定中发挥如此重大的作用，这是与它的基本理念、基本原则、目标取向密不可分的。

联合国1955年发表的《通过社区发展促进社会进步》报告中指出："社区发展"是一种经由全社区人民积极参加与充分发挥其创造力量，以促进社区的经济、社会进步状况的过程。1960年，联合国在其发表的《社区发展与有关服务》报告中给社区发展下的定义为："社区发展是一种过程，通过这一过程，社区居民共同努力并与政府权威人士合作，以促进社区的经济、社会和文化的发展；并进一步协调和整合各社区，使它们成为全国人民生活的一部分，进而使社区发展成果为全国的繁荣和进步做出积极的贡献。"

关于社区发展的基本原则，国内外学者有不同的论述，如美国学者A.邓纳姆在1958年出版的《社区福利组织：原则与实践》一书中提出了社区发展的七项原则：第一，民主的原则；第二，基层自发原则；第三，大众参与原则；第四，社区合作原则；第五，满足需要原则；第六，全面规划原则；第七，重视预防原则。在1970年出版的《新社区组织》一书中，他又提出了五项原则：第一，社区发展应以社区共同需要为主；第二，以自动为主要精神；第三，政府及民间社团应提供物质或技术援助，包括人员、设备、金钱等；第四，完整的、多方面的各种专门性社区发展计划，以使社区受益；第五，一切工作项目皆基于切身需要。联合国1959年提出的一份报告中，提出社区发展的十条基本原则：(1) 社区发展的各项活动必须符合社区的基本需要，并根据人民的愿望，制定首要的工作方案；(2) 虽然社区局部的改进可以由某一部门着手进行，但全面的社区发展，则必须建立多目标的计划，并组织各方面、各部门联合行动；(3) 在推行社区发展的初期，改变居民的态度和物质建设同样重要；(4) 社区发展的目的在于促进人民热心参与社区工作，从而改进地方行政机构的功能；(5) 选拔、鼓励和训练地方领导人才是社区发展计划中的主要工作；(6) 社区发展工作应特别重视妇女和青年的参与，以扩大参与的公众基础并获取社区的长期发展；(7) 社区自助计划的有效实现，有赖于政府积极而广泛的协助；(8) 制定全国性的社区发展计划必须有完整的政策，行政机构的建立、工作人员的选拔与训练，地方与国家资源的运用与研究，社区发展的实验与考核机构的设立都应逐步配套地进行；(9) 在社区发展中应充分利用地方的、全国的与国际的民间组织资源；(10) 地方性的社会、经济进步要与全国的发展计划互相结合、协调实行。其目的是：直接谋求增进某地区居民之福利与全社会的发展与进步相协调，并有助于后者目标的实现。

从上述关于社区发展的定义及其基本原则中，我们可以将社区发展的理念概括为以下几点：

第一，社区发展是以社区为单位的一种发展努力，它立足于社区，且直接针对特定社区的需要、问题而谋求解决之方和发展之道；把宏观社会发展内容微观化、社区化，重视将一般社会发展目标具体化到各个社区，并通过社区自己的行动来实现目标。没有无数个社区的发展与进步，社会发展就不能真正实现。无社区发展的社会发展势必造成社会的“中空化”状态。因此，社区发展主张社会发展与社区发展相和谐，反对牺牲某些社会部分的不平衡发展；承认不同社区在涉及自身发展问题上的特殊情况和要求，并根据这种特殊性，采取区别对待的方法，促进其富有成效的发展。

第二，社区发展把动员居民直接参与和主动精神视为既是解决各个社区发展的问题，也是实现更高、更广层次社会进步的必经之路。社区发展立足于地方基层，依靠当地居民的积极主动参与谋求本地发展，促进社会进步，既保存了社区这一传统形式的有利因素，更为整个社会持续发展打下坚实基础。

第三，社区发展强调社区各机构与居民的自觉、自助、互助与主动精神，挖掘和开发社区物质和智力的潜力，最大限度地利用社区的组织资源与发展资源，提高社区的整合程度；使社区的资源、人力、智力、经济力形成协调一致的整体，解决社区发展面临的问题，满足社区居民的需要，改善社区的物质文化生活条件，提高居民的生活质量，增强社区的凝聚力、社区归属感、社区责任感，使社会发展真正走上“以人为中心”的平衡、合理和可持续的发展轨道。

·第二节·

社区建设在中国的兴起

（一）

城市社区建设兴起的客观必然性

“社区”原本是一个政府与社会剥离的概念，但在我国，由于长期形成的计划性体制使国家和政府拥有几乎所有的资源，从而使社区这个超脱行政辖区的概念失去了存在的意义；

与社区有关的工作被纳入了政府工作轨道，成为党和政府的地区工作。然而，随着我国由计划经济体制向社会主义市场经济体制转轨、由传统社会向现代社会转型，随着城市化进程的加快和城市管理任务的加重，随着城市居民生活水平的提高和居民需求的增加，政府包揽一切的做法不仅难以为继，而且与“小政府、大社会”的城市管理改革方向相悖。传统的城市管理模式已不能适应市场经济条件下新形势和新任务的要求，这突出反映在以下几个方面：

第一，传统的、权力高度集中的城市管理体制已不再适应当前形势发展的需要。主要表现为：第一，条块分割严重，管理不到位。我国城市实行“两级政府、三级管理”体制，但由于权力和人、财、物配置过于集中在市、区政府职能部门（条条），忽视了街道办事处（块块）的基层管理作用，从而产生条条因力量有限而管不到底，块块因与辖区单位和专业管理部门之间没有行政隶属关系而管不到边的现象。第二，条块部门职能交叉，影响了各自作用的发挥。在社区管理中，行政、作业、执法三大职能集于一身并相互混淆的情况非常突出，街道办事处和专业管理部门都存在着政府角色与事业属性、经济功能交织在一起的情况，从而导致许多该做的事情因相互扯皮没有做好，而在不该做或做不好的事情上却花费了大量精力，造成人、财、物的巨大浪费。

第二，城市管理中暴露的问题愈来愈多，传统的管理方法失效。首先是社会治安形势严峻，入室偷盗、拦路抢劫、聚众赌博、吸毒贩毒、卖淫嫖娼、青少年犯罪时有发生，许多居民感到缺乏安全感。其次是城镇居民人户分离现象突出，人际关系淡薄，建立在户籍制度基础上的社会管理显得软弱无力。此外，城镇流动人口规模迅速膨胀，以公安部门为主的治安防范管理，难以有效协调城镇居民与流动人口之间的关系，社会矛盾与社区管理难度增大。

第三，政府和企业还原的社会职能，缺少必要的接口部门，导致城市管理“真空地带”增多。我国现有政府机构设置的基本框架，是在计划经济体制的条件下逐步形成的。机构庞大，政企不分，国家财政负担沉重。九届人大提出的政府机构改革目标，是要按照发展社会主义市场经济的要求，根据精简、统一、效能的原则，转变政府职能，实行政企分开，建立办事高效、运转协调、行为规范的行政管理体系，即政府在转变职能的过程中，不仅要调整和撤消直接管理经济的专业部门，而且要将原有的社会管理职能分离出去，还原社会。与此同时，随着经济体制改革力度加大，企业要成为独立法人和经济实体，就必须将大量的社会职能从企业中剥离出来，逐步向社会转移。目前，长期以来形成的“单位体制”已经开始松动，单位对职工的生活后勤服务、管理功能和社会公共教育功能弱化，下岗、待业职工以及离退休人员的管理出现“空白”。

社会转型期城市管理面临的新情况、新问题，使开展社区建设的迫切性和重要性日益突显：

第一，开展社区建设是社会发展的必然趋势。

改革开放以来，我国社会发生了深刻的变化。随着人民群众生活水平的日益提高和市场经济体制的逐步建立和完善，我国已经开始由注重经济增长转向注重社会全面进步，由注重国家的工业化转向注重社会现代化。以人为中心，注重满足人的基本需求和提高人的素质，优化社会环境，提高生活质量，正在成为我国社会普遍关心和追求的目标。社区建设正是在这一背景下应运而生。它是一个以居民社会生活共同体为基点，推动社会全面进步的社会运动。它的宗旨正是以满足人们多样化的高质量的生活需求和社会发展为出发点，致力于形成安定安全的社区治安秩序、便民利民的服务网络、团结和谐的社区人际关系、健康向上的社区文化氛围、舒适优雅的社区环境、规范有序的社区管理。由此可见，社区发展充分体现出社会的全面发展进步，是实现经济社会协调发展的必由之路。

第二，开展社区建设是建立社会主义市场经济的必然要求。

在计划经济体制下，党和政府对城市与居民的管理，在很大程度上是通过一个个单位实现的。随着经济体制改革的深入，越来越多的企事业单位日益减少对政府行政隶属和依赖关系，开始走向市场，成为自主经营、自负盈亏、自我发展、自我约束的法人实体和竞争主体，改变了企业办社会、学校办社会、机关办社会的错位现象，广大职工开始从“单位人”向“社会人”转变。单位成员的生活与社会需求将主要通过社区得以满足，社区与城市居民的关系比以往任何时候都更加密切。伴随着这种情况的持续发展，试图继续依靠“单位”来实现社会整合已不大可能，惟一选择只能是把“单位”承担的一部分整合功能逐渐向城市社区转移。随着社会主义市场经济的发展，民营企业、私营企业、三资企业、股份制企业发展迅速、方兴未艾。这些企业已经完全突破了过去行政管理的框架，变成真正的无主管企业。同时，城市人口急剧增加，外来人口所占比例越来越高，依靠单位、户口对人的管理越来越困难。这种社会多元化的趋势与单一的行政管理模式之间的矛盾构成了我国城市组织管理体制的基本矛盾。原有的组织体系在不断分化、弱化，新的组合要求在不断产生。社区在社会整合中的作用日益增强。经济体制改革的深入要求建立适应社会多元化的新型社区管理体制，对区域内所有实体和人口进行有效的社会管理。

第三，开展社区建设是提高城市现代化管理水平的有效手段。

改革开放以来，我国城市化进程逐步加快，城市数量和城市规模日益扩大。这种状况使我们面临提高城市现代化管理水平的艰巨任务。国内外的经验表明，一个城市的现代化，除了经济总量的增长和基础设施的现代化水平外，更重要的是城市管理水平的现代化和人的现代化。后者比前者更艰巨、更复杂。从我国城市发展现状看，城市管理体制极不适应城市现代管理的要求，提高城市现代化管理水平要求城市管理重心下移至社区，还之于社会。

社区作为城市基层管理的载体，是社会转型期各种矛盾的首发处、集散地。保持良好的社区秩序，是维护整个社会稳定的“第一道防线”。通过开展社区建设，使区域内的政府组织、社会团体、企事业单位和社区居民都成为城市管理的参与者，形成政府领导、社会支持、市民参与的社区建设新局面，使城市管理通过社区渗入到每个角落。这样才能把居民有效地组织起来，让居民在参与中受到教育，在实践中提高素质；才能将社会治安、城市环境、社会管理的各种问题解决在基层，化解在萌芽状态，保证整个城市管理水平的提高。同时，以社区为立足点，通过深入开展社区安全、社区教育、社区服务以及各种群众性文化、卫生、体育和科学普及活动，增强群众的社区意识，养成良好的社会公德，逐步形成爱社区、关心社区事业的良好氛围。这也是精神文明建设落到实处的具体体现。

第四，开展社区建设是人民物质文化生活水平提高的必然要求。

当前，我国大多数城镇居民已经或将要达到小康生活水平。随着经济能力的逐步增强，广大居民希望通过多种途径提高自己的生活质量，其社会需求已从物质到精神，呈现全方位的需求格局。居民不仅对于健身、卫生、娱乐、教育、艺术等各种文化需求越来越多，而且希望满足欣赏、创造、交流和表现等高层次的心理需求。而这些需求的基本供给是需要社区提供的。

从去年开始实行的住房制度改革，将使居民对社区环境更加关注，对社区建设提出更高要求。长期以来我国实行住房福利分配制度，居民租住单位公房，没有产权，且随着单位房屋的周转而流动；因而居民的社区意识薄弱，对社区环境也不甚关心。住宅商品化的普遍实施，将使居民的住所相对稳定。购房的居民为使自己居住小区的房产保值、增值，将格外关心居住地的环境、教育、绿地、卫生、治安、服务的水平和质量，必然会对与自己切身利益息息相关的小区发展计划的提出和实施表现出应有的热情。以此为动力，社区居民将会以主人的姿态，主动关心与参与社区事务，共建美好的生活环境。这也是我们在新形势下发动居民参与，搞好社区建设的良好契机。

（二）
社区建设的主要内容及实践效果

1986年，为了配合经济体制改革和社会保障制度建设，民政部首先倡导在城市基层开展以民政对象为服务主体的社区服务活动。此后，社区服务工作迅速在全国铺开，服务对象、服务内容、服务范围不断拓展。它为党和政府分了忧，为居民群众解了愁，不仅深受居民群众欢迎，而且得到了党和政府的高度重视和支持。但随着社区服务工作的发展，其他社区工作也在迅速展开，社区服务概念已包容不了全方位的社区工作。1991年5月，针对城市基层组织职能弱化，难以承担教育市民、提高市民素质和城市文明程度的任务的状况，从改变政府传统的思维方式和管理模式，适应国家政治和经济体制改革的现实出发，民政部又提出在城市开展“社区建设”的工作思路。1996年3月，江泽民总书记进一步指出：要大力加强城市社区建设，充分发挥街道办事处、居委会在加强城市管理中的作用。社区建设的必要性和重要性日益为城市各级领导和广大群众所认识。1998 年 7 月，民政部正式将原基层政权建设司更名为基层政权与社区建设司，负责指导与管理社区建设工作。这说明社区建设已在政府工作中占据重要地位，并有了制度与组织保证。

社区建设就是在政府倡导和支持下，以社区为依托，通过开展社区单位和居民广泛参与的社区管理、社区服务、社区经济、社区文化、社区教育、社区卫生、社区治安等活动，开发社区资源，发展社区事业，解决社区问题，强化社区功能，达到提高居民生活质量、提高市民文明素质和城市文明程度、稳定城市基层社会的目的。

社区建设是指社区的全方位建设，只要是与社区单位和居民的利益相关、以社区为载体而开展的工作，都可以包括在社区建设之内。从目前的实践情况看，社区建设的主要内容有：(1) 社区管理，包括市政、物业、计划生育、流动人口等行政工作的管理和社区内居民自治事务的管理。(2) 社区服务，包括面向社区残疾人、优抚对象、老年人和社会困难群体的福利性服务、面向全体社区成员的便民利民服务和群众性的社会互助活动。(3) 社区经济，包括政府拨款、社会集资、捐赠和街道引进扶植，以及其他社区组织创办的可用于社区建设事业的各种经济形式。(4) 社区文化，包括各种群众性的文化、体育、科普活动。(5) 社区教育，包括由社区组织创办的各种教育形式，如托儿所、幼儿园、市民学校、市民家政学习班、青少年教育基地等。(6) 社区卫生，包括社区的公共卫生、绿化、环境保护和康复医疗卫生。(7) 社区治安，包括社区内的治安保卫、民事调解、帮教失足青少年、防火防盗等群众性的安全防范活动。

从社区建设的内涵来看，政府的倡导和指导包括政策、规划、体制、管理、资金投入等多个方面；社区力量包括政府力量、社区各单位和各部门的力量以及居民群众的力量；社区资源包括地理方位资源、自然资源、人文资源、组织资源和各种经济资源；社区问题包括治安问题、环境问题、交通问题、人口问题、生活服务问题等等；社区功能包括服务功能、整合功能、稳定功能和发展功能；社区事业包括政治、经济、文化和社会各个领域和各个方面。从社区建设的内涵不难看出，社区建设是一项庞大的社会系统工程。

搞好社区建设这一牵涉部门多、内容广、政策性强的庞大系统工程，必须遵循以下原则：(1) 政府倡导的原则。为了避免盲目性，协调各部门的工作，鼓励社会力量参与社区事务，政府倡导的原则是必不可少的。政府倡导重在搞好规划、组织协调、政策扶持和投资引导。政府倡导决不是包办代替，更不能搞垄断。(2) 大众参与的原则。社区建设的主体是居民群众，离开了居民群众的积极参与，社区建设就失去了群众基础，就没有了生命力。因此，开展社区建设要始终相信和依靠群众，坚持“大家的事务大家管，大家的事情大家办”的原则，发挥社区各部门、各单位的积极性，最大限度地组织、动员居民群众参与社区工作。本着“有钱出钱，有力出力，无钱无力出个好主意”的原则，共同把社区的事务管好，把社区的事情办好。(3) 服务群众的原则。开展社区建设不仅要相信和依靠群众，而且要心系群众，服务群众，从居民群众的实际需要出发，寻求共同利益和共同需求，以“群众满意不满意，高兴不高兴，答应不答应”作为衡量社区建设各项工作的最高标准。(4) 因地制宜的原则。开展社区建设一定要从实际出发、因地制宜、量力而行，不搞形式主义、不搞花架子。既不要搞攀比，也不要搞统一的模式；要允许各地根据自己的实际情况，发挥出自己的优势，创造出自己的特点。(5) 协调发展的原则。社区建设既包括物质文明建设又包括精神文明建设；既包括政治、文化的内容，也包括经济、社会生活的内容。因此，开展社区建设要坚持政治、经济、文化协调发展的原则，坚持经济与社会协调发展的原则，以推动社会全面进步。(6) 利益共享原则。利益是人们行为的动因，也是社区建设的根本目的和感召力的基础。这就要求社区政府组织在社区建设中注意协调社区各组织和居民群众的利益关系，维护各行为主体的合法利益，维系任务承担者和受益者在利益关系上的一致性，以使大家各得其所、利益共享，调动社区各单位和居民参与社区建设的积极性。

从以上社区建设的内涵和原则看，它与国外社区发展的概念是一致的。两者都强调政府行为与人民大众的参与有机结合，强调居民社区意识、社区精神的培养；致力于全体社区居民的社会福利，致力于改善社区环境，提高居民的文明素质；都注重开发和利用社区资源，注重将社区各种力量有机地组织起来，使各种社区要素在实现自己利益的同时，促进社区发展整体目标的实现。从而使整个社会走上既达到宏观社会发展目标，又不损害微观团结基础的现代发展之路。可见，社区建设与社区发展是可以相互替代的概念。这正是我们进行城市社区发展国际比较研究的基点。为了便于国内读者的理解，我们在谈到中国社区发展时，一般用社区建设的概念，有时两个概念也可能混用。

1991 年以来，在各级党政领导高度重视、各有关部门积极推动下，实际工作者对社区建设工作进行了大胆的探索和实践。北京、上海、石家庄、天津、杭州、大连、厦门等地都开展了社区建设试点工作，并取得了一些有益的经验。例如，改革城市街道管理体制，市、区向街道下放权力；建立社区工作协会、社区委员会、社区志愿者协会；动员在职党员参加社区建设；中学生参加社会公益事业服务劳动；选派党政机关干部和中、小学教师担任居委会指导员；面向社会招聘专职居委会干部，并纳入全民事业编制，使居委会主任的平均年龄降低，文化程度提高等等。这些做法，不仅使干部的整体素质、工作能力有了明显提高，而且由于居委会工作的职业化，也提高了居委会组织的社会地位，提高了社区管理的水平，推动了社区建设的深入发展。

考察与总结各地的社区建设实践，可以发现几个突出特点：一是社区建设的主要目标是加强基层政权建设和城市管理；二是把社区定位在街道管辖的行政区域内；三是主要探索将城市管理重心下移，使街道变成一个“准政府”，在“两级政府、三级管理”的架构中发挥更大的作用，把问题解决在基层；四是把社区建设作为一项重要的“政府工作”来做，主要依靠的是权力推动；五是开始注意作为“微型社区”载体的居委会作用的发挥，提出了“两级政府、三级管理、四级落实”的管理体制模式，采取了一定措施加强居委会组织建设；六是通过各种形式的共建和志愿者服务等形式，动员和组织社会力量参与社区建设。

从这些城市的实践效果看，社区建设适应了市场经济条件下城市基层工作的需要，为街道、居委会工作指明了方向；调动了各部门、各单位和居民群众参与城市建设和城市管理的积极性，为打破长期存在的权力高度集中、条块分割、政出多门的城市管理体制奠定了基础；强化了城市基层政权和基层组织的功能；改善了社区环境，增强了居民的社区意识，推动了社区经济与社会的协调发展，使社区面貌焕然一新。

（三）
社区建设面临的问题

尽管社区建设加强了基层政权建设，改进了城市管理，推动了以政府为主导的社区整合，取得了一些值得推广的经验，但由于社区建设在我国毕竟还属于探索阶段，无论在理论上，还是实践上，都面临许多亟待解决的问题。

第一，社区建设组织管理体制不健全，尚停留在社区服务的架构之中，体制障碍已成为桎梏社区建设向前推进的关节点。主要表现在四个方面：一是现有的街道办事处管理体制与真正意义上的社区委员会体制无论在性质，还是在功能上均存在较大的背离，难以对接；二是微型社区组织——居民委员会功能错位，难以有效发挥社区群众自治组织的作用；三是街道管理工作社区化因单位隶属关系不同，“单位制”尚未完全解体而难以推进；四是社区中非政府、非营利组织发育迟缓，难以起到缓解社会冲突的中介作用。

第二，社区工作者队伍薄弱，难以胜任社区工作专业化的要求。社区工作者在我国还是一个全新的概念。尽管目前我们已经拥有了一支从事社区工作的队伍，但他们大多未经过社会工作的专门培训，许多人还是沿用政府管理的手段来从事社区管理，因而工作不到位。特别是在居委会组织层面上的工作人员，普遍具有年龄偏大，学历、能力、效率偏低的不足。由于居委会干部总体素质欠佳、工作思路不宽、群众威信偏低，因而难以有效发挥居民自治组织的“自我管理、自我服务、自我教育”作用。

第三，投资运行机制不健全，社区建设缺少资金保证。主要表现在：一是社区资金管理不规范，从筹资、使用到监督没有形成制度化。由于社区建设还没有正式列入政府的社会经济发展统一规划，因此，一方面是政府年度财政预算中没有用于社区建设的专项资金，政府对社区的投资缺乏计划性和经常性；另一方面，政府相关部门在社区建设工作中往往根据本部门的需要进行投入，造成资金使用分散，投资效益不佳。二是筹资渠道狭窄，资金来源不足。据调查，目前城市社区建设资金主要依靠街道、居委会自筹，政府投资以项目投资形式为主，所占比重较低。在社区氛围尚未形成的情况下，驻区企事业单位、个人资助及社会福利募捐为主的社会性集资数量十分有限。因此，社区资金来源没有固定渠道所导致的资金不足，严重影响了社区建设的开展和社区生活环境的改善。

第四，社区资源开发利用不足，使得资源闲置与供不应求的矛盾突出。社区资源既包括人力资源，也包括物质资源。就前者而言，我国城市机关、企事业单位、大专院校和科研机构各类人才济济。然而，尽管我国近年来志愿者队伍逐渐壮大，但这些人才优势在社区建设中的作用并未充分发掘出来。同时，社区志愿者服务信息网络不健全，供需状况底数不清，志愿服务活动还不够广泛、深入。随着社区居民生活水平的不断提高，居民对文化、体育活动需求日益增多，但供居民享用的活动场所并不多。事实上，社区内一些单位的文化设施，包括教育、体育设施都有闲置不用的时候。由于资源不能共享，势必造成资源浪费和市场供不应求状况共存的局面。此外，社区单位的卫生设施、交通工具等也同样存在开发利用不足的现象。

第五，社区居民参与意识薄弱，社区工作主要停留在政府发动阶段。社区参与是指社区居民自觉自愿参加社区各种活动或事务的行动。它包括社区居民的社会参与、经济参与、文化参与和政治参与。由于我国城市社区工作开展时间较短，许多居民还把社区工作完全视为是街道、居委会的事，认为与己无关。尽管社区内一般都有市或区的人大代表或政协委员，但由于他们多为单位推选，与社区工作脱节，因而不能及时代表社区向上反映居民意见或需求。此外，关注社区活动的主要是离退休老人，绝大多数中青年很少参与社区事务。据课题组所做的“北京城市居民社区心态问卷调查”分析显示，北京城市居民社区参与意愿的平均值为16.48，高于其理论预期平均值(12.57)。也就是说，北京城市居民具有较强的社区参与意愿，即使如此，这种参与意愿也仅为16.48，而将这种意愿付诸于行动的居民，则更为有限。总之，目前的社区工作还主要是一种政府行为。

·第三节·

在比较与借鉴中建构具有中国特色的社区建设模式

(一)

社区发展比较研究的视野与方法

世界上许多国家在联合国推动下开展社区建设已走过五十多年的历程，既积累了较多的经验，形成了一些比较成熟的做法，也有一些值得吸取的教训。而我国社区建设起步较晚，近年来通过社区发展途径，有效地解决经济与社会发展不同步产生的种种弊端，依靠社区承担由企业剥离的社会职能和由社区承接无上级主管的新经济组织的社会管理已成为人们的共识。但如何在我国现有体制下，走出一条适合国情的城市社区发展之路，仍在探索之中，面临许多亟待研究和解决的问题。因此有必要在认真总结我国社区建设的实践，系统介绍国外社区发展经验的基础上进行比较研究，将我国社区建设放在国际社会由经济发展到社会发展、再到社区发展的发展观转变的背景下进行考察，放在建立与市场经济相适应的社会管理体制要求的背景中考察。这就超越了脱离国际社区发展的背景与经验、孤立地研究中国社区建设的局限，获得了有利于我国社区建设的国外社区发展的经验教训，在高起点上展开我国社区建设研究与实践的宏观视野，使我们可以在探讨建构社区建设模式的过程中，突破陈规、少走弯路、用较少的代价获得较大的收益，用较少的时间获得较多的成果，用新的理论和实践成果推动我国社区建设的深入发展。

社区发展比较研究是一个实践性很强、涉及面很广的全新课题。要使这一课题的研究成果具有科学性、超前性和可操作性，就必须运用科学的研究方法。

马克思主义辩证唯物论和历史唯物论作为研究一切社会历史现象的方法论基础，同样也是本课题研究的基本方法论。我们从选题论证到项目设计，从原始资料整理到最终成果写作，自始至终都努力贯彻这一点。具体体现在以下几个方面：

第一，坚持从中国实际出发与学习借鉴国外经验相结合，体现理论研究的前瞻性。

坚持从实际出发，实事求是，是马克思主义科学世界观和方法论的基本要求。干革命、搞建设要从实际出发；研究社会问题，建构具有中国特色的社区建设基本框架更需要从中国实际出发，从基本国情出发。研究中国社区建设的经验和规律，不能照搬外国现成的理论与模式。但坚持实事求是，并不排斥对其他文化成果的引进、借鉴、学习和吸收。将“社区”概念引入实际工作中，并提出“社区建设”的任务，本身就是学习和借鉴的结果。建构具有中国特色的社区建设基本框架与管理体系，是一个融时代性和民族性于一体的课题。在世界进入信息时代的今天，任何民族都不可能闭关锁国地实现自我发展，不可能不学习吸收、借鉴一切人类文明成果。邓小平同志指出:“社会主义要取得与资本主义相比较的优势,就必须大胆吸收和借鉴人类社会创造的一切文明成果,吸收和借鉴当今世界包括资本主义发达国家的一切反映现代社会化生产规律的先进经营方式、管理方法。”同时,我们还要用联系与发展的观点来进行学习与借鉴。由于我国经济不发达,居民文化程度较低,市场体制改革不到位,因而一些适应发达国家的社区发展经验和做法并不一定适合我国目前情况。但随着社会主义市场经济体制的建立,以及行政体制改革的不断深化,人民群众生活水平和文化素养的提高,必将要求更高层次的现代社区管理。因此,我们应当用变化和发展的眼光看待学习与借鉴,体现出社会科学研究的前瞻性,改变目前城市管理理念和管理方法的滞后状况,更好地满足社会发展的需要。

第二,坚持微观研究与宏观研究相结合,体现理论研究的指导性。

社区发展研究大到研究世界各国社区发展的共同特点和规律,小到研究几十户、几百户的微型社区的运行和管理,体现出了普遍与特殊,一般与个别的辩证统一。没有对具有一定代表性的微观社区的研究做基础,宏观的社区发展的体制与运行机制的研究就缺乏根基,国内外社区的相同点与相异点的比较研究就难以进行;若不从一国或同类国家的社会结构、社会变迁、社会制度、文化传统对社区建设的影响作宏观研究,从社会整体的角度进行宏观思考,又会使社区发展比较研究难以拓展和深入,也就谈不上在比较和借鉴中建构具有中国特色的社区建设模式。因此,我们在研究中必须始终坚持微观研究与宏观研究的有机结合,把从社会结构、组织体制与文化背景等方面对一国社区的总体研究与对微型社区的个案研究紧密结合起来,体现社区发展理论研究的指导性。

第三,坚持理论研究与实际应用相结合,体现理论研究的可操作性。

理论联系实际是社会学研究的根本原则。我们进行社区建设比较研究，根本目的是为了更好地指导社区建设实践。因此，我们在研究过程中，应注意将比较研究的阶段性成果运用于社区建设实际，针对我国，特别是北京市社区建设中存在的问题，提出具有可操作性的对策性建议；或对带有方向性的社区建设做法加以总结，上升到理论加以推广，使研究成果变为政府决策依据，并适时推向社会。如关于街道体制与居委会改革的建议被吸收在北京街道管理体制改革文件中。《关于在全市推广中学生参加社会公益劳动的建议》被市教委采纳，在全市推广，取得了较好的社会效益。

比较法是本课题采取的基本研究方法。我们在介绍国外及港台地区社区发展的一些经验和做法的基础上，就不同类型国家之间，同一国家不同城市之间在管理体制、社区经济、社区服务、社区文化等方面的异同进行比较研究。比较法的最大好处在于，通过对社区发展相关方面的主要特点进行对比分析，可以使人很清晰地看到不同国家和地区之间在社区发展方面的共同点与差异点，造成这些共同点与差异点的政治与文化背景、经济与社会原因；看到哪些是只适用于特定国家的做法，哪些是值得别国借鉴的经验，哪些是可以马上拿来为我所用的，哪些是需要经过努力创造必要的条件才能在实际中运用并产生效果的。特别是本书中引用的一些材料和国外社区建设各方面的实践与做法，很多都是第一次介绍到国内，这些都为进行比较研究奠定了良好的基础，可使人们从比较分析中受到启迪，得出有价值的结论，深化人们对社区建设的认识。

（二）
在比较与借鉴中建构具有中国特色的社区建设模式

如前所述，本课题确立的目标就是通过介绍国内外社区建设的一些经验，进行比较研究，借鉴和学习国内外的一些成功做法，加以提炼完善，提出我国社区管理体制改革的思路，建构具有中国特色的社区发展模式。严格说来，“模式”这一提法并不很确切，有它明显的局限性，给人一种千篇一律、没有各地特色的感觉。但为了便于同过去计划经济条件下形成的以行政化、单一化为主要特征的街道体制运行模式进行对比，我们姑且用这一概念来表述新的社区发展运行机制及与其相关的内容。

在 90 年代之前的 40 年中，虽然客观意义上的城市社区已经形成并保持运作，但主观上引导居民、组织居民、发动居民参与社区管理与服务的工作，往往被行政上大一统的、带有非社区发展性任务所阻滞，城市社区的成熟性不足，社区各种要素与功能的整合程度很低，我国城市社区管理功能错位表现在政府对社会化服务事业的发展承担责任不够，而居民所属的单位对政治控制、社会管理、社会服务、社会保障等社区发展职能又承揽过多。这种以单一化、行政化为主要特征的运行模式，曾是我国城市社区行之有效的管理模式，其历史功绩不可磨灭。

随着改革开放以来社会多元化的发展，原有社区管理运行模式存在的社会基础、制度背景发生了根本变化，这些变化呼唤社区运行模式的转换。90 年代后，特别是 1996 年，上海率先进行了城市街道管理体制改革，明确提出了探索社区建设与管理新机制，其后，杭州、厦门、石家庄、北京等地都先后提出强化“两级政府、三级管理、四级落实”的社区管理新思路，在实践中取得了明显成效。

尽管这一探索还不成熟，具体细节尚难描述，但新的社区发展运行机制及运行方式的基本框架已初步形成。这种新的模式不同于旧模式的地方在于社区运行主体的定位、动力机制、整合机制、发展机制和社区组织等方面呈现出多元化、社会化的特征。

建构具有中国特色的社区发展模式就是针对我国目前社区建设中存在的难点与问题，在总结国内社区建设经验和介绍国外社区发展做法的基础上，进行比较研究，吸收借鉴各方之长，提出新的社区发展模式涉及的主要方面及其特征。

第一，社区管理组织多元化。

社区建设的过程是一个政府逐渐转变职能的过程，是一个社区与社会渐趋成长的过程。社区建设主要不是一项“政府工作”，而是一项社会工作，扮演主要角色的不应当仅仅是政府，而是社会力量和居民群众。从社区发展的长远目标看，多方参与、共同管理是社区管理的大趋势。作为新的社区发展模式基础，社区管理的权威机构应当是由社区范围内的街道办事处、企事业单位、非政府非营利组织与社会团体横向联结共同参与组建的社区委员会。街道办事处作为政府的代表，在社区建设中的理想角色应当是发挥指导员、组织者、推动者和参与者的作用。在进一步改革城市管理体制，强化街道办事处社区管理、组织、协调职能，构筑“两级政府、三级管理、四级网络”的同时，要特别注重发挥社区企业单位的作用，培养和发展非营利服务机构。国外社区大多数管理与服务的工作由非政府、非营利组织承担，他们在社区发展中起着举足轻重的作用。非政府、非营利组织作为政府与市场的中介机构，与政府、营利组织（企业）一起，共同构成社会机制的三大板块。虽然三方承担的社会角色和功能不同，但却是一个完整的有机的整体。如果三种"服务"整合得好，将会大大增强整个社会承担社会需求和处理社会问题的能力。

第二，社区筹资渠道多元化。

社区建设投资渠道单一、资金匮乏是社区发展的重要制约因素之一。社区建设是一项非营利性质的社会公益事业，必须通过制定相关的法律、政策，建立由政府资助、社会捐助及有关服务收费为主要来源的多元化社区发展筹资渠道。一是建立政府对社区服务机构（包括其他非营利机构在内）的资助制度，并将这种资助制度纳入政府经常性的财政预算；二是建立类似"社区发展基金"的筹资机构，通过各种手段广泛调动社区内外的民间资源，吸收机构赠款和民间捐款，并根据社区发展的需要将各种资源统一分配到社区服务机构中去；三是组建社区服务发展公司，负责组织辖区内的经济建设活动，并通过其工作，赢得政府和企业在资金、技术等方面的支持。这样做不仅可以获得更多的社区发展资金，而且可以创造更多的就业机会，为实施再就业工程作出贡献；四是发展社区经济，通过优化社区环境、改善社区形象、提高服务水平和效率，吸引、鼓励、支持更多企业及中介服务机构到社区落户，培植税源，为社区发展提供资金支持。

第三，社区服务形式与内容多样化。

将政府兴办的社区服务中心的无偿和低收费服务、企业的收费服务，与来自各行各业的自愿者组织的自愿服务、邻里的互助服务等有机结合起来；将低层次的一般生活服务与高层次的文化智力服务结合起来，满足群众的生活、休闲、娱乐、康复、健身、卫生保健、心理咨询、就业培训、老人和儿童照顾等各种各样的需求。

第四，社区工作者构成多元化。

社区工作者主要是指居民自治组织居委会干部与街道办事

处干部。国外及港台地区社区工作者大多是经过社会专业训练的大中专毕业生。为了从根本上改变居委会干部年龄大、文化低、能力差的状况，适应社区发展的要求，必须加大居委会干部的改革与调整力度。通过留用一批离退休人员、招聘一批事业编制专职干部、培养引进一批社会工作专业大学生及大专生等措施，逐步改善街道居委会工作人员结构，提高社区工作者的整体素质；同时提高社区工作者的待遇，使社区工作者成为一个令人羡慕的职业。为使社区工作者逐步走向专业化、职业化，需要在有关大中专院校扩大或增设社会工作与社区管理专业。

第五，社区居民参与普遍化。

社区建设的主体是人民群众。居民的态度和参与程度，决定着社区建设的成功与否。社区建设目标的实现和社区管理水平的提高，离开了对居民社区意识的培育和居民对社区事务的广泛参与是不可想象的。国内外社区发展的经验表明：社区居民参与程度是社区发展程度的标志，社区归属感和社区参与意识是社区发展的动力源。居民的社区归属意识和参与意识淡薄是制约我国社区发展水平的重要因素。因此，新的社区建设模式应当包括多种形式的社区参与渠道和参与形式，如建立社区委员会、吸收居民代表参加社区管理、建立各种形式的社区志愿者服务组织、建立在职党员参与社区建设的机制，以及建立非正式支持网络等，让更多的居民参与到社区服务、社区管理、社区经济、社区文化、社区教育中来。通过接受服务、提供服务、参与社区生活，培养居民的社区意识和公益精神，使居民有更多的机会为谋取社区共同利益而施展和贡献自己的才能，分担社区责任、分享社区成果，使社区中潜藏的静态资源转化为现实的动态资源，形成“人人为我，我为人人”的浓厚社区氛围，增强社区的凝聚力。

第六，社区资源利用合理化。

后勤服务与公益设施由单位和部门（条条）建设，归单位和部门所有，而面向本单位和本部门服务是计划经济下企业与单位办社会的产物。这种单位资源与社区的割裂，“条条”所建的服务设施（如社区服务中心、少年儿童活动中心、老人活动中心、学校体育活动场所等）只对某一特殊人群服务的状况，一方面造成资源利用不充分和服务设施闲置，人力、物力、财力、场地的极大浪费；另一方面，单位和“条条”之外的居民需求又由于社区文化、体育、生活服务设施缺乏而得不到满足。因此，必须通过社区资源整合，消除社区资源割裂状况，实现社区资源共享和资源利用合理化。

实现资源利用的合理化，关键在于充分发挥由街道办事处牵头的、由辖区各职能部门与社会单位、人大代表、政协委员参加的社区委员会的作用，加大社区资源配置要素整合的力度，并制定相应的鼓励政策和管理条例，使驻区单位的后勤服务和公益设施向社会开放，不断提高社区资源共享水平。通过社区建设，努力把社区单位内部的资源要素优势转化为社区的服务优势；把社区场地、资金优势转化为社区建设优势；把服务与建设产生的环境优势转化为培植吸纳税源和发展区域经济的综合优势。在共同开发利用社区单位内部资源的过程中，使社区单位和社区整体均实现较好的经济效益和社会效益，使社区广大居民受益。

第二章
社区管理组织制度建设

现代社会是高度组织化的社会。因此，研究社会就离不开对社会组织的研究。社区作为一个小社会，有其自身特有的组织形态、功能目标及其运作方式。深入研究与探讨社区组织特性和运行规律，有助于依靠社区自身力量，通过组织化途径解决社区内部问题；同时由于社会发展的总体目标是通过社区的具体行动得以实现的，因而高效、灵活的社区管理组织方式还有助于推动整个社会的进步。

·第一节·
社区管理组织的基本理论

（一）
社区管理组织的特征、性质与作用

1. 社区管理组织、社区组织与社会组织的关系

“社区管理组织”是社会组织系统中社区组织子系统的分支。要想了解“社区管理组织”的内涵，首先应该对社区与社会、社区组织与社会组织的区别与联系有个明确的认识。

社区通常是指以一定地域为基础的关系密切的社会群体。社区与社会是两个既相联系又相区别的概念。从社区定义的外延看，社区可以被看作是地域社会并以社会的组成部分而存

在。但从社区的内涵看，两者存在明显的差异：首先，社区强调其成员具有共同的地域文化和社区意识，而社会成员的"共性"特征并不明显；其次，社区是社会空间与地理空间的结合，而社会不注重地域概念；第三，社区成员的社会关系大多建立在"共同生活"的基础之上，利益相关，其交往频率高于社会成员。可见，社区所强调的是生活在辖区内的人们具有共同的目标、共同的利益和共同的意识。这是社区有别于社会的显著标志。

社会组织是指社会成员为了达到某种共同目标，将其行为彼此协调与联合起来所形成的社会团体。社会组织分类方法很多，比较有代表性的是美国社会学家 T. 帕森斯提出的目标、功能分类法。他将社会组织划分为四种类型：(1) 经济生产组织。其功能以物质生产为主，同时也发挥着服务性、福利性等功能。因此，他将企业、医院等部门都归于经济生产组织。(2) 政治目标组织。其功能是保证社会实现其有价值的目标并对社会实施权力配置，主要包括政府机关等。(3) 整合组织。其功能是调整社会体系各部分的关系，维持社会的正常秩序，以实现制度的期望或达到社会各部分彼此良好的配合。法院、律师事务所乃至政党等均为整合组织。(4) 模式维持组织。其功能是通过文化传播和教育普及来维持现存社会体系的运转。其组织也包括研究性的机构在内，如教会和学校等。借鉴西方社会学者的社会组织功能分类方法，结合国情，我国社会学者也将社会组织分为四种类型：(1) 行政组织。它是国家为实现一定的目标，根据宪法和法律，将专职人员和若干部门，按照特定的结构形式组合起来，并依法对国家事务进行管理的系统。主要指政权组织。(2) 经济组织。它是以行业关系为基础、以经济活动为中心的人群组合体。经济组织包括生产机构、商业机构和服务机构等，它们可以为社会成员提供各种商品和服务项目。(3) 文化组织。它是人们在广泛意义上传播人类已有文化成果、从事科学研究活动、保障社会成员文明健康生活的多层次组合形式。它包括文艺机构、教育机构、卫生机构、科研机构等等。(4) 综合组织。它是综合了多种类型的社会关系从而担负着多种类型职能的社会共同体，社区组织就属于这一范畴。可见，社区组织是社会组织的类型之一。

社区组织是指以兴办、管理辖区内经济、政治、文化事业而建立起来的地域性社会组织。地域性是它区别社会组织的重要标志。社区组织的各项活动主要是针对本辖区居民的，其作用也主要体现在本社区范围之内。一旦超出这一范围，社区组织就会失去号召力。

社区组织又分为管理组织和服务组织两种类型。前者的主要职能是统筹规划、组织协调和监督调控；后者则主要为社区成员提供全方位、多元化的社区服务。

2. 社区管理组织的主要特征

社区管理组织是指由社区居民选举产生，代表社区居民利益，在辖区范围内行使社会管理职能的群众自治性组织。作为社区组织的组成部分，社区管理组织与其他社会组织相比，具有典型的群众性、重人性、务实性和特殊凝聚力等特征。

首先，相对于国家行政组织而言，社区管理组织的工作直接面向基层民众，因此，它不仅数量多，而且覆盖面广。同时，社区管理组织的成员来自基层社区，是社区居民利益的代言人，可以充分体现广大群众的意志和愿望。虽然国家有关行政机关具有行使民政工作、社会福利事业以及与人民物质生活密切相关的各类社会公共事务的管理职能，与其他行政组织相比，同群众接触较多；但与社区管理组织相比，这种群众性从广度、深度和频率上都偏低。

其次，相对于经济组织而言，社区管理组织更加重视人的主观能动作用。经济组织作为从事经济活动的实体，其功能是创造物质财富。因此，它关注更多的是如何理顺组织内部的物质利益关系，以实现经济效益的最大化。而社区管理组织是居民从事社会活动、实施社会管理的主体。它所关注的是人际关系的和谐，强调社区活动中以人为本的原则。

第三，相对于文化组织而言，社区管理组织将精神文明建设落在实处。文化组织的任务是发展教育、科学、文化事业，提高全社会人们的思想道德水准和科学文化素质，具有相对的宏观性；而社区管理组织通过组织社区成员开展各种有益身心健康的文体活动、帮助解决居民存在的现实困难和问题以及有针对性的实施帮教工作，将大量具体的事务性工作与精神文明建设有机结合起来，从而取得实效。

此外，由于社区管理组织是代表民众参与管理社会事务的组织，其内部的社会关系表现形式与等级结构组织有较大不同。它们有着自己信赖的领袖人物、传统仪式、价值标准和行为规范，并以此来约束和控制组织成员的行为。其组织的核心人物或领袖并非一定具有很高的地位，但他们却因声望或拥有一定的资源而对其他人具有实际的支配能力。

3. 社区管理组织的性质和作用

社区管理组织作为非行政性的社会管理组织，其性质主要体现在四个方面：一是基层性。它是设立在国家最低行政区域下，以自愿结合方式组织起来的群众性管理组织。主要代表辖区居民行使基层社区管理权限。二是群众性。它不是国家政权组织，不能采取强制性的管理手段。其成员由社区居民选举产生。三是自治性。自治性是指社区管理组织在国家法律、法规赋予的职权范围内对本社区的公共事务和公益事业拥有一定的自主权和自决权。社区管理组织依法代表社区居民，对关系居民切身利益的公共事务和公益事业，行使当家作主的民主权利。四是综合性。社区管理组织承担着管理社区政治、经济、文化等各项事务的责任，而不是仅承担某项或某几项管理责任。

社区管理组织的作用主要表现在三个方面：

首先，社区管理组织对于发挥个人潜能、缓解社会压力和矛盾冲突具有良好的润滑剂作用。一方面，社区管理组织给成员提供的是一种友谊、认同和相互支持的环境，使得成员可以安心工作，减少了等级制度下的不安全感；另一方面，由于社区管理组织致力于改善社会环境，特别是以救助弱势群体为己任，因此，在满足不同群体的社会需要、特别是缓解因贫富差距产生的社会冲突方面起到了不可或缺的作用。可见，社区管理组织成员在满足友谊等高层次需要的同时，对社会稳定也起到了重要的缓冲作用。

其次，社区管理组织参与社会管理，可以与国家行政组织的社会管理起到互补作用。社会管理是政府的重要职能之一，但并非所有的社会事务都要由政府直接管理。随着市场经济体系的逐步发育完善，政府职能的结构重心将由社会管理向社会服务位移，呈现“小政府、大社会”的社会发展格局。与之相适应，不断成长的社区管理组织将替代行政组织承担其直接管理的收缩部分。社区管理组织微观直接管理能力与政府宏观间接管理能力的互补增益，将加速推进现代化进程。

第三，社区管理组织上情下达，起着沟通政府与民众的桥梁与纽带作用。

（二）

现代社会政府职能转换与市民组织发展的关系

城市社区管理组织作为社区居民自治组织，其产生与发展与政府职能转换密切相关。

政府职能是指政府的行为方向和基本任务。依据政治学家的观点，现代政治社会中政府的行为方向以及基本任务主要体现在阶级统治、社会管理、社会服务和社会平衡等四大方面。但在不同的社会发展阶段，政府职能的结构重心会发生位移，即我们所指的政府职能转换。一般说来，传统社会下的政府职能结构的重心是阶级统治职能，以后逐渐转向现代工业社会的社会管理职能和后工业社会的社会服务职能。发生这种位移的主要原因在于经济增长模式的变换以及公民社会的成长发育。

在西方社会，发达的资本主义国家从资本主义确立至今经历了三个发展阶段：一是从资本主义确立到工业化、城市化等西方式现代化启动时期（17至18世纪中叶或19世纪中后期）；二是从工业化、城市化等西方式现代化开始至完成时期（18、19世纪中叶至20世纪50、60年代）；三是后现代化时期（亦称后工业社会）（20世纪70、80年代以来）。与之相对应的三个时期经济发展也经历了由传统农业社会向工业社会过渡时期的重工轻农的产业结构畸形发展向以增加投资和劳动力，发展新型产业的外延式经济增长模式转变直至走向以优化产业结构，增加科技含量和服务功能为核心内容的内涵式经济发展道路的转变过程。事实上，不同的经济发展阶段有着与之相适应的社会发展条件，其中西方政府的职能转变与其公民社会的成长发育与经济发展水平密切相关。从政府与公民的关系看，伴随着经济发展的三阶段，两者也经历了由一元从属结构向二元分立结构、最终走向一体化意义上的一元包容结构的转化过程。公民社会是市场经济的产物。随着资本主义商品经济的发展，公民社会逐渐获得了完整的财产所有权和独立的经济活动权。但在工业革命和城市化等现代化大规模开始之前，由于西方整个社会结构尚未从传统农业社会中摆脱出来，政府与公民的关系实际上仍处在政府与臣民关系的“外壳”笼罩下。此时，由于公民社会自身的组织正处于发育时期，各种政治权利和社会权利尚未得到法律、特别是宪法的保护。因此，从资产阶级革命和改良到工业革命完成前，由政府从属于公民的一元从属结构向政府与公民的二元分立结构转变，是公民保护自己切身利益免受政府过分侵蚀的一种体制安排。此时政府的阶级统治职能极为突出。进入现代工业社会以后，由于国家与社会处于势均力敌的二元化平衡状态，公民与政府之间形成有限制衡、相对独立的二元结构。而现代化的推进不仅加快了社会资源分配总量的成倍增长，同时也引起社会组织结构的巨变，社会管理事务面临不断扩张的趋势。此时，尽管日趋成熟的公民社会已经承担了一部分增长的社会管理事务，但由于公民社会只能承担由市场关系调节的社会事务的管理工作和主要调节公民个人之间和公民团体之间相互关系的事务，而大量超出市场调节范围的社会事务以及公民与政府、公民与国际组织等关系还必须由政府出面才能得以解决。因此，这一时期政府职能的结构重心由统治职能转向社会管理职能。近二三十年以来，西方发达资本主义国家相继进入后工业社会，其国家与社会、政府与公民的关系再次发生重大转折。现代化的完成使西方社会结构发生了根本性的改变，在资产阶级和无产阶级之间生长出一个人数众多、社会地位复杂的中产阶级，即“白领阶级”。在后工业社会，技术和知识是主要的社会资源，而中产阶级正是这两大社会资源的拥有者。作为公民社会的中坚力量，他们所具有的中庸主义政治心态不仅有助于缓和阶级对抗，而且成为国家与社会二元对立关系的缓冲地带。虽然他们不是政府决策者，但在技术政治中，他们在一定程度上可以左右政府的价值取向。一方面，日趋增多的由民间社会团体、中产阶级个人（特别是著名人士）和政府有关部门共同组成的咨询和协商组织已经开始影响政府的决策过程和社会资源分配取向；同时，以中产阶级为代表的“合格的现代公民”（罗素语）积极参与原本由政府承担的社会管理事务，使得政府有能力不断发展其服务于公民社会的职能，从而使政府与公民从原先的制衡关系开始向相互依赖的一体化方向发展。此时，政府的职能结构重心开始由社会管理职能向社会服务职能转换。

上述转换模式体现了现代社会发展的普遍规律，但就发展中的社会主义国家与西方发达资本主义国家比较而言，由于各自进入现代社会时的社会制度、市场发育程度以及采取的经济发展政策不同，因而前者在社会发展阶段和公民组织发育程度上存在明显的滞后现象：(1) 西方发达资本主义国家实行的是建立在生产资料私有制基础上的社会制度。它自 17 世纪确立资本主义生产方式起，至今一直按照市场经济运行规则发展经济，因此，市场发育程度和生产力水平很高。目前，它已走过工业革命的启动阶段、工业社会发展阶段进入了现代社会的第三阶段——后工业社会；而社会主义国家实行的是建立在生产资料公有制基础上的社会制度。由于起步阶段落后的封建、半封建生产方式占居主导地位，市场发育程度以及生产力水平都比较低下。近 20 年来，在经历了由计划经济向市场经济转轨的体制改革之后，一些社会主义国家开始步入现代社会的第二阶段——工业社会发展阶段。(2) 西方发达资本主义国家的公民社会已由早期的发生、发展走向成熟。公民社会是市场经济的产物。随着资本主义市场经济的发展壮大，由国家和政府强制管理的“公域”日趋缩小，而由公民和社会通过非强制的市场手段加以调节与管理的“私域”越来越大，由此，相对独立于国家与政府的公民社会得到迅速发展并走向成熟。与西方发达资本主义国家不同，发展中的社会主义国家在实行计划经济体制时期，公民个人以及政府、企业的生产、分配、交换和消费全过程均由政府部门进行统筹安排，公民和社会失去了独立行为的领域。直到社会主义国家实行改革开放政策，加快市场经济进程时，公民社会的作用才得以认同。但市场经济的发展毕竟是一个渐进的过程，因此，对于大部分发展中的社会主义国家来说，公民社会尚处在培育、发展阶段。(3) 伴随着后工业社会的来临以及公民社会的发展、成熟，西方发达资本主义国家已经实现了政府职能结构重心由社会管理职能向社会服务职能的转换。与社会发展阶段、公民社会发育状况相适应，多数发展中的社会主义国家政府职能仍以社会管理为主。上述情况表明，尽管西方发达资本主义国家与发展中的社会主义国家因国体、政体以及市场发育程度不同，社会发展存在进程上的“时间差”，但有一点是相同的，即：现代社会政府职能的转变，取决于经济发展水平的提高和具有社会参与意识、参与能力的群众自治组织的发育与成熟。

我国是一个发展中的社会主义国家，尚处在工业社会的发展阶段。随着政府部分社会职能的转归和企业社会职能的逐步剥离，社区作为承接载体，在社会事务中将发挥越来越重要的作用；而社区管理组织的发育与成熟是实现社区工作效益最大化的关键所在。从理论上讲，社区管理组织是独立于政府之外的社会组织系统。但从我国目前所处的社会发展阶段仍需要政府具有较强的社会管理职能以及社区居民自治组织尚处在培育阶段的国情出发，在一定时期内，通过政府的外力推动，采用政府参与的纵向社区管理组织体系与横向的社区居民自治管理组织同步与协调发展的纵横相接的社区管理组织模式，符合现代政府职能转换与市民组织发展关系理论的基本原则。

·第二节·

国内外社区管理组织发展状况

（一）

国外社区管理组织模式

自1955年联合国发布《通过社区发展促进社会进步》的决议书之后，社区发展运动在国际上受到了广泛重视。由于各国文化背景、价值观念、经济发展水平不同，社区管理组织模式各具特色；但总体讲，社区管理组织模式呈现多主体、多层次、多功能的发展格局。

1. 美国

美国是最早在理论和实践上探索社区发展工作的国家。1957年，联合国在发达国家倡导社区发展工作，探索通过社区发展解决工业化、城市化、现代化产生的一系列社会问题，美国是实施这一计划的主要国家。几十年来，在社区实践过程中，逐步形成了管理机构健全、权限职责清晰的组织模式。

美国大多数城市社区具有明确的地理界限，社区就是城市的基层行政单位，社区内都建有社区委员会。城市宪章中不仅规定了各种社区组织机构及其职责，而且具有法律保证。以纽约市为例，城市宪章中对市长、市议会、区长、区政府委员会、社区主席在社区发展中的职责以及社区委员会、社区服务顾问团的组成都作了明确规定。

市长的主要职责是：（1）确保城市各专业职能部门在涉及到地方服务和居民意见的所有事务中与社区委员会进行合作；（2）审核社区委员会对资金预算和使用的合理性并建议拨款数额；（3）确保城市各专业职能部门指派官员参加社区委员会领

导下的社区服务顾问团的工作，为社区中的各种问题提出解决方案；（4）对社区委员会提出的各种问题和困难给予总体帮助。

市议会的主要职责是：负责审议社区委员会呈交的财政预算和决算，并帮助社区委员会决定所需资金的数额。市议会成员集三种身份于一身：他们既是所代表的社区委员会中非正式的不参加投票的成员，也是所在社区的服务顾问团成员，同时还是区政府委员会的成员。市议会成员有权就社区委员会委员人选向区长提出名单，由区长任命；而社区委员会委员中必须有半数是出自这个提名名单。

区长兼任政府委员会和社区顾问团的主席，其主要职责是：（1）任命社区委员会委员，任期两年；（2）与社区委员会共同对“土地使用申请”进行评议和批准；（3）负责社区委员会成员在规划、预算和管理知识方面的培训工作，并对社区委员会提供技术性指导。

区政府委员会由区长担任主席，委员包括所有代表该区的市议会议员和所有的社区委员会主席。区政府委员会对社区的主要职责包括：（1）与社区委员会共同就区划、区划变动、公民和企业特权、城市转让和其他直接影响两个社区以上的土地使用事宜提出建议；（2）审议社区总体或个别计划；（3）对社区的财政预算做综合陈述；（4）对社区的财政状况和服务状况的数量、质量进行评估；（5）与社区委员合作并调解社区间的争议和冲突。

社区委员会和社区服务顾问团作为政府和市民进行联系的桥梁和纽带，在社区中发挥着重要作用。

美国的社区委员会是半官方组织。每个社区委员会中都有50个不领工资的、由区长任命的委员。社区委员会工作的主要职责是：（1）制定计划，实现社区的各种需求目标；（2）参与社区财政预算程序和各种需求的评估，向市财政申请资金并监控资金的使用；(3) 帮助上一级的专业职能部门实施分散化管理和地域性的预算；(4) 管理委员会的内部资金，并合理使用；(5) 负责本社区的福利工作；(6) 有权聘用社区管理人员，处理社区办公室的日常工作；(7) 制定会议日程，组织公众听政会和公众集会；(8) 主持社区服务顾问团会议，与顾问团合作为社区服务的改善制定工作计划；(9) 训练并领导工作人员传递关于城市各种服务的信息，并处理好社区居民对服务工作的意见；(10) 实施社区委员会指派的工作或行使法律条文所规定的其他职能。

社区主席由社区委员会聘用，其主要工作职责是：(1) 领导社区委员会办公室的工作；(2) 为社区委员会制定政策建议并组织实施；(3) 负责本社区内所有服务的组织和实施工作的协调；(4) 就社区和社区居民关心的各种福利问题与政府官员、各专业职能部门和其指派的地方管理者、立法机构或区长合作，以求得他们的支持和帮助；(5) 充当社区委员会与政府各部门、其他社区之间的联络官。

社区服务顾问团由宪章规定的各专业职能部门的代表、社区委员会主席以及市议会中本社区的代表组成，其主要职责是：(1) 协调为社区提供服务的各专业职能部门的关系和各类实施项目；(2) 商讨与处理涉及多家部门和妨碍社区高效节俭的各种问题；(3) 针对社区和居民迫切关心和需要解决的各种问题，制定解决方案并联合组织实施；(4) 征求社区居民和他们的代表对社区服务和活动的意见。

美国的社区发展并不完全是民众自发的行动，其中，政府的作用不可低估。特别是克林顿政府实施的授权区计划和事业社区项目，对于重振已趋于衰落的城市与社区，实现“复兴美国”的美好愿望起到举足轻重的推动作用。

美国“授权区计划和事业社区项目”的出台有其深刻的历史背景。50年代以后，随着产业结构的较大调整，美国许多城市中的传统工业逐步迁到国外或偏远地区。其结果是居民、尤其是富人率先流向郊区，使得商业网点和文化体育设施及相关的投资也随之流向郊外。由于税收急剧减少，市政建设和管理经费紧缺，城市建设与治安状况日益恶化，导致原有的城市逐渐衰落。而新建的郊区，尽管舒适而优美，但毕竟规模较小，且比较分散，因而无法取代大城市在世界经济发展中的地位和作用。由此，严重影响了美国经济的发展，甚至危及到它作为世界经济的霸主地位。基于这种状况，克林顿的“更多地投资于人民，投资于他们的工作和未来”、“不让一个人落在后面”的竞选纲领，获得了美国公众的极大支持；使他不仅两次连任成功，而且在他的带领下，美国财政摆脱了长期的赤字困扰，走上了经济振兴的发展之路。

“授权区计划和事业社区项目”从重新界定联邦政府和地方社区的关系作为突破口，目标是实现再创政府、复兴美国和富泽人民。它是政治、经济、社会福利三重目标的统一结合体。从政治角度讲，该项目通过理顺联邦政府与地方社区的关系，激发美国民众广泛参与振兴计划的政治热情，达到复兴地方社区、保护美国的民主和法制的目的；从经济角度考虑，该项目通过投资人民，投资于他们的工作与未来，为人民创造更多的就业机会，来拉动内需、振兴美国经济；从社会福利实现的途径看，该项目旨在通过政策和资金引导，从方法上教会民众自助，使贫困社区、贫困群体获得自我发展和自我增值的能力，从而最终达到享受社会福利人员大幅减少的目的。1993年5月，在克林顿上任四个月之后，美国国会正式通过了克林顿政府提出的“授权区计划和事业社区项目”法案。一个由副总统戈尔任主席，政府所有大部和委员会的部长为成员的“总统社区事业委员会”开始走马上任。1994 年 1 月，美国联邦住宅和都市发展部对全国“授权区和事业社区”示范项目颁布具体法规。12 月，克林顿总统宣布在 72 个城区首次实行“授权区计划”，而这些城市都具有经济衰落、失业严重、犯罪率高，且具备社区发展潜力等典型特征。与前任总统约翰逊政府实施“向贫穷开战”和“模范城市”项目时直接向社区提供福利援助的做法不同，克林顿政府的“授权区计划”强调的是当地居民必须参与重建计划，特别是要求当地州、市政府以及私人企业以此为契机，形成伙伴关系；在实施授权区计划项目时通力合作，以使重建城市得到全面治理和根本改观。联邦政府的作用则是提供启动资金，并通过制定财政、税收等优惠政策以及各种行政法规，引导授权区实现重建目标。授权区计划预期 10 年完成，其中第一批授权区已获得联邦政府提供的 10 亿美元的赠款和数十亿的税收优惠。政府对授权区实行优惠政策表现在许多方面，其中，授权区可以从银行得到 6%的优惠贷款利率，而银行对于大客户以及信誉高的企业贷款利率在 8.5%左右，对一般企业的贷款率要在 10%以上。此外，授权区内任何企业每雇佣一个失业人员，就可获得 3000 美元的资助；居民公债收入也可以全部减免税收，等等。1996 年中，美国国会又通过了污染地治理可以减免税收的法令，它对于振兴老城区起到了积极的推动作用。事实上，“授权区计划”和“事业社区项目”尽管同属一个项目，但并不是一个概念。前者涵盖后者，且所获得的联邦财政拨款也远比后者要多。

1997 年 8 月，我们在赴美访问期间，专程到首批获得授权区计划支持的克利夫兰市，拜访了大克利夫兰领导者社团、克利夫兰世贸中心、克利夫兰发展协会、克利夫兰会议和旅游部以及克利夫兰大学圈等组织和团体的负责人，亲眼目睹了振兴后的克利夫兰市的繁荣景象。克利夫兰是美国东北部的一个工业城市。60年代中期以前，这里还是一个很有吸引力的城市，它聚集的美国500家大企业总部的数额在全美排名第三。60年代末，随着大企业的外迁，人才流失严重，城市开始日趋衰落；到70年代末期，失业率高达20%。据当时大通银行对全美105个城市所进行的经济预测表明，克利夫兰市的经济状况排位倒数第三。由于它是全美大都会中第一个坏账城市，靠自身能力难以偿付债务，于是，被迫申请破产。在这危难之际，“克利夫兰领导者”组织联合留下的50家大企业的董事，提出了重振城市的“明天的克利夫兰”计划。按照这个计划，他们首先把市中心破旧的火车站改建成为集购物、餐饮、娱乐、办公为一体的世界贸易中心大楼；又在伊利湖畔投资上亿美元修建了“摇滚乐名人堂博物馆”；投资4.5亿美元修建了“棒球场”，并在周边地区开辟了旅游、餐饮等场所。伴随着市中心的快速发展，“克利夫兰领导者”组织又在风景如画的洛克菲勒领地附近建成了融大学、剧院、博物馆、音乐厅及医院为一体的克利夫兰“文化圈”。“明天的克利夫兰”计划不仅包括硬件设施建设，它还通过组织社区进步协会、加强邻里之间的沟通，大大改善了社区生活环境，使中产阶级主动回迁；同时，大克利夫兰领导者社团把社会不同领域的精英组织起来，充分发挥他们各自的优势，为城市振兴起到积极的推动作用。由于采取了上述积极措施，以旅游、文化发展为龙头的城市经济得到迅速发展，城市就业机会明显增加，城市人口也恢复到51万人，其中在旅游服务业工作的人口就达8.5万人，收入超过40亿美元。许多具有国际影响的大跨国公司纷纷看好这个城市，在此落户的大企业总部数量也恢复到全美第四位水平。值得指出的是，克利夫兰城市振兴的过程，充分体现了“授权区计划”所倡导的建立联邦、州、市政府与私人企业之间伙伴关系的精神。在整个城市复兴中，联邦政府除了提供规定的启动资金外，还拿出5.3亿美元用于城市公用设施建设。在棒球场建设项目上，4.5亿美元的投资有一半是由当地两个家族承担的，其余部分则是经过全县公民投票公决，用地方政府收取的烟酒税支付的，而体育场的用地是政府无偿提供的。“摇滚乐名人堂博物馆”虽然是由非政府非营利机构——克利夫兰港务局耗资1亿美元兴建的，但在融资方面也享受了政府两项优惠政策：一是获得了9200万美元、年利率为5.2%的低息贷款（商业贷款为8.5%）；二是在建成后的10年中减免了港务局9200万美元的旅馆税。由此可见，没有政府、私人企业和社会团体的通力合作，克利夫兰城市复兴是根本不可能的。

2. 澳大利亚、新西兰

澳大利亚、新西兰的社区工作起步较早，目前已形成了比较完备的城市社区管理组织体系，且都具有管理机构层次分明、组织健全、职责明确的特点。

两个国家的城市社区管理组织体系分为三个层次：一是市政府设专门机构。如新西兰的奥克兰市政府专门设有娱乐与社区服务委员会。它由市政府授权，在特定范围内经办市政府对社区的官方政策制定事宜。二是半官方的社区委员会。奥克兰市辖十个区，每个区都在选举市长和市政府委员的同时，选举该区的社区委员会。社区委员会由该区选出的市政府委员及其他六名有威望和受信任的市民代表组成，任期三年。社区委员会的职能限于选区之内，主要是从维护当地利益出发，向市政府反映搜集到的关于社区事务的建议或意见，直接转达民众的呼声。三是自治性的社区服务组织。如澳大利亚的白马市，为解决华人生活上存在诸多不便的问题，成立了澳洲华人社区服务中心。该中心会员由四部分人员组成：（1）常务会员，由筹建社区服务中心的人员产生；（2）全职会员，即在中心工作的专职人员；(3) 合作会员，即其他机构中愿意服从本中心规定并为本中心服务的人员；(4) 组织会员，即其他华裔机构人员愿意服从并服务本中心者。社区服务中心主要受市政府指导或委托，为维多利亚州的澳籍华人提供社会福利服务，并具体负责实施社区的各项服务工作。

澳、新两国政府在促进社区发展和管理上基本采取了“政府负责规划、指导，给予资助，社区组织负责具体实施”的运作方式。政府每年要制定社区发展的总体规划，出台相应的政策，并把社区拟办的事情公布于众，征求居民意见并加以修改。同时，政府每年还要拨出专项资金用于社区发展和管理。例如，奥克兰市政府每年拨付的社区发展金约为1600万新元(约合8000万人民币)，除主要用于固定服务设施建设外，大部分用于老年人服务、残疾人安置、移民服务和房屋补贴等社区服务项目。至于临时性补贴款项，则主要依据社区服务组织就辖区内拟帮助对象的多少所提出的申请，经政府审核后，按标准给予资助，并由社区组织实施。

3. 英国

英国是世界上最早实行社会保障制度的国家之一。但是，70年代以后，由于其经济衰退，难以承负全民高福利所造成的重压，英国开始对实行了数十年的社会保障制度进行改革。社区照顾就是英国在国家福利政策变化下倡导的一种社会工作模式。社区照顾的基本思路是以社区为依托，充分发挥社区关系网络的力量去支持各种服务；而政府则通过一系列的政策调整措施，把原来主要由政府包揽的社会福利和服务转移到社区和家庭，并通过各种服务配套措施使得社区和家庭有能力承受政府转移下来的这种负担。

英国的社区服务组织体系是由政府举办的服务机构，由政府资助的社会组织与民间团体举办的非营利的服务机构，以及私营的、商业性的服务机构所组成；其中社会组织与民间团体举办的非营利性服务机构是社区服务的主体。提供社区服务的既有政府工作人员，又有民间组织的专业工作人员及社会上的志愿服务人员。英国的志愿者协会是全国性的社会（社区）志愿服务网络。地区的志愿者分会与总会不是上下级的领导与被领导关系，除了接受总会工作上的协调与指导外，各分会都具有独立、自主的操作权。

英国政府在社区服务体系中承担的主要职能有：(1) 制定相关政策与法律，并通过制订具体措施，指导政策的执行。(2) 监督、检查民间团体和私营机构。英国政府虽然把许多社会服务方面的事务转移给了民间团体和私营机构，但他们的服务水平和服务质量，仍要接受政府的监督、检查。例如，机构内的人员培训、设施配置、服务标准、服务价格等，都受到政府工作人员的定期检查。政府通过每年对这些团体和组织的监督、检查，确定下一年度的财政拨款。对服务好的机构可以保持拨款数额或增加服务项目，对服务差的机构则可削减、甚至停止拨款。(3) 财政支持。政府虽然可以下放社会服务与福利方面的许多事务，却不能推卸财政上应负的责任。社区服务呈现政府出钱，社区、民间组织和家庭办事的格局。(4) 实行严格的宏观控制与管理。例如，全国的年金制度是由中央政府统一提取、统一管理的，各郡在社会福利方面的发展，也受到中央政府的直接控制。凡是从中央财政下拨的福利经费，绝大多数是专款专用，并有专人检查；地方自筹资金发展社会福利与服务事业则不受中央政府限制。

正是这样一种多主体、多层次、多功能的社会福利与服务组织体系，为英国社会提供了种类繁多的服务，满足了英国各阶层人民不同层次的需求，特别是保证了贫困和低收入群体的基本生活需要。

4. 墨西哥

墨西哥是拉丁美洲经济实力最强的国家之一。除了有上至联邦政府，下至州、市、区垂直的社会发展部和社会保险公司对全国及地方社会发展工作进行统一领导之外，从事社会发展工作的机构还有全国家庭一体化体系。该体系由历届总统夫人领导，其主任由总统任命，各州州长担任本州的主任。家庭一体化体系在全国设有 2200 个市级办公室，有近 2 万的工作人员。其主要工作是：为儿童提供廉价早餐，资助举办幼儿园、托儿所、青年之家，建立残疾人康复中心，向贫民提供食品救济等等。活动经费主要来自政府的财政拨款。

墨西哥社会发展的一个突出特点是，居民自治组织协商委员会在参与社区管理、促进社区发展、维护自身利益、改善住房及生活条件、实施贫困人口的社会救济等方面发挥着重要作用。墨西哥市分为 16 个行政区，区为最低一级政府机构。行政区由若干个社区组成。在全市 4.5 万个社区中，每个社区有一个由居民直接选举产生的协商委员会。委员会由 5 人组成，每 3 年选举一次。委员会是居民自治组织，没有薪俸，也不允许向企业或有关单位寻求资助；所有活动经费均由联邦区行政专署支付。委员会作为沟通政府与百姓之间的桥梁，上与区政府及社会保险公司、社会发展部的代表机构对话；下与居民户进行联系，讨论决定本社区重大事项，例如，确定社区建设项目，集资买地，要求贷款，为贫困户申请和发放救济粮款，向区政府反映居民的建议、要求，协助区政府制定计划，检查执行情况等等。

5. 以色列

以色列作为一个发展中国家，其社区组织体系有别于西方发达国家。以色列社区中心协会（简称 IACC）作为全国性的社区组织，成立于 1969 年。协会实行董事会负责制。董事会成员由公众代表、政府和地方代表以及其他机构（例如以色列联合分配委员会和犹太代办处等）的代表，经居民代表选举产生后组成。国家对协会的指导、支持通过教育部和文化部进行。全国性的以色列社区中心协会对各地的社区中心负有指导、协调、培训、监督的职能。

覆盖全国的178个社区中心实行管理委员会负责制。管理委员会成员平均为15人，其中包括地方当局的代表、参加社区中心活动的居民代表、教育和文化部的代表、犹太代办处的代表以及以色列社区中心协会的代表等。他们中的大部分成员都生活在该社区或其邻近地区，本地成员则从本地区领导层中选出。社区中心是一个独立的主体，其功能相当于一个责任有限行会或非营利性机构。社区中心通过管理委员会负责中心的预算、组织和计划等，并根据本社区的需求和IACC的观念决定社区中心的政策，以确定优先发展的方向。

由于社区中心网络遍及全国，为便于协调周边关系，相邻社区组成不同区域。每个区域设一名区域主管，负责在一定范围内引导社区中心的主任们，并通过他们引导当地管理部门推进社区活动。同时，区域主管有责任与地方当局和各种组织保持密切联系，以便为社区中心创造一个良好的外部环境。区域主管的工作会得到专业工作人员和金融顾问的辅助。

6. 日本

当前，日本正处在由中央集权型社会向地方分权型社会过渡时期。随着地方自治法律地位的确定，地方自治对该地区的居民生活和人生选择产生的影响愈来愈大。以第二次世界大战为界，战前的日本地方自治具有分担国家事务的性质，参与自治被看作国民的义务。当时，府、县知事均由政府任命，地方政府不过是国家的一级组织。市、町、村的自治虽然有一定程度的发展，但是反映民意的作用极为有限。正是这种政治体制招致了战争大祸。二战以后，为了克服体制所造成的种种弊端，日本通过宪法确立了地方自治的合法地位，并规定要按照地方自治的原则处理地区问题。而日本町内会组织在实现地方自治中无疑起到了重要作用。

在日本，社区这一概念具有相对性和累积性的特点。它既可以是指与市、町、村这种与行政区划相一致的区域，也可以把市、町、村内部具有不同功能的区域单位称作不同的“町内社区”。就社区居民组织而言，主要有两种类型的团体，一种是参与社区共同管理的团体，如日本的町内会或自治会，它是具有全民性的组织形式；另一种是根据居民的兴趣结成的有居民自愿参加的任意型团体。

依据中田实教授主编的《町内会和自治会的新发展》一书对町内会作出的定义：“町内会原则上是指旨在把居住在同一社区内的所有家庭户和企业组织起来，共同处理社区中发生的各种（共同的）问题，能够代表社区参与社区（共同）管理的居民自治组织。”中村八郎先生则将日本町内会的典型特征归纳为：(1) 加入单位是家庭户而不是个人；(2) 在同一地区居住的居民，以自愿或半强制方式加入町内会；(3) 町内会具有多功能和综合性特征；(4) 具有基层政权的补充作用；(5) 它是以旧中产阶级为主的传统保守主义赖以存在的温床。

从性质上讲，日本的町内会组织是以管理社区为宗旨的全民性组织，具有社区公共组织的性质，与西方国家的私人性民间社会团体有着较大的不同。一个地区的町内会一般由 180 到 400 户人家组成，其领导人通过选举产生，任期一般为 2 年。町内会依据非营利、非党派、非宗派的组织原则开展社区工作，其主要活动内容包括：(1) 代表居民与政府进行联络，向政府转达居民的要求，并作为居民的代表参与社区管理工作；(2) 在打扫公共卫生、治安管理、公共设施管理等方面协助政府工作；（3）组织节日庆祝活动，开展敬老会、儿童会等活动，密切居民之间的关系；（4）帮助那些在经济上需要扶助、无家可归和患有重病的人们。最近几年，町内会在环保问题上采取积极态度，常常游说政府治理环境污染或强制执行反污染法规。

町内会作为居民自治组织，其活动经费由会员负担，会员交纳的会费为町内会的主要财政收入。各地的会费数额不等，相对农村而言，城市社区的公共设施较为完善，居民交纳的会费较少。过去，町内会的会额按照不同家庭的资产、收入、成员构成（有无孤寡老人）和健康状态等分为若干等级。现在，随着隐私观念的增强，很难准确了解各个家庭的具体情况；加之町内会会员权利义务平等思想的普及，所有会员交纳同额会费已成为多数町内会的制度。除了会费收入之外，由于町内会的活动不仅具有公共性，而且承担了部分由政府交派的工作，因此，对于町内会的协作，政府也支付一定的报酬，其数额大多是根据町内会的会员数确定的金额再加上定额部分。有些地方政府为了促进地方自治的发展，也对町内会提供一定的资助。

（二）
香港特别行政区社区管理组织特征

香港作为我国的特别行政区，其社区组织形态一直是我们研究、关注的重点。这是因为：一方面我们同为炎黄子孙，具有完全相同的东方文化背景和价值取向；另一方面，由于英国百年的殖民统治，使得香港社会深受西方文化影响，从而形成了兼具中西方文化特色的社区组织模式。这对于我们在社区建设过程中，探索既能保留和弘扬中华民族优秀的文化传统，又能学习和借鉴西方发达国家的有益经验，从而找出最佳结合途径，无疑具有重要的启迪作用。

香港的社区工作作为社会福利服务的组成部分，受英国福利社会和宗教文化影响，从初期的慈善事业开始，已有100多年的历史。但作为一项专业化工作，并纳入政府规划，则只是近40年的事情。1956年，香港政府发表了《香港社会福利工作之目标与政策》，被认为是香港真正开展社会福利政策的开始。

香港的社区工作主要由两部分机构承担：一个是香港地方政府直接管辖下的社会福利署及其下属机构——社区社会福利总办事处和分支机构；另一个是非政府性质的民间志愿团体，即香港社会服务联合会所属各机构——社团、社区服务中心等组织。

香港地方政府有计划地开展社区建设始于60年代中期。在此之前，政府并不热心或支持社区参与社会服务工作。面对大量从大陆到港的新移民，政府惟有借助海外教会的救济，来应付社会需要。吸取60年代中期社会暴动的教训，政府开始有计划地发展社区服务，以加强居民对香港的归属感，从而稳定社会秩序。根据香港地方政府部门的责任分工，民政局负责制定社区总体发展规划以及制定相应的配套政策，社会福利署（简称社署）负责执行拨款和监察服务。事实上，社署作为政府授权的地方事务管理机构，在香港社区建设中具有重要作用。一方面，它作为宏观指导部门，要依据香港福利发展计划，定期检查各项政策的执行情况；同时，对政府提供资金支持的非营利机构实行监督、考核、认定，以便改善服务质量，提高资金的使用效率。此外，还要负责策划和发展新的福利项目，例如，制定福利服务的规划标准、新的福利项目和测算所需经费等，以配合社会需要。另一方面，社署还身体力行，直接参与社区服务。为了体现政府对社区提供行政支援和发展各项专业服务的指导思想，除了正式的行政科室设置之外，社署还设有5个区域福利总办事处及13个分区福利办事处，并有360多个直属服务单位在社区层面上直接为市民提供服务。自1994年起，社署在各社区内陆续建立了社区服务中心、社区福利大厦以及社区会堂等服务机构；并为满足社会需求，在地区内设立了青少年、家庭、康复、老人等专项服务，使香港福利服务水平位居亚洲之首。此外，社署结合香港社会特色，积极推行“服务综合化”和“社区照顾”理念，在落实以社区为基础的服务规划方面进行了有益的探索。一是针对社区服务过分专门化所造成的地区服务分割、缺乏合作与协调的矛盾，协助非营利机构在各地区成立若干支“综合服务队”，综合了传统的儿童及青年中心、学校社会工作及社区社会工作等三项服务，同时，支持探索东涌新市镇“综合服务中心”模式，合并各类服务资源，为辖区居民和家庭提供弹性服务。二是努力推行社区网络服务模式以体现“社区照顾”精神，即在地区成立有系统的社区网络，以动员长者的家人、朋友、邻居及热心人士，协助他们提供非常规的照顾和支援社区内的老人。三是社署在各分区均设有不同服务的协调委员会以促进各专业人士或团体的合作，便于通过社区力量解决社区问题。四是推行分区服务。各福利分区基本以地方行政区为基础，由各区的福利主任负责统筹该区的政府和非营利服务单位，以保证该区的服务能够满足居民的需要。目前，特区政府面临的难题是：政府在福利方面的支出过大，1997至1998年已达184.395亿元港币。在以无偿和高补贴为特征的社区服务中，尽管约有7成的服务是由非营利组织提供的，但政府承担了其中80%—100%的服务经费。沉重的财政压力，使得政府开始寻找有效及低价的方法以提高资金利用率。近年来，特区政府参考了管理顾问公司的意见，致力于资助方法及监管标准的改革，以合约方式向非营利机构购买服务，以期建立竞争机制、降低成本、改善服务质量。同时，特区政府表示要学习北欧国家的经验，把一些福利服务转由商业机构承办。

香港的非营利民间服务机构起源于60年代之前的移民涌入。当时，大批从内地入港的新移民，脱离了传统家族互助关系的保护网，来到陌生的社会，既缺乏对香港社会的归属感，又害怕向政府官员提出任何要求，于是，大量非营利服务组织应运而生。目前，香港约有300家非营利机构提供社区服务工作。由非营利组织管辖的社区中心共计13个。社区中心一般与区内团体，如区议会、居民组织、政府部门和其他服务机构都有紧密的联系和经常性的合作。社区中心设有管理咨询委员会，协同地区人士及政府部门代表共同参与服务策划。在解决一些区内特有的社会需要方面，社区中心因具有弹性综合策划而创新的服务比其他服务单位更具优势。目前，非营利服务机构承担着整个香港70%的社会工作量。

尽管上述两类社区组织所承担的社会角色和工作量不尽相同，但它们彼此相互依存、互为补充，构成了香港统一、完整的社会福利与社区工作体系，值得我们借鉴。

（三）
国内城市社区管理组织体系的发展状况

1. 起因和实践效果

我国城市社区组织及工作可以追溯至传统的保甲制度，其任务主要包括征税、征兵、人口登记、调解纠纷、社会救济等。新中国建立以后，工作单位成为城市居民组织的主体；而地域性组织——街道办事处和居民委员会的工作只是作为单位组织的补充，将不属于工厂、企业、机关、学校等无组织的居民组织起来，以减轻政府的工作负担。依据1954年底第一届全国人大四次会议通过的城市街道办事处组织条例的规定，街道办事处作为基层政权的派出机构，其主要任务有三项：办理市、市辖区人民政府有关居民工作的交办事项；指导居委会工作；反映居民的意见和要求。但当时政府就明确指出："随着国家工业化和向社会主义的过渡，工人阶级以外的街道居民将日益减少，街道办事处的管理对象将日益减少，因此，街道政权将不再需要"，"城乡居民的生产、生活将逐步纳入工厂、机关、企业、学校的轨道，由企业和单位解决居民的一切问题"。由此可见，在计划经济体制下，社会资源的再分配由政府主导、单位执行，街道和居委会在社区工作中只处于附属和临时地位，从而使社区，这个原本超脱行政辖区的概念失去了存在的意义。这种局面一直维持到中共十一届三中全会之后。

准确地说，在我国，真正意义上的城市社区工作始于1986年。当时，为了配合国家经济体制改革和社会保障制度建设，民政部率先倡导在城市基层开展以民政对象为服务主体的社区服务活动，第一次把"社区"概念引入到政府的实际工作中来。此后，社区服务工作迅速在全国展开，服务对象、服务内容、服务范围不断拓展。由于它在为党和政府分忧、为居民群众解难方面发挥了积极作用，不仅深受社区居民欢迎，而且得到了党和政府的高度重视和支持。1989年12月26日全国人大通过的《城市居民委员会组织法》第一次将"社区服务"的概念以法律条文的形式固定下来。1991年5月，针对当时城市基层政权和基层组织职能弱化，难以承担教育市民、提高市民素质的任务，以及社区服务范围过宽，仅仅依靠民政部门管理力不从心等状况，从改变政府传统的思维方式和管理模式，适应政治和经济体制改革的现实出发，民政部在社区服务的基础上，又提出在城市调动社会各方面的力量，共同开展"社区建设"的工作思路。社区建设主要包括：社区管理、社区服务、社区文化、社区教育、社区卫生、社区治安、社区经济甚至社区就业等多项内容。它的实施标志着社区工作已经由原来比较单纯的“服务”走向全面推进的新阶段。与此相适应，在社区管理组织机构的设置上，国家也以民政部社会福利司为主，于1988年成立了社区服务工作管理委员会，指导各地区开展社区服务工作。各省、市、区的社区服务管理组织机构同样设在政府的民政部门内。市级协调组织设在民政局的社会福利处，运作上以区级为主。按照要求，各城区组成了由区领导任主任，民政局长任副主任，政府各部门及工、青、妇组织负责人为成员的社区服务指挥协调委员会。社区服务办公室作为常设办事机构，设在区民政局，属行政科室。1991年，根据社区建设的发展需要，基层社区服务领导班子的协调功能加强，街道办事处成立了由办事处主任任领导，相关部门负责人及驻区单位负责人为成员的社区服务协调委员会。街道社区服务办公室负责日常工作，业务上接受区民政局社区服务办公室领导。办公室属街道办事处行政编制科室。在居委会则设立了由主任任组长，由居民代表、社区服务志愿者代表和辖区有关单位负责人组成的社区服务管理委员会（或社区服务站）。

1998年7月，配合国家政治体制改革与政府机构调整，国务院正式赋予新组建的民政部基层政权和社区建设司“指导社区管理工作，推动社区建设”的职能，从而使我国社区建设有了制度上的保证。从地方社区建设的实践看，许多大中城市都在积极探索适合本地情况的社区建设管理组织模式，并形成了以“两级政府、三级管理、四级落实”为主要特征，兼具各地特色的社区建设管理组织模式。其中青岛、上海、石家庄、北京、南京、沈阳等城市的社区建设管理组织体系在相互借鉴的基础上，特色突出，在一定程度上体现了我国城市社区管理组织体系的概貌。

(1) 青岛市

青岛市社区建设最突出的特点是以民政系统为主导的社区管理组织体系比较健全，市、区、街、居四个层次均实行“一把手工程”：市委书记亲自组织、参与社区建设专题调研，提出全市社区建设的总体思路；各区成立了以区委书记为主任的社区建设指导委员会，街道成立了以街道党委书记为主任的社区协调委员会，居委会则成立以居委会主任为主任的社区建设管理委员会。各级参与社区建设组织机构的部门领导，也多为“一把手”。区级社区建设指导委员会办公室设在民政局，由民政局长负责日常事务。

青岛市的社区建设以区为实践基地，民政部门作为社区建设的协调部门，上要发挥助手作用，当好市委市政府的参谋；对于平级相关部门做好沟通与协调工作；下要承担起典型培养、先进评比、工作督导的责任。为了保障社区建设的高效运行，青岛市以基层组织建设、基层民主政治建设和机关干部作风建设为突破口，建立了一系列保障机制：

第一，基层组织建设主要通过三条途径得以实现。一是从政府机关选派年轻有开拓精神的干部到街道任职，并通过专业知识培训，使他们能够基本胜任社区管理工作；二是调整居（家）委会规模，缩减居（家）委会数量，提高办事效率。调整后的居委会引入竞争机制，通过采用公开选拔居委会主任候选人等方法，改善了居委会干部、特别是主要干部的年龄结构和知识结构，使人才结构由事务型向智能性转变。与此同时，政府加大了对居委会的财政支持力度，从而改善了居委会的办公条件，提高了生活待遇；三是从下岗职工中选聘了文化层次较高、年富力强的同志，担任社区工作助理，使社区建设的整体水平有了明显提高。

第二，以“三评”和“直选”等方式推进基层民主政治建设。“三评”是指民评官、民评政、民评民。四方区通过广泛开展“三评”，使以居民为主体的参政议政、民主议事活动成为一种时尚，从而使改善社区生活环境成为居民群众的自觉行动。把竞争机制和直接选举引入居委会选举工作是青岛市社区建设的一大创举。在全市第五届居委会换届选举中，一改过去封闭和间接选举居委会主任的办法，实行“三公开”，即：公开条件、公开时间、公开报名。参加竞选的候选人可以自荐或推荐，经资格审核和考试之后，进入民主选举程序。四方区在居委会换届中则大胆尝试直选方式。他们以瑞昌路第六居委会为试点，采取“两上两下”方式，将第一批推选出来的11名候选人，经过预选确定出正式候选人6名，最后，经全体居民差额选举，产生5名居委会成员。居民对这种直选方式给予了充分肯定，参选率高达88.6%。

第三，转变机关干部的工作作风。一是从区直党政机关、事业单位、街道办事处选派处、科级干部赴基层任职蹲点，指导和扶持居（家）委会开展社区建设；二是建立政府部门与居（家）委会定点联系制度。例如市南区教体委定期派送青年骨干教师到街道办事处担任“社区教育助理”，协助街道开展社区教育工作，以全面提升辖区居民和青少年的素质。

（2）上海市

1996年3月，上海市街道工作会议明确提出了构筑新的“两级政府、三级管理”体制的设想，并通过制定街道、居委会机构编制、财力支配、社区公共设施建设等配套政策措施，率先在全国开展了以加强街道、居委会建设和社区管理，推动城市现代化管理水平为目的的街居体制改革的实践活动。此后，随着改革的不断深入，上海结合自身特点，逐渐形成了一套有体制、配套机制和政策，较为完善的社区管理体系，其主要内容包括三个方面：

首先，要建构新的管理体制。

一是实行重心下移、立足基层的管理模式，其核心点是权力下放。区级相关部门除制定规划、拟订政策和必要的专业指导之外，其专业管理的权力下放给职能部门的派出机构，具体的专业管理及操作职能下放给街道办事处。配合管理重心下移，为居委会配备专职干部，列为事业编制。

二是形成条包块管，以块为主的管理格局。条包，即专业管理，指公安、工商、税务、市政等专业职能部门依法对专业领域内的事务进行行政管理；块管，即综合管理，主要是组织领导、综合协调和监督检查；以块为主，即确立街道党工委、办事处在地区管理中的主体地位，赋予制定、组织实施社区建设总体规划和总体目标的责任。依据区委授权，街道党工委作为社区工作的领导核心，对社区内的政治、经济、社会发展等实行全面领导，对社区党的建设负全面责任。街道办事处在街道党工委的领导下，依照法律、法规、规章和区政府授权，对辖区内的城市管理、社区服务、社会治安综合治理、精神文明建设、街道经济组织，行使组织领导、综合协调、监督检查等政府行政管理职能，对地区性、社会性的工作负全面责任。区有关职能部门的派出机构原则上按街道对应设置，接受街道党工委、办事处和区有关职能部门的双重领导。

三是实行政企、政事、政社分开，构筑“小政府、大社会”的管理框架。即：纯粹的作业行为与行政管理机构分开，交服务性的企业实体承担，并依法实行有偿服务；半行政化的服务行为（包括其他受政府控制的半官方性质的事业单位的服务职能、带有服务内容的行政管理职能）由社会中介组织承担；原来由政府直接经办的经济实体，按政企分开的原则和产权制度改革要求，改由政府成立专门的经营公司经营；同时，将民政福利部门中涉及社会职能的具体事务，转由慈善组织、基金会、联合会、社会志愿者协会等社会组织统筹安排，具体操作。

其次，要建立行政、法律、市场三者并举的运行机制。

一是建立科学的考评机制。考评分两个层次进行。对街道办事处的考评由区政府统一组织进行，考评内容以街道履行对社区各项工作的综合管理和综合协调职能情况为主，同时采用“自行申报、社会评比、政府认定”的方式，将居民群众对社区建设的评价作为考评办事处的重要依据；对区各职能部门派出机构的考评则根据区政府的授权，由街道办事处组织进行。

二是行政引进法律机制。内容主要包括：凡是法律、法规或其他规章明确规定的，可按行政委托程序，赋予和扩大街道办事处的执法权限。在与法律、法规不发生抵触的前提下，街道办事处可以依据区政府的授权和法规规定，拥有部分审批、确认等行政许可权和部分行政处罚权；执法者要具备执法主体资格，并依照法律规范执法行为，行政罚款要实行罚缴分离；在街道办事处建立专门机构，行使行政复议、行政诉讼、行政赔偿和处理违法等职能，并逐步建立和完善监督机制。

三是作业引进市场机制。在社区建设投入、设施管理、环境清扫、物业管理等方面引入竞争机制，实行竞标上岗。

四是运行引进监督机制。主要措施是：在街道建立检查、监察、内部审计三位一体的监督机构；按照责权利相一致和谁主管谁负责的原则，明确划分各自的监督权能；建立、健全内部监督制度，并通过疏通居民投诉、举报渠道，听取人大代表、政协委员建议，定期召开社区居民会议以及接受新闻舆论监督等多种途径，实行社会监督。

再次，要合理有效配置各种资源，加大对社区建设的支持力度。

一是按照社区建设需要，在街道层面组建社区管理委员会。上海街道改革的一个重要经验就是实行“委员会制”，即：在街道办事处内设立了由市政管理、社会发展、社会治安综合治理、财政经济等四个专业委员会组成的社区管理委员会，具体负责社区管理、精神文明建设、社区服务、社区治安和街道经济等工作。管委会由街道党工委、办事处领导和区职能部门派出机构领导组成。各专业委员会成员则由街道各行政职能科室和区职能部门派驻机构负责人共同组成。以街道为中心组建社区管委会的优势在于，通过组织形式将相关部门和单位包容进来，大大提高了处理和协调社区事务的能力。

二是充实街道财力。为了改善社区建设资金不足状况，根据事权与财权相一致的原则，上海市出台了六项财力支持性措施：①税收返还。对于区级财政收入中属街道经济组织上交的税收部分，原则上由区政府全额返还。②转移支付。通过建立区级财政转移支付制度，调节街道之间的财政余缺，促进社区的共同发展。同时，对人口导入区和财政状况比较困难的区，按照财政转移支付的办法，给予适当倾斜、照顾和支持。③特殊补贴。对新建街道和居委会，从新建之日起两年内，由区财政在每年按公共财政标准支出拨款的基础上，再分别增拨 30 万元—50 万元和 3 万元—5 万元，专项补充用于街居的社区管理和社区服务。④财政支付。以财政支付手段，提高居委会办公经费标准和居委会干部的工资待遇，使居委会工作人员的收入水平不低于城市一般职工的水平。⑤实行“条费块转”。区财政要将市、区两级用于绿化、环卫、市政等方面的专项经费相应拨给街道办事处，用于专业部门的定向支出。⑥政策投入。按每年新增区级财政收入的 1%—2% 增拨社区财政支出，专项用于街道、居委会发展各项事业。

三是调整街道和居委会规模。根据地域条件和居民分布情况，按照便于联系群众和有利管理和自治的原则，调整街道和居委会的规模。

值得一提的是，在居民区组织改造中，上海市率先提出了居委会实行议事层与执行层相分离的改革设想，并付诸于实践。议事层即居民议事会，它由社区知名人士、单位代表和热心社区工作的各界居民代表等10人组成。会长由居民代表担任，居民区党支部书记任副会长。议事会成员为兼职人员，原则上不取报酬。居民议事会作为沟通居委会与居民群众的桥梁，主要任务：一是及时听取和反映居民、社区单位对居委会工作的意见和建议，并就社区发展有关重大事宜作出决定；二是听取居委会的工作汇报，检查居委会工作进展及其效果，对居委会工作进行监督。居委会作为执行机构，设专职干部5—7人，其中3—5人属事业编制。目前，上海市又在积极探索居委会专职干部向社区工作者转化的途径，以期寻找出一条使居委会成为真正意义上的居民群众自治组织的道路来。

（3）石家庄市

石家庄市是从1996年开始着手推进社区建设工作的。他们借鉴上海“两级政府、三级管理”的改革经验，结合地区实际，提出了实行“两级政府、三级管理、四级落实”的城市管理新构想（简称“二、三、四”模式）。意在通过权力重心下移，壮大基层组织力量，将社区建设落在实处。

石家庄市社区建设的特点是：

第一，以市为起点，自上而下逐级推动。1996年针对当时市级社区服务组织难以承担协调相关部门共同开展社区建设任务的局面，从加强社区建设领导角度出发，石家庄市委、市政府决定成立市区工作委员会，负责对全市社区工作的宏观策划、政策研究、综合协调、指导监督等任务。市区工委主任由市长担任，市委一名副书记、市政府常务副市长和主管民政、城建的副市长任副主任。成员包括市委组织部、市计委、建委、体改委、经贸委、财政局、地税局、民政局等部门以及市内五区的主要领导。市区工委办公室设在市委办公厅，负责日常工作。办公室定为正处级单位，配备了四名专职干部，由市委、市政府各委派一名副秘书长和市民政局局长分别兼任正副主任。各区也成立了相应的管理机构，建立了“一把手”负总责的领导体制，由此形成了上下协调、齐抓共管的组织领导网络。

第二，全面加强居委会组织建设。居委会是“四级落实”的关键环节。为此，石家庄市采取四项措施，加快居委会的改革力度。一是按照“二、三、四”体制要求，明确居（家）委会的工作职责，完善有关的规章制度，使居（家）委会建设步入规范化、制度化、法制化轨道；二是抓好居委会调整和选派干部工作。按照市委、市政府要求，在适当调整居委会规模的基础上，通过从机关选派和面向社会招考，选派一批年富力强、素质较高的干部到居委会工作，切实解决目前居委会干部存在的年龄大、文化低、工作能力弱等问题。实践结果表明，石家庄市居委会正副主任的平均年龄已降至40岁左右；三是大力发展居（家）委会经济，落实支持社区发展的各项优惠政策，同时，各办事处也从新增经济收入中，拿出一部分用于居委会开展社区工作；四是加大硬件设施投入，为居委会创造必要的办公条件，使每个居委会的办公用房不少于30—50平方米。

第三，制定和出台了一系列有关社区建设的规章和政策性文件，以避免盲目性和随意性，使社区建设在制度化、正规化方面有所突破。

（4）北京市

北京的城市社区建设是与全国城市社区建设同步展开的，其组织设置也与国内大多数城市相类似。目前，由于市级政府机构改革尚在进行之中，因此，全市性的社区建设工作由设在民政局的社区服务办公室承担。近年来，由于北京各城区的社区建设都在探索之中，而主抓社区建设工作的区领导职位角色不尽相同，因此，在区级社区领导机构的设置上，除了仍由民政部门牵头组织的区外，有的区则由区街道办公室负责统筹协调工作。在街道一级，有的办事处试行地区管委会制度，即在办事处下面，按5—6个相邻居委会设立一个地区性的社区管理委员会，负责管理、协调、检查所辖区域内社区建设工作，起到街道与居委会沟通的桥梁作用。

北京市在区级组建城市管理监察大队（以分队形式在街道从事综合执法工作）以强化地区环境综合治理的做法，在全国是一个创举。早在1996年，北京市宣武区委、区政府在认真调查研究的基础上，向市政府提出在宣武区开展城市管理综合执法试点工作的请求。试点内容主要包括：改革现行城市管理执法体系，调整相关机构设置和职能配置，实行政事分开、批查分离，将城市管理部门的监察执法职能适当集中，成立城市管理监察大队，试行综合执法，以提高执法效率，强化城市管理。1997年5月23日，经国务院和市政府批准组建的，《行政处罚法》实施后的全国第一支具有合法主体资格的综合执法队伍——宣武区城市管理监察大队，正式上岗。

新组建的宣武区城市管理监察大队为区政府所属综合行政执法机关，具有独立的行政处罚主体资格。区监察大队下设8个街道分队和若干直属分队，为区监察大队分支机构。街道分队受区监察大队和街道办事处双重领导，区监察大队在执法规范、执法责任制和人事等方面对街道分队进行统一管理；街道办事处对街道分队有指挥调度权、日常管理权、经费使用权和人事管理建议权。区监察大队的经费由宣武区财政全额拨款，所属街道分队的经费由区财政核定给街道财政，罚没收入全部上缴区财政。区监察大队的主要职能是：综合行使区级市容监察、规划、工商行政管理、园林、公安交通管理、市政管理、环卫、环保等行政机关的全部或部分行政处罚权，同时，对执法情况进行监督检查。与以往各行政执法部门分别派人组成联合执法队执法不同，宣武区城管改革试点的突破性在于：首先是减人增效，提高了执法效率。过去，宣武区有7个部门负责和协助市容、工商、规划、绿化和交通管理部门执法。由于联合执法队不具有执法主体资格，500多人"各自为政"，分散执法，效率低下。现在改由城管监察大队统一履行执法权后，不足200人的执法队伍，做到了"一人多能，一队多能"，执法效率明显提高。其次是推动了"两级政府、三级管理"体制的落实。监察大队将"四权"交与街道办事处，由于责权一致，调动了办事处作为地区"总管"的工作积极性。第三是促进了政事、政企职能的剥离，为政府职能的彻底转变，找到了一种新的途径和方式。改革后，区环卫局、园林局专司全区市容环境、园林绿化的业务管理，不再行使相应的行政执法权，从而有效地解决了政企、政事不分所导致的诸多弊端。通过一年多的试运行，一批长期积累的矛盾得到了彻底解决和有效控制，宣武区的城市面貌有了明显改观。于是，1998年8月，北京市政府报请国务院同意，决定推广宣武的经验，扩大试点范围，在城八区全面开展综合执法工作。

（5）南京市

在南京，城区工作社区化已得到社会的普遍认同，并被列为城区政府和各部门工作的重要内容。鼓楼区作为民政部确定的全国社区建设实验区之一，其突出特点在于充分发挥城区在社区建设中的宏观指导作用，为街居改革实践提供良好的外部环境和坚实的财力支持。1996年，鼓楼区结合本区区位特点和实际情况，明确提出"一条生命线"、"一个主题"的工作思路，即税源经济是全区事业的生命线，社区建设是城区工作永恒主题。为了改变原有管理体制不适应新形势下社区建设需要的局面，鼓楼区委、区政府凭借自身可以调动辖区单位、形成合力的优势，以鼓楼社区党建联席会和社区建设发展委员会的“两会”组织形式，将辖区内有影响的部门和单位联结起来。成立“两会”的主要目的是实现纵横结合的管理模式，其主要职责是确立全区的社区建设目标，确定社区建设重大项目，协调社区建设中的有关问题。“两会”不是一个完全松散式社团组织，它们有自己的组织章程和工作任务。省市机关、部队、院校、科研院所、医院、银行、企事业等单位领导成为首批会员，其中，厅局级以上领导有130多人。江苏省副省长、省委秘书长以及部队的将军分别担任两会顾问，区委书记、政府区长分别担任两会会长。“两会”每年召开1—2次大会，由区委、区政府向大会报告工作，平时则根据需要不定期地召开理事会议。实践证明，“两会”这种组织形式，打破了以纵向管理为内容的行政隶属关系，突出横向服务与协调，把凡是与驻区单位、群众利益相关的，以社区建设为载体而开展的工作均纳入了区委、区政府的管理工作之中，从而克服了现行条块分割体制产生的种种弊端，一定程度上形成了社区建设的综合合力。

鼓楼区委、区政府不仅从组织形式上加强了对社区建设的宏观指导，而且从理念和实践上摆正了社区建设与税源经济的相互关系。他们认为，税源经济寓于社区建设之中，社区建设可以促进税源经济的发展。两者相辅相成，是一个有机的整体。为此，在实际运作过程中，一方面，他们采取对社区资源的同类合并，股份合作，规划配置等方法，壮大老税源；另一方面，通过对社区资源的结构调整，要素重组，规划改造来培植新税源；同时，通过创造良好的投资环境和优质服务，实现招商引资，拓展源头。近几年，鼓楼区由于采取了配置、引进、挖掘等措施，区级财力明显增强。1998 年区级财政收入在连续几年高速增长的基础上达到 3.58 亿元，跃居全省 45 个城区之首。由于区财政为社区建设提供了强有力的支持，因此，1999 年，鼓楼区政府明确提出：改变街道、居委会考核标准，“委办”经济不再纳入国民经济考核范围，全区 173 个居委会的经费全部纳入财政预算。每个居委会每年可得 3 万元财政拨款，以保证居委会干部的工资和办公经费，使居委会有能力从“棚亭经济”中解脱出来，全身心地投入到社区建设中去。

(6) 沈阳市

沈阳市积极探索基层社区组织的制度创新，新近出台了《关于加强社区建设的意见》。《意见》中强调指出：要在全市普遍建立新型的基层社区组织结构，包括：建立社区党组织，对不在国有企事业单位工作、从事社区服务事业或在民办非企业和小型民办企业工作以及处于离退休、待岗等情况的党员实行属地管理；建立社区居民大会或居民代表会议制度；建立社区管理委员会（依法选举产生的居民委员会）；探索建立社区的协商议事机构等等。

考察与总结各地的社区建设实践，可以发现几个突出特点：一是把社区建设与城市基层政府的职能转变结合起来，探索城市基层管理体制改革的新途径；二是把社区定位在街道管辖的行政区域内；三是主要探索将城市管理重心下移，使街道在“两级政府、三级管理”的架构中发挥更大的作用，把问题解决在基层；四是开始注意作为“微型社区”载体的居委会作用的发挥，提出了“两级政府、三级管理、四级落实”的管理体制模式，采取了一系列措施加强居委会组织建设；五是通过各种形式的共建活动，动员和组织社会力量参与社区建设。事实表明，社区建设的实践确实加强了基层政权建设，改进了城市管理，推动了以政府为主导的社区整合，取得了一些值得推广的经验。但社区建设在我国毕竟还处于探索阶段，因此，无论在理论上或是实践中，都有一个逐步深化认识的过程。为此，1999年下半年，民政部基层政权与社区建设司为了探讨并逐步完善城市社区建设思路，研究、总结适合中国国情的社区建设管理体制和运行机制，根据“分类指导、循序渐进、试点引路、逐步推广”的原则，在全国的直辖市、计划单列市和省会城市中选择了经济条件好、工作经验多和创新精神强的北京西城区、上海卢湾区、天津河西区、南京鼓楼区、杭州下城区、青岛市南区和四方区、石家庄长安区、重庆江北区、海口振东区、沈阳沈河区等10个城市的11个城区作为首批“社区建设实验区”，以期探索中国式社区建设模式，并为其他城区提供经验。经过半年的实践，首批实验区在社区管理体制改革方面已经有所创新。目前，第二批10余个实验区的试点工作开始启动。

2. 困境与问题

应该说，全国的城市社区服务组织从成立到现在的十几年工作中，在组织与管理社区服务方面发挥了重要作用，为社区建设的全面推动奠定了良好的基础。但也应该承认，由于社区建设是一项涉及面广、内容庞杂的社会系统工程，现有的以社区服务框架为主的组织结构，很难适应其发展需要。具体表现在：

第一，缺少市级统管部门的领导。从1998年7月1日起，随着国家政府机构调整的到位，全国社区建设的协调、指导工作已归口由民政部的基层政权和社区建设司负责。但由于地方政府机构改革刚刚启动，市民政局的基层政权处暂时还无法履行指导全市开展社区建设工作的责任。因而许多城市出现民政局、区政处、精神文明办等部门分工不清、多头管理，社区建设缺少统一规划和指导，组织管理与协调力度不够等被动局面。

第二，现有的街道办事处管理体制与真正意义上的社区委员会体制无论在性质、还是在功能上均存在较大的背离。如果不能在管理思路上有所突破，街道办事处承接由企业剥离出来的社会职能和由政府转归的社会职能，将十分困难。目前，理论界和实际工作部门在将社区定位在街道管辖的行政区域的认识上已基本达成共识。虽然“街道”与“社区”在范围上同指一个区域，但它们在概念上并不完全一致。街道侧重于区域性的管理，社区则更侧重于强调社区内居民的认同感和归属感。由于我国提出“社区”概念的时间不长，且一直局限在民政部门，在社会上广泛使用“社区”概念只是近几年的事情。因此，大部分居民还缺乏社区意识和社区归属感。尽管现在一些城市提出了街道办事处对辖区的城市管理负总责，实行“政企、政社、政事”分离的改革思路。但由于缺少相应的配套措施，街道在获得了充分的地区管理权限之后，政府的行政管理职能依旧没有明显减少，特别是政事、政社合一的局面未能得到根本性改观，使得街道社区管理工作带有明显的行政管理色彩。

第三，居委会的中心工作是落实政府交办的各项行政管理任务，近似街道办事处的“派出机构”。由于功能错位，影响了作为居民群众自治组织作用的有效发挥。根据 1954 年第一届全国人大颁布实施的《城市居民委员会组织条例》，居民委员会作为基层群众性自治组织，主要发挥传达政府法令及工作决定，搜集、反映居民建议和意见的功能。1989 年 12 月，七届人大常委会第十一次会议通过、颁布了《城市居民委员会组织法》，居委会工作范围明显扩大。不仅要继续做好原有的工作，而且要协助人民政府或者其派出机构（街道办事处）做好与居民利益有关的公共卫生、计划生育、优抚救济、青少年教育以及上级部门交办的各种临时性任务。据统计，目前居委会工作内容大约有200余项，大部分是政府指派的工作，其中不乏来自不同部门、不同地点、内容相似的统计、问卷调查和工作检查。因此，居委会很难集中精力，代表辖区居民利益，行使社区管理权力。

第四，社区内部行政管理和属地管理“割裂”状况依然存在，社区整合程度较低。近年来，随着城市管理重心的不断下移，城市管理中作为“块”的街道办事处管理覆盖面逐步扩大。依据传统的管理模式，街道办事处主要管理居住区；而辖区内还有众多的机关、事业、企业、学校、商店、驻军等单位（以北京市西城区月坛街道办事处为例，辖区内仅中央正部级单位就有9个），它们的隶属关系、所有制性质、行政级别、经济地位各不相同。由于辖区单位对所在地区环境影响较大，而行政上又不归街道管理，所以，协调关系比较困难，管理难以到位。另外，“单位体制”目前还处于“松动”阶段，“单位办社会”的局面尚未完全打破。因此，即使在辖区内有职工宿舍的单位，也没有对街道办事处和居委会形成社会化需求。

第五，社区中非营利性组织发育迟缓，社会机制不健全。国际经验表明，不以营利为目的的社区非营利性组织在沟通政府与百姓之间的联系，缓解社会冲突方面起着重要的润滑剂作用。但在我国，由于长期形成的计划性体制使国家和政府拥有几乎所有的资源，使得与社区有关工作被纳入了政府的工作轨道，成为党和政府的地区工作。因此，体制上也没有非营利性组织的设置。尽管近几年，政府多次提出要大力培育和发展社会中介组织，但就社区而言，这一组织尚处萌芽状态，其作用也很难显现。

第六，社区工作者队伍薄弱，难以承担社区建设的重任。

社区工作是一项专业性较强的职业工作。由于国情所致，全国范围尚未形成专业化的社区工作者群体。现有的社区工作在很大程度上依赖于未受过专业培训的居委会干部去做。而居委会干部的现状显然不适应快速发展的社区建设形势。据北京市1997年5月居委会第三届换届结果表明，全市2.2万名居委会干部的平均年龄为53.9岁，其中，离退休人员占70.6%；具有初中以上文化程度的居委会干部只占干部总数的8.7%，干部队伍普遍具有年龄大，文化素质、能力、精力、效率偏低的特征。尽管大部分居委会干部具有工作热情和奉献精神，但由于总体素质欠佳，工作思路不宽，因而难以有效发挥居民自治组织“自我管理、自我服务、自我教育”的作用。

第七，社区居民，尤其是中青年的社区认同感和参与意识依旧偏低。近几年，随着城市社区工作的逐步深入，人们对社区的了解日益加深。但相对而言，居民对社区的认同感和参与意识与社区工作开展的力度存在一定差距。1998年初，我们课题组对北京五城区（西城、宣武、崇文、海淀、朝阳）10个街道办事处的1000户居民做了社区心态问卷调查。其中确立了7个社区认同感项目和7个社区参与意愿项目。统计结果表明：按年龄分组，年龄越大，社区认同感和社区参与意识越强，离退休人员比在职职工的社区认同感和社区参与意识要强。据我们实地考察，这种局面目前仍在延续。显然，没有占社区人口较大比重的中青年参与社区工作，社区建设很难迈上一个新的台阶。

·第三节·

国内外社区管理组织模式比较与分析

一个国家或地区采取何种社区管理组织模式，与当地的文化背景、社会习俗、价值观念、经济发展水平等多重因素密切相关，很难有一个固定而理想化的模式供全世界享用。而我们之所以将国内外社区管理组织模式加以比较和分析，是希望从中寻找出符合客观发展需要，带有规律性的社区组织运作方式，以供我国在社区建设中借鉴。

（一）

相似之点

在对国内外社区管理组织进行较为充分的研究、考察之后，我们发现，尽管各国的国情不同，但就社区管理组织而言，至少具有两个共同性特征：

首先，社区管理组织作为地区综合性自治组织，主要代表当地居民利益，在辖区范围内行使权利。基于社区管理组织的这种性质，国外及港台地区的社区协会组织、社区委员会、地方居民自治组织以及我国的社区建设协调机构、社区工作联席会、居民委员会等组织在运作过程中都具有共同的特点：一是承担着管理社区各项事务的责任，而不是某项（或某几项）责任；二是代表着辖区居民的整体利益，而不仅仅是局部利益的代言人；三是管理权限一般限制在辖区范围之内，超越辖区范围的事务需要上一级组织进行协调；四是在遵守统一的法律、法规制度的前提下，可以自主决定辖区事务，而不受上一级组织的限定；五是起着沟通政府与市民关系的桥梁与纽带作用，这是其他社区组织所不具备的重要特征。

其次，国内外社区实践证明：政府在社区建设（或发展）中具有重要的推动和指导作用。无论是经济实力强大的发达国家，还是经济实力偏弱的发展中国家，一旦认识到社区发展事业对于促进经济与社会的协调发展、改善社会状况所起到的重要作用，政府无一例外地采取了支持、鼓励政策。一方面，政府要在社区发展的前期给予财政上的资助，以转移支付方式将过去由国家背负的福利包袱交由社区组织承担；另一方面，在社区发展过程之中，政府通过规划、资金支持和严格的宏观控制与管理，来引导社区的发展方向。显然，政府在社区建设中的作用是任何民间组织所取代不了的。

（二）
差异之处

事实上，国情不同所产生的社区管理组织形式与运作方式上的差异，往往要多于共性的东西。通过比较，我们发现，我国与国外和港台地区的社区管理组织从起源、管理范围、运作方式、队伍建设等几个方面存在明显差异：

首先，起源不同。西方国家的城市社区组织大多是由以扶助弱势群体为己任的慈善机构演变而来的。随着城市化的高度发展，居民生产与生活地日趋分离，使得居民生活服务主要依靠社区得以解决，于是，区域性的社区管理组织应运而生。可见，这是一个自然形成的过程。我国则不同。新中国成立以来的四十多年里，我国城市中“单位体制”替代“社区体制”在社会生活中一直占据主导地位。单位不仅通过社会成员的工作使之取得一定的经济报酬，而且通过分配住房、公费医疗、兴办托幼园所、学校、医院、食堂、浴池以及为职工子女就业的服务公司或集体企业等方式，为单位成员提供各种社会保障和福利方面的服务。由于“单位”组织解决了职工（甚至家属）从“摇篮”到“坟墓”的一切后顾之忧，因此，社区组织的功能完全被淹没了。应该说，我国城市社区组织作用的再现源于国家政治与经济体制改革的需要。当前，我国正处在由计划经济向社会主义市场经济体制转轨、由传统社会向现代社会转型时期。随着政府部分社会职能的转归和企业社会职能的逐步剥离，社区在社会事务中的作用愈发明显。特别是随着改革的不断深入，“单位办社会”的局面将被打破，单位成员的生活与社会需求将主要依靠社区得以满足，因此，社区与城镇居民的关系会比以往任何时期都更加密切。正是在这样一个背景下，我国城市社区管理组织才真正开始发挥作用。显然，这是外力推动的结果。

其次，所指区域不同。基于社区形成原因上的差异，相对而言，西方国家（包括一些发展中国家在内）的社区通常是指“以一定地理区域为基础的社会群体”，其合成要素可以归结为是具有共同目标、共同地域、共同利益、共同意识的特定的社会共同体。而在我国，由于社区概念的提出是外力推动的结果，从现有国情出发，我国将城市社区界定在街道办事处的管辖范围之内。然而，如前所述，“街道”与“社区”在概念上并非完全一致。在大部分居民缺乏社区意识和社区归属感的情况下形成的“街道——社区”，显然难以与国际通行的社区概念完全对接，其组织管理的范围也不尽一致。

第三，运作方式不同。虽然，目前国外及港台地区的社区管理组织可以划分出国家、地区、社区等不同层次，但除了统一的法规、制度外，操作层面的管理组织在执行过程中具有很大的自治性。这一点与国内有很大的不同。由于我国城市社区是建立在原有行政管理体制模式下的街道范围之内，因此，在由街道体制向社区体制的过渡期内，社区的行政化管理方式具有一定的合理性或可操作性。因为街道办事处作为基层政权（区政府）的派出机构，一直承担着地区社会工作的责任，具有从事社区工作的传统。在社区居民自治组织尚未发育完全的情况下，可以起着沟通政府与社区居民的桥梁作用。此外，街道层面已经形成比较成熟的管理协调组织体系，并在推动社区发展中扮演着重要角色。因此，以完整的城市管理体系为依托的纵向社区管理组织模式符合中国现阶段的国情。

第四，工作人员组成不同。在西方许多国家和港台地区，社区工作已成为一项重要的职业。从业人员大都经过严格的职业技能培训。培训主要通过学历教育和成人教育两种途径进行。以加拿大为例，正规的高等学院进行社区工作学历教育，从学士、硕士到博士，体系完整，课程种类也比较齐全。另一种是成人的社区专业技能培训。从70年代开始，各高等院校到社区成立社区学院并自办附属成教机构，结合社区工作特点，开设社区工作理论、方法、技巧等课程，并组织学员进行经验交流，为社区工作培养了大批有专业技能、训练有素的社区工作者。在加拿大众多的社会服务机构中，就活跃着136万经过专业教育或培训的专职社区工作人员和450—600万的社区志愿者。在香港特别行政区，社区工作者也需要经过专业培训才能上岗。以香港小童群益会为例，它作为民间社会团体，有500多名专职工作人员，除了行政管理人员可以是其他专业毕业外，所有社区工作者都接受过2—3年的社会工作学历或职业教育；而且专职工作人员年轻化，20—40岁的中青年占绝对比重。即使在发展中国家，社区工作者也要求具有较高的素质和良好的文化修养。在以色列，应聘社区中心主任职务，至少需要有一个正规大学的学士学位。筛选程序十分严格，其中包括一次面谈、一个评估中心的评估和一个选举委员会的选举。每一位新主管都要接受为期一年的专业培训。培训内容包括与该职务相关的金融、人事、环境、规划等学科教育以及诸如提高综合协调能力和团体领导艺术等方面的技能训练。以色列社区中心协会还以提供津贴和奖学金等方式，鼓励社区中心的专职人员完善知识结构，获得更高学历，以满足社区发展的需要。而我国从职业类别划分上就没有社区工作者的设置。现有从事社区管理工作的人员主要以区、街、居行政管理干部为主。由于社区管理工作在我国是一项开创性的事业，职业技能培训刚刚开始，尚未形成制度化要求，因此，社区管理人员的行政化职业构成，也是导致管理方式行政化的必然结果。

此外，虽然我们与国外和港台地区的政府在社区建设（或发展）中都具有举足轻重的作用，但操作方式和管理力度上均存在一定差距。从操作方式上讲，由于发达国家大都经历了把主要由政府包揽的社会福利和服务通过财政转移方式交由社区和家庭承担这样一个过程，因此，政府对社区发展方向的引导主要通过经济调控手段加以体现。例如，通过契约方式向社区组织购买服务，通过低息贷款和税收减免政策鼓励民间组织参与社区服务，通过拨款数额的增减，体现政府关注的重点，达到控制社团行为的目的，等等。但在我国，由于社区建设初期居民自觉参与社区工作意识薄弱，加之社区中介组织尚处于萌芽阶段，缺乏固定的社区投资渠道，因此，目前城市的社区建设主要还是依靠政府的行政力量推动。其结果，从管理力度上讲，我国政府对社区的管理从宏观到微观都远远大于其他国家和地区。

（三）
差异溯源

应该说，我国以街道为基本依托的行政型城市社区管理组织模式的确立和发展有其深刻的制度背景与社会基础。

新中国建立之后，我国步入了计划经济时代。随着“计划经济”这一运行机制的内涵和外延被无限制地扩展，50 年代后期，国家开始通过行政计划的方式推进社会事业的发展，于是，行政计划性管理模式从单纯经济领域拓展至社会各个层面。政府从强化政权建设和城市管理的角度出发，按照行政管理体制的要求划分辖区，而街道作为城市基层政权的派出机构，由于承担着连接政府与百姓桥梁的功能，其所管辖的范围也以法律形式确定下来。显然，街道——这种行政辖区所构成的社会整合纽带，并不是社区各构成部分相互依存或相互促进的共生关系，而是从高度统一的社会体制派生出来的行政隶属关系。尽管如此，在计划经济体制下，基于人们的社会需求层次单一，消费水平低下，且“单位体制”包揽了政治控制、社会管理、社会服务、社会保障等社区发展职能，从而使得街道这种行政单一化的城市社会管理组织模式基本可以满足社会发展以及人们社会生活的实际需求。

改革开放以后，随着社会主义市场经济体制的确立，我国社会结构发生了巨大变迁。特别是90年代以来，城市居民的生活方式和社会需求、社会组织间的相互关系都日趋多元化，中国社会已进入一个前所未有的多元发展阶段，原有的单一行政化城市管理组织模式遭遇到社会需求多元化的挑战。而这种挑战至少来自四个方面：一是城市社区利益主体的多元化与惟一管理主体——街道组织的矛盾冲突。在计划经济体制下，由于社会中各组织与政府在目标、职责和利益上高度一致，政府实际上是社会中惟一的利益主体。街道办事处作为政府的派出机构，代表政府对辖区内的行政事务、社会事务实施综合管理，是城市基层组织管理的主体。随着社会主义市场经济体制的确立，城市社区中利益主体呈现多元化特征，其中，既包括脱离行政系统管理的企事业单位，也包括从单位组织中分离出来的个人，还包括许多新型的区域社会组织，如社区服务中心、物业管理公司、社会中介组织等新的利益主体。由于一元化的街道管理主体与多元化的利益需求主体在社会事务中的角色不同，出于各自利益所在，矛盾不可避免。二是多元化的社区功能需求与街道行政化管理方式的矛盾。随着由政府转归和企业剥离出来的社会管理和服务职能直接落脚社区，街道承担的社会性功能目标已超过百项，例如地区福利、扶贫帮困、就业安置、人口管理、居民服务、科教普及、文化娱乐、防病治病、环境保护、治安管理等等，不一而足。而这种多元化的功能需求与计划经济体制下形成的“街道”社区功能发育不全所造成的“功能——结构”性失调，使得原有街道组织较难适应多元化社区发展的需要。三是社会需求层次多元化与提供服务的组织单一化的矛盾。90 年代中期以来，人们生活方式、行为方式日趋多元化，特别是社区中人口异质性的增加，使得人们的社会需求呈现出三大趋势：(1) 需求内容由单一的生存需求向休闲、娱乐、康复、心理咨询等综合需求发展；(2) 需求水平由低层次向低、中、高等多层次发展；(3) 需求对象由特殊群体向全体居民层面发展。这就对提供服务的组织提出了专业化、多样化的服务要求，显然，仅仅依靠“街道”这种行政化管理组织是无法满足上述需求的。四是互动模式多元化与行政隶属关系的矛盾。新形势下多元利益主体的出现，打破了长期以来形成的纵向行政隶属关系管理模式“一统天下”的局面。社区内各组织作为社区团体成员不仅需要在社区中拥有平等的地位，而且要彼此联系与沟通，在相互支持下获得发展，从而达到提高社区整合能力的目的。而在计划经济体制下形成的街道管理组织，一经出现，就是作为政府的派出机构，行使政府赋予的城市基层管理职能，并直接对上级组织负责。这种纵向的城市管理体系与横向的组织网络之间由于缺少联结渠道，因此，在处理社区事务中冲突大于合作；而“街道”行政组织作为地区总管，在单一纵向联系的社区体系中，又难以发挥协调作用。由此可见，按照社区建设的要求，重新改造现有的纵向街道管理组织势在必行。

（四）
理性思考

考察、分析与比较国外城市社区发展走过的历程，我们认为加强我国城市社区组织建设，应该首先从理念上明确几个问题：

1. 社区建设与政权建设的关系是殊途同归

社区建设的初衷之一，是为了适应经济体制改革和建立社会主义市场经济体制的需要，由社区承接“单位制”解体剥离的社会职能和由政府职能转变还原社会的社会职能，逐步达到“小政府、大社会”的政治体制改革目标。由于参与社区建设的主体是社区成员，因此，社区建设从本质上讲是一个自下而上的居民实行自我管理、自我服务、自我教育，从而提高个人修养和素质的过程。而政权建设是自上而下的各级政府依靠自身努力巩固与发展国家政治权利的过程，其中，理顺政府内部管理体制，提高城市现代化管理水平，是城市政权建设的重要任务之一。我们认为，目前我国城市街道管理体制改革虽然在一定程度上解决了长期存在的城市管理因“条块分割”而产生的上下相互推诿、扯皮的矛盾，但由于街道办事处的“准政府”性质没有改变，还要继续承担部分政府的行政管理职能，因此，这种改革从本质讲属于政权建设范畴。事实上，尽管社区建设和政权建设的主体不同，但其追求的目标是一致的，都是为了提高国民的整体素质和生活质量。通过社区建设，居民个人素质的提高必定体现在城市的文明度上。城市发展了，国家的政权自然会稳固。而国家政权建设说到底，是要通过经济建设和城市管理等途径，满足人们不断增长的物质和精神需求。人们生活水平提高了，群众对政府的支持力度就会增强。因此，社区建设与政权建设的关系，既不等同，也不相悖，而是殊途同归。

2. 明确政府与社区组织在社会管理体系中的职能定位

目前，社会上存在一种认识上的误区，即将原有的“两级政府、三级管理”的城市行政管理系统与社区居民自治管理体系混为一谈。其直接后果是社区管理体制的确立并未明显减轻政府的社会管理负担。那么，由政府操作的城市管理系统与政府参与的社区管理体系究竟是什么关系？它们各自的管理手段又有什么区别？我以为城市管理系统与社区管理体系是一种平行关系，它们作为社会管理体系的组成部分，将随着社区管理体系中居民自管能力的增强，呈现城市管理系统趋弱的格局，从而实现政府职能结构重心由社会管理向社会服务的位移。就城市管理的手段而言，它采用的是包括政权、法律、政策、纪律等在内的强制性控制方式；而社区管理则依赖思想观念、社会心理等非强制力手段，包括习俗、道德、信仰、舆论等一些具体方式的运用。

既然政府与社区组织在社会管理体系中扮演着不同的角色，因而必须科学的界定它们各自的职能范围。可以将政府目前承担的社会管理职能进行分类，凡是社区管理组织有能力承担的部分，尽快转交社区管理组织去做；对于暂时不具备移交条件、又属于政府不该做或做不好的事情，要积极创造条件，使社区管理组织有能力尽早承接。

3. 注意政府职能转变过程中职能行使方式的转变

从理论上讲，政府职能的转换具有两层涵义：除了随着时空的流转，政府职能结构的重心发生位移之外，政府职能结构中各职能的内涵也会发生或多或少的变动，其中职能行使方式方法等技术手段的变化对于实现政府职能结构的重心位移有着直接的影响。例如，传统社会中，政府管理社会事务以政治性、行政性、直接性手段为主；而在现代社会，政府管理社会事务的方式已经转向经济性、法律性和间接性。据此，我国政府在参与社区管理的实践活动中，应发挥推动主体的作用，而不是扮演实施主体的角色，即：政府的推动主体作用主要体现在制定社区建设发展目标、发展规划和政策法规，以及建立组织协调机构、管理体制、运行机制、检查评估体系和资源配置上，而不是替代社区包办本应由社区组织通过居民自治方式可以自行解决的一切与居民利益相关的公共事务和公益事业。

4. 街道体制应逐渐向社区体制转换

街道行政区域是我国社区建设的操作层。街道办事处作为基层政府的派出机构直接参与所辖社区的管理工作。但是，我们始终认为，政府直接参与社区管理只是一种过渡性措施，最终还要将社区管理的权力归还居民自治组织。

我国的街道管理体制是1954年依据全国人大一届四次会议通过的《城市街道办事处组织条例》组建起来的。作为区级政府的派出机构，它的建立适应了解放初期巩固国家新生政权的需要。然而，经过40余年的演变，街道的行政管理职能日趋扩大，已由最初的仅是指导居委会工作和从事一些民政方面的工作向一级“准政府”过渡。有些同志把这一趋势归结为是城市规模过大所致。但综观世界各大都市最多也只有两级政府，许多大城市只有一级政府也照样管理得井然有序。因此，城市规模的大小并不能作为多层次政府机构设置的依据。而且从理论上讲，多一级政府就多一层成本，其浪费是显而易见的。随着我国“小政府、大社会”政治改革目标的确立，政府行政机构的减员增效已成定局。因此，要理性地把社区从政府概念中剥离出来，通过街道组织的“社区工作”来促进“社区体制”的转换，即通过建立社区委员会、社区事务协商制度以及居民互助、志愿者、选举社区领导人等活动，培养居民的自治能力，提高居民的参与意识，从而逐步实现街道体制向社区体制的过渡。

5. 客观评价现阶段社区工作的作用

如前所述，我国城市社区作用的再现有其政治、经济改革背景，从某种意义上讲是一种外力推动的结果。尽管我们已经充分认识到社区建设对于有效解决城市经济发展中诸多社会问题、保证社会稳定、满足社区居民多元化服务需求、推进城市基层的民主政治建设等具有举足轻重的作用；但是，我们必须正视的现实是：社会转型时期的政府职能转换是一个渐进过程，不可能一蹴而就。在经济发展水平有限，具有社会参与意识、参与能力的居民自治组织发育程度较低的今天，以社区居民自我管理替代政府的社会行政管理条件尚不具备。在相当一段时期内，我国政府职能的结构重心仍将以社会管理为主，这是不以人们意志为转移的客观发展规律。事实上，社区承担的责任只是解决政府不能、企业不为的社区公共事务和公共福利事业，不能医治所有“社会疾病”，其作用是有限的。认清这一点，对于准确把握政府与社区组织在社会管理中的角色分工，各尽其责，意义重大。

6.“双强模式”——中国城市社区组织的一大特色

所谓“双强模式”是指在社区建设过程中，强调纵向的城市管理组织体系与横向的社区自治组织的同步与协调发展。在这里国家与社会不是一个此消彼长、完全对抗的关系，而是一个共生共长、相互融合的过程。如前所述，世界上凡执行社区发展计划的国家，政府都无一例外对社区工作倾注了极大的热情并提供各方面的政策支持。但相对而言，完整的市、区、街纵向城市管理组织体系是我国较之其他国家和地区借助政府行政力量推动社区发展的一大优势。特别是在我国社会转型期间，适度、有效地运用政府的行政管理手段，依托纵向的社区管理组织去体现国家对社会的控制，对于稳定社会局面，为国民创造良好的生存环境无疑具有十分重要的意义。但是，实践证明，仅仅依靠政府的力量去完成大量、繁重的社会事务既不可行，也难以办好。在政府与市场中间存在的过渡地带（有人称之为“第三部门”）是要靠具有网络特征的横向社会组织加以连结的。这就是我们将在第三章“社区非营利服务组织的培育与发展”中详细讨论的问题。我们在这里想强调的是两者之间的相互关系及其联结方式。我们之所以引入“双强模式”概念，是在于社会发展趋势表明，国家力量正在通过将许多非营利的社会组织纳入行政参与过程实现其有效增长，如西方国家中半官方的社区委员会组织已经成为政府介入社区工作的实例。另一方面，社会组织网络与社会自治空间领域的扩大也依赖于国家行政力量的扶持和推动，如雨后春笋般的各种非政府、非营利性组织的兴起就得益于政府的财政与政策支持。显然，国家与社会在相互砥砺中正在良性互动。有鉴于此，我们提出要在国内社区管理组织的薄弱环节——社区中介组织的培育、发展上实现突破，并不意味着否认政府在社区组织建设中的重要地位；相反，我们是要充分发挥现有纵向城市管理体系的优势，并在“纵——横”社区组织的结合上寻找最佳结合点。就国内社区建设的实际情况看，我们认为，在街道管辖的区域范围内，通过“街道体制”向“社区体制”转换，由社区管理委员会组织作为沟通政府与百姓、政府组织与社会组织的桥梁，从理论和实践操作上都是可行的。

·第四节·

中国城市社区管理组织的改革与再造

通过社区发展的途径解决经济与社会失衡所产生的种种矛盾和冲突，在国外已经历了近半个世纪的实践过程。相对而言，我国的城市社区工作开展时间较短，许多问题还在探索之中。目前，学术界有一种观点认为，按照社区的构成要素衡量，我国并不存在真正意义上的社区。由于失去了问题研究的前提条件，似乎冠以“社区建设”的研究变得模糊不清。诚然，国外的社区是自然形成的区域，而我国从可操作性角度出发，将街道管辖区域界定为社区，确实带有“格式化”的特点。因为很多街道的地域界限不是自然形成、而是出于行政需要人为划定的。一般地说，这些街道的社区发育程度比较低，社区情感要素比较薄弱。然而，我们与其套用社区构成要素的理论尺度来衡量这些街道是否构成社区，不如把这一理论尺度当作社区建设所要达到的目标和结果。也就是说，正是由于我国城市以街道为单元的基层社区发育和整合程度很低，难以发挥其综合的社会管理功能，无法承担国家和现代城市发展所赋予的历史使命，因而才有推进社区建设的必要。正是基于这样的认识，我们希望从我国的现实出发，提出符合中国特色的社区组织管理模式。而这种模式显然既不是西方世界的翻版，也不是中国传统的复旧。

最近，民政部明确提出到2010年，社区建设要基本形成完整体系。为此，从现在起，就要着手建立五大体系：一是组织体系。要建立一套科学合理的工作运行机制，即党委政府领导、民政部门主管、有关部门分管、街道居委会主办、社会各界支持、群众广泛参与。而建立社区建设的领导或协调组织则是这一运行机制的核心内容。二是工作体系。在起步阶段，通过建立若干不同类型的实验区，培育典型。总结经验，并在此基础上，搞好示范群体建设。三是法律制度体系。逐步建立一套行之有效的社区建设法律、法规、行政规章和相关工作制度。当务之急是制定全国社区建设指导纲要，以指导和规范各地开展工作。四是培训和表彰体系。五是理论研究体系。充分发挥科研、院校的智力优势，为社区建设提供理论支持。目前民政部社区建设的理论研究基地已在京、津、沪三市初步建成，包括：在北京市社会科学院成立了以国际、国内比较研究为主的社区建设研究中心；在天津南开大学成立了以实证研究为主的社区建设研究中心；在上海华东师范大学成立了以宏观规划研究为主的社区建设中心。今后还准备根据发展需要，成立以宏观战略研究和城乡结合部研究为主的社区建设研究中心。依据民政部的设想，社区建设的五大体系将在1999年底建成雏形，五年确立框架，十年基本形成。由此可以看出，国家对社区建设的推动不仅力度加大，而且正在向规范化、制度化方向迈进。我们作为民政部首批社区建设的理论研究基地，近几年对国内（上海、石家庄、成都、深圳、广州、福州、厦门、杭州、南京、天津、大连、沈阳）、国外（美国、英国、德国、法国、巴西、墨西哥）的许多大城市的社区组织管理方式作了大量调查研究与比较分析，结合国情，我们认为：理想的社区组织发展模式应是纵向组织体系与横向组织网络的有机结合，其中纵向社区管理组织的改革与再造是不可缺少的重要一环。

我国具有一套完整的城市管理体系。以这套管理体系为依托，利用“二级政府、三级管理、四级落实”的优势，按照机构层次分明、职责明确的原则，健全市、区、街、居垂直社区建设组织管理体系。

（一）

建立具有权威性的市级社区建设领导机构

配合地方政府机构的调整和改革，尽快落实市级社区建设的领导组织机构。新建社区建设领导机构应以全国社区指导纲要为依据，结合本市国民经济和社会发展规划，制定本地的社区建设中、长期规划并指导实施。政府有责任通过政策扶持、教育培训和资金引导等多种途径，把握社区发展方向，引导社区建设的健康发展，同时按照工作职能要求做好相应的督察和组织协调工作。要明确政府在社区建设中的地位，使政府在社区建设中发挥推动主体作用，而不是扮演实施主体角色。为了从宏观上把握社区建设的发展方向，解决一些理论和操作层面上存在的难题，政府应将分散的研究力量有效地组合在一起共同开展社区建设理论和实证问题研究，以便为社区建设提供理论支持和政策咨询服务。

（二）

发挥区级政府资源整合优势，为社区建设提供财力支持

目前，我国城市社区的组织协调运作以区级为主。区级社区建设协调组织作为承上启下的重要机构，其组织健全与否，直接影响到街、居层面社区建设工作的效果。因此，在市辖区，应成立由区党政主要领导牵头，政府有关职能部门和驻区单位代表共同组成的区级社区建设工作指导委员会，负责制定本区社区建设发展规划、综合协调、政策制定以及职能部门的职责划分等职权范围内的各项工作。委员会的常设办事机构社区建设办公室设在区民政局内，负责统管全区社区建设的具体事宜，并承担与上级主管部门及街道相关组织间的联络任务。事实上，区级社区管理组织的最大优势在于其各成员所具有的不同权力和影响力。区级政府作为基层政权组织，具有街、居组织不具备的区域行政管理和创造财政收入的职能。要确立政府服务社区的观念，充分发挥区政府对辖区各级、各类单位实施行政管理的组织优势，做好协调工作，实现区域内部的资源共享。要创造条件，改善投资环境，通过招商引资扩大税源，

增加税收。同时，借鉴克林顿政府说服大企业高级主管投资“授权区和事业社区项目”的经验，鼓励辖区内有能力的企业出资支持社区发展项目，为社区建设奠定物质基础。

(三)
探索街道工作社区化的新途径

街道行政区域是我国城市社区建设的操作层。我们认为，理想的社区管理组织模式应当是“社区制”，但在目前街道体制改革不会有大的变动的情况下，由“街道体制”向“社区体制”的转换需要分两步走。当前，比较可行的是实行街道办事处与社区管理委员会“双轨并行”的管理组织模式。

街道办事处作为区政府的派出机构，代表政府参与社区管理，其改革应与国务院机构改革方案相一致。近期首先要制定具体配套措施，真正做到“政企、政社”相分离，即：政府行政管理职能与企业经济职能相分离。一方面，街道办事处作为政府的派出机构，不再直接经营企业。另一方面，城市管理中，区政府直属的市政管理职能部门在街道的派出机构的作业行为要脱离行政化管理轨道，逐步走企业化、产业化发展道路。与此同时，政府行政管理职能应与社会服务职能相分离。社会事务、公益事业等社会工作交由社会组织承担。政府通过制定鼓励政策和财政支持对这些组织加以扶植、资助，并给予必要的指导和帮助。在“双分离”的基础上，街道办事处按照“小政府、大社会”的改革要求，履行政府综合管理职能。

要借鉴上海、北京等城市街道管理体制改革的成功经验，强化街道办事处对地区各项事务全面负责的主体地位。由于街道工作面向社区，因此，要转变街道工作对上负责、对下管理的传统思维方式，重新确立街道工作社区化、社区工作社会化的改革思路：一是要凝聚社区力量创造良好的社区环境，即：

为居民创造良好的生活环境；为企业创造良好的经营环境；为机关（事业）单位创造良好的工作环境；为发展商创造良好的投资环境。二是通过共管方式，联络社区范围内的成员，扩大管理主体，即：社区成员既是管理客体，又是管理主体，实行政府倡导、各方参与、街道牵头、各方共管的社区管理模式。三是充分利用社区资源，形成社区效应，即：以社区为载体，街道搭台、各方唱戏，充分发挥社区内各单位的优势，产生单一组织无法比拟的集各家之长，使大家受益的社区效应。为此，办事处应与社区管理委员会保持密切的合作伙伴关系，定期召开社区联席工作会议，就社区发展的重大问题通报情况，听取意见，确定长期和当前的工作计划，商讨、协调社区建设和社区服务事宜等。要明确街道办事处在社区工作中的“角色”——是代表政府行使职权，即它只是从政府的角度对社区建设活动给予指导和支持，而不是替代社区组织从事社区建设的具体事务。它的社区工作职能主要体现在两个方面：对居委会而言，主要是指导职能，包括：制定社区建设总体规划，对社区建设的重要意义、目标体系、组织模式、资金来源、实施步骤等一系列根本问题作出明确的规定，对微型社区建设活动进行统一规范和日常指导，帮助居委会依法建立、健全微型社区建设的运行机制；对政府有关部门，则主要发挥统筹协调监督职能。例如，负责规范各部门在微型社区里的行为，对小区配套设施的建设情况进行监督、把关，负责出台社区建设的具体政策规定并监督落实情况，以及负责组建专业性的社区工作队伍，进行统一的培训和管理，等等。除此之外，街道代表政府对社区中的福利对象提供社会保障是街道组织区别于其他社区非营利组织的标志之一，要充分做好这方面的工作。总之，街道工作社区化、社区工作社会化，代表着未来街道改革的方向。从现在起，就要将街道的行政管理寓于服务之中，为今后

“街道体制”向“社区体制”的转轨创造条件。

社区管理委员会在西方国家是一种半官方组织。它作为沟通政府与市民的桥梁和纽带，在代表居民利益和意见、推动横向联合、组织社区资助和互助活动等方面发挥着重要的作用，是社区多元整合工作中的基本力量。尽管目前我国一些城市街道层面出现了社区发展协调委员会或联席会等类似组织，但工作中多采取松散的运作方式，缺乏规范化、制度化的管理，因而较难在社区综合管理上发挥主导作用。为此，从构建新型社区组织管理体制的思路出发，应该重新确认社区管理委员会的组织地位、组成方式、运作机制，并在适当时候以法律形式确定下来。在现阶段，社区管理委员会作为街道办事处的并行机构，属社区的常设机构，配合街道办事处共同开展社区管理工作，其性质为半官方组织。由于这一组织可以将社区内部不同隶属关系的单位与属地管理有机地联结起来，提高社区的整合程度，因此，在社区管理组织体系中具有举足轻重的地位。社区管理委员会的组成是民主选举的结果。它是在上级政府的指导下，通过召开社区各方代表参加的“社区代表大会”，由与会代表选举产生。成员由政府组织、企事业单位、社团法人代表以及社区居民自治组织代表组成。在委员会中，各方地位平等，集体进行管理决策。其中，政府代表由街道办事处主任和其他行政管理职能部门的负责人担任，主要起沟通制衡作用，即：负责向上级政府部门反映社区的民情民意，向社区转达政府对社区发展和社区管理的意见和要求，同时对社区管理进行行政督导。社区管理委员会主任一般由政府代表担任。

社区管理委员会的主要职能是：(1) 统筹规划。根据全国社区建设指导纲要和地方政府及相关部门的要求和指导，结合社区自身实际情况，在充分协商的基础上，对社区发展和社区管理作出统一规划，确定社区发展的近期、中期和长期目标与任务。(2) 组织协调。依据确立的目标、任务，利用灵活有效的机制和手段，通过招标、竞标等方式落实任务责任者。同时负责协调社区内外各相关部门关系，保证社区管理工作的正常进行。(3) 监督调控。以管理职责为依据，以相关的法规和协议合同为准则，对社区管理的情况进行检查和监督，使其符合社区管理的目标和要求。

社区管理委员会的具体工作主要包括几方面内容：(1) 制定社区发展规划，落实责任制度；(2) 确定社区内各职能部门和组织的职能分工，审议其管理计划、实施方案和重大管理措施，并监督实施，以保证社区各种需求目标的实现；(3) 参与社区财政预算程序和各种需求的评估，向上级财政部门申请资金并监控资金的使用情况；(4) 制定会议日程，组织召开"社区代表大会"和居民听政会；(5) 妥善解决与处理好社区居民对社区事务的意见；(6) 协调社区内各部门关系，代表社区参加对外交流活动；(7) 承担社区管理委员会与政府部门、居民自治组织、社会中介组织之间的桥梁与纽带作用；(8) 接受政府部门的工作指导和监督，定期向上级政府部门报告社区发展情况，为政府制定政策提供实践依据，等等。

以社区管理委员会为联结点，将纵向的社区管理组织体系与横向社区服务组织网络有机结合起来，是实现"街道体制"向"社区体制"过渡的最佳途径。虽然，就目前阶段而言，街道办事处与社区管理委员会在并行运作过程中，可能暂时存在一定的职能交叉。但从长远发展趋势来看，街道办事处作为政府派出机构所行使的政府行政管理权限终会随着政治体制改革的逐步深化而日益缩小，而社区管理委员会作为政府与市民进行联系的桥梁和纽带，将替代街道办事处全面行使对社区的综合管理职能，与其他社区组织一道，共同在社区中发挥重要作用。这一阶段可能在我国还需等待时日，但它却代表了社区发展的方向。

（四）
居民自治组织的再造

社区建设，说到底是社区居民在政府的指导下，实现自我管理、自我教育、自我服务的过程。虽然我国城市居民自治组织——居民委员会早在50年代就已成立，但由于功能错位，难以适应新时期社区发展的需要，必须进行重组。但前提条件是寻找一个不同于街道行政社区的新的载体。我们以为确定基层社区建设的载体不一定完全以现有居委会辖区为依据。因为尽管我国城市街道社区是行政地域概念，社区间的特质性差异不明显，但在相对小的区域里仍能从不同的社会群体居住地，如高校、科研单位、机关、大厂矿企业、新建商品住宅区、外来人口聚集区等找出各自的区域性特征。显然，以居民关系比较密切、共同利益较多、互动比较频繁的不同社会群体居住地为依据，划分微型社区（区别于街道行政社区），更接近国际标准。在界定微型社区之后，以这些社区单元为依托，再组建社区居民自治组织。

根据我国城市基层社区的发展需要，新型居民自治组织应形成居民代表会议决策、居民委员会议事、社区工作者办事的团组式格局。

1. 建立和完善社区居民代表大会制度

社区居民代表大会是社区的决策机构，完善的社区居民代表会议制度是实现社区建设科学化、民主化、制度化的保证。社区居民代表大会的代表应由拥护中国共产党，热爱社会主义，爱国家、爱人民；热心居民工作，愿意为群众办事；具有一定参政议政能力，能够代表社区各方面利益；遵纪守法，在群众中有一定威望和影响的辖区居民经居民推举、居民代表大会选举产生。居民代表大会每年召开1—2次，主要任务：一是对关系本社区全体居民利益的重大问题进行讨论，并作出决定；二是听取、审议居委会工作情况报告；三是选举产生居民委员会成员；四是制定社区居民公约。

2. 居民委员会组织的重组

依据1990年1月实施的《中华人民共和国城市居民委员会组织法》，城市居民委员会是城市居民进行自我管理、自我教育和自我服务的基层群众性自治组织，其工作职责定位应该是议事、协调、服务和监督。目前，居委会组织力量薄弱已成为居委会开展社区建设工作的瓶颈因素。表层的原因是：居委会干部待遇低，工作任务繁重，难以吸引群众主动介入。但从深层次原因分析，还要归于长期以来，居委会作为政府机构的延伸，在社区工作中议事少，办事多，始终未能充分发挥群众自治组织对关系居民切身利益的公共事务和公益事业行使当家作主的民主权利，因而，尽管辛辛苦苦，但群众威信并不高。为了彻底改变居委会工作的这种被动局面，借鉴国际经验，我们认为，加强居委会组织建设应该重新确认居委会在社区建设中的议事地位，而将其办事职能从中分离出去，交由社区工作者承担。这样做的好处在于：一是将居委会从繁杂的具体事务中解脱出来，以便全身心地代表辖区居民行使管理社区公共事务和公益事业的职能，以恢复居委会"三自"组织的本来面貌。二是有利于社区工作向职业化、专业化方向转变。社区工作作为一项职业类别，已得到许多国家的法律认可。从改变我国社区工作行政化管理方式，提高社区工作效率角度考虑，在适当时候，将社区工作者作为职业单独列项，符合国际惯例。三是可以减轻国家的财政负担。目前，许多城市从提高居委会工作水平出发，采取为居委会配备专职干部，并纳入事业编制的做法。其结果，虽然提高了居民参与居委会工作的积极性，一定程度上改善了居委会干部的素质，但同时也加重了市区的财政支出负担，而且由于我国事业编制的刚性，使得人员“只进不出”，既不利于引入竞争机制，也与缩减编制、降低成本的行政改革方向相悖。显然，在居委会组织层面实行议事层与办事层相分离是一个体制上的突破，应该给予肯定。

重组后的居委会成员应由辖区内的人大代表、政协委员、知名人士、社会工作者、政府高级管理人员、企事业单位和社会团体代表、业主委员会代表以及居民中有声望并热心社区公益事业的人员等组成，其产生程序是：首先通过自荐或推荐的方式，由社区全体居民选举产生预选人，然后经过资格审查从中产生正式候选人，再由社区居民代表通过差额方式民主选举产生居委会委员。居委会委员除了主任外，其他成员工作以社会兼职为主，在自愿的基础上，义务为居民服务。居委会工作职责主要是：(1) 负责研究社区建设的有关事项，并就社区居民关心的重大问题定期或不定期举行会议，商讨解决办法和途径；(2) 协调辖区内各部门、单位之间的关系，做好上下沟通工作；(3) 听取社区工作办公室工作情况汇报，监督、检查、指导社区工作办公室工作；(4) 负责组织社区居民开展公益活动。

考虑到居民委员会几十年的工作惯例，许多地区还不能一步到位，可以在现有的社区服务管理委员会、居民议事会或顾问团的基础上，逐步实现过渡，即暂时实行居委会与上述组织的“双轨运行”机制。待社区工作者队伍成熟或运行机制完善之后，再将议事组织通过选举转换为符合法律程序规定的居民委员会，现有居委会组织则转换为社区工作办公室，由职业的社区工作者承担具体的工作任务。

3. 建立社区工作办公室

社区工作办公室是居委会实行议事层和办事层分离后，由居委会委派、承担社区具体工作职能的办事机构。作为居委会的日常办事机构，其主要职责是：(1) 宣传宪法、法律、法规和国家政策，维护居民合法权益，教育居民依法履行应尽的义务；(2) 开展多种形式的社会主义精神文明建设活动，教育居民做文明市民，创文明家庭；(3) 及时研究和解决居委会、居民代表会议反映的意见、要求和建议，并协助、督促有关职能部门尽快解决问题；(4) 办理本社区居民的公共事务和公益事业，组织志愿者队伍，开展便民、利民的社区服务；(5) 协助有关部门维护社会治安，调解民事纠纷，促进家庭和睦、邻里团结。(6) 协助搞好社区卫生、社区绿化、社区治安、社区文化、计划生育、优抚救济、青少年教育等社区建设工作。

社区办公室的工作人员由社区工作者组成。他们必须符合招聘条件，通过竞聘方式，由居委会根据工作需要聘任。要重视对参与竞聘人员政治素质、组织能力、业务水平和敬业精神的考查，重点从党政机关分流干部、学校剩余教师、复转军人、大中专毕业生、下岗职工、现有居委会委员中招聘，以优化人员结构，提高办事效率。而社区工作者作为职业，其收入所得：一是通过与政府签订契约合同，由政府支付劳务报酬；二是服务收费；三是社会捐助。由于社区工作在我国是一项开创性的事业，尚未形成完整的培训制度，因此，从业人员大多未接受过职业技能培训。这就要求尽快补课，通过岗前、岗中培训，提高社会工作者的职业素质，以满足社区工作需要。同时要建立健全岗位责任制，并早日实现持证上岗。

除了上述社区综合性管理组织之外，要确立党支部在微型社区中的领导地位。

毋庸置疑，微型社区居民自治组织的重建应体现我国社会政治力量和政治体制的特征和框架。综观我国政权和政治方式的四个组织——中国共产党、人民政府、人民代表大会和政治协商会议中，只有党组织在组织形态上是垂直到基层的。随着“单位人”向“社区人”的回归，社区内党员构成将发生重大变化。除了原有组织关系转到社区的退休党员外，无单位归属的党员，组织关系尚留在单位的离休、甚至在职党员都将成为社区建设的重要力量。为此，通过组建社区党支部，将区内全体党员组织起来，充分发挥他们在社区中的精英模范作用，必定会加快社区建设的进程。社区党支部作为居民自治组织的领导核心，主要是对居民委员会日常综合管理工作进行指导和监督。党支部要经常就“社会性、群众性、地区性和公益性”的社区建设与社区管理工作召集居委会、各职能机构、社区单位以及中介组织进行商议，并协助居委会组织落实。社区党支部书记一般由居委会主任兼任。

改革后的社区居民自治组织，由于合理地划分职能权限，将不同的责任按照其事务性质交由不同的组织和部门承担，可以从根本上改变居委会行政工作模式，有利于推进基层民主建设的进程。新的社区居民自治组织组建之后，将形成以社区党支部为领导核心，居民代表大会决议，居民委员会议事，社区工作者办事，社区企事业单位、社会中介组织、居民群众广泛参与，各司其职，恪尽职守的管理新格局。

第三章
社区非营利服务组织的培育与发展

·第一节·
非政府、非营利组织理论及其板块效应

(一)
非政府、非营利组织的基本概念及其组织特征

本世纪40年代末期，非政府、非营利组织作为非政府的和不把利润最大化视为首要目标的社会组织被首次提出来。除了这一称谓之外，还有一系列词汇用以描述世界上出现的类似民间社会组织：如独立部门、第三部门、第三种类型组织、自治组织、有社会兴趣的民间组织、社会基层组织、民间志愿组织等等，不一而足。但目前比较通用的叫法是非政府、非营利组织（根据我国国情，本章将这类组织统称为社区非营利组织）。

目前世界上对非政府、非营利组织的界定有三种代表性的提法：

第一种提法范围最为宽泛，认为所有非政府、非企业的社会组织都是非政府、非营利组织（Padron，1987）。即非政府、非营利组织是指那些在政府组织体制之外、且既不是根据政府之间的协议建立的、也不是企业的社会组织，政党组织也包括其中。

第二种提法范围最为狭窄，认为非政府、非营利组织是一种非营利的社会中介机构。它通常具有六个特征：一是正规性，即有法人地位，正规的章程、组织结构、资金来源等。由于这样的组织具有法人地位，从而享有契约权，并使组织的管理者能对组织的承诺负个人的经济责任。二是独立性，在内部管理和对外工作中自治自主，不受政府直接控制或管理。三是非利润分配性，不谋求利润，不分配积累的资金。除了支付日常工作开支和支付规定内的劳务报酬外，其剩余利润必须返回团体使命所规定的工作中去。这一点是区别以营利为目的的企业行为的显著标志。四是志愿性，在内部管理运作上和对外服务工作中，都有一定度的、持续的志愿参与。五是公众利益性，服务和奉献于公众的需求和利益。六是非政治性，这类组织不遵循常规的政治程序，不介入政治权力之争。

第三种提法将非政府、非营利组织的范围界定在上述两者其间，认为它是依法建立的、非政府的、非营利性的、自主管理的、非党派性质的，并且具有一定志愿性质的、致力于解决各种社会性问题的社会组织。第二种非政府、非营利组织定义与第三种定义的差别在于，前者具有非成员组织性质，即这类组织对成员资格没有严格的限制，组织的使命不是优先为本组织成员谋利益，而是致力于某些社会公益事业；而后者除了包括符合第二种定义的各种中介社会组织之外，还将社会基层的成员组织，如民众自治组织、合作组织及其他一些社区组织也包括在内。由民众组成的社会基层组织是成员组织，其基本特征是：组织成员通常是由相互熟识的、具有共同经历的人们组成。他们具有共同利益，组织活动的使命是为本组织成员服务，在组织内部实行民主管理，具有自我维持的经济实力。由于这些社会基层的成员组织通常是在当地形成的自下而上的发展组织，其成员的利益本身就是社会问题的组成部分，因此，成员组织为成员提供服务的过程也是解决社会性问题的过程。同时，由于民众组织一般是在当地范围开展活动，而辖区居民是直接的受惠者；因此，居民具有较强的集体意识和参与意识，使得这类组织具有较多的发展优势。

上述三种关于非政府、非营利组织的定义，第一种失之过泛，实际操作意义不大。目前世界上谈及非政府、非营利组织时，大多是持第二种看法或第三种看法。考虑到我们研究的对象是社区组织这样一个前提，在本章中，我们将非政府、非营利组织界定在第三种范围之内。

(二)
非政府、非营利组织产生的时代背景

非政府、非营利组织的出现是有其历史背景和现实需要的。相对而言，一些移民国家和地区的非政府、非营利组织基于某种政治或自我保护的目的产生得较早。以美国为例。历史学家 PeterDobrinHall 认为美国最早的非营利团体在美国发展的早期，即在 19 世纪初就出现了。那时，有一些基督教福音会教徒和拥护联邦制的商人正在寻求各种培育和指导当时的杰斐逊的平民主义发展的方法，于是一些不以营利为目的的学校、学院、传教团体、图书馆、孤儿院和医院等社会福利团体应运而生。这些组织的服务目的：一是推动开明人士的文化，表达其宗教虔诚；二是满足在特权阶级庇护下产生的工业秩序的种种需要。事实上，当时美国的许多非营利性的社会福利团体是由移民团体组成的，目的在于维持他们的文化、民族和宗教特征。这些因素的推动一直持续到南北战争后，又陆续出现了一些慈善和文化团体。显然，这时大部分具有合法地位的非营利法人团体是作为追求集体行动的工具而发展起来的。在加拿大，建立在社区基础上的非政府、非营利组织也有着很长的值得自豪的历史。在偏远的加拿大草原上聚集在一起的农民们携手合作，辅助政府和企业进行有限的服务；移民组织向那些远离家乡，在陌生的环境中为生存而奋斗的人们提供帮助；经营者们白天为销售互相竞争，但在晚上和周末，为弥补社区服务的空缺而一起工作。这种传统延续至今。目前，几乎每一位10岁以上，甚至许多不到这个年龄的加拿大儿童都以不同的方式参与非政府、非营利组织的工作。

但就大多数国家来说，非政府、非营利组织的出现还是为了弥补市场缺陷和政府缺陷。应该说，企业作为市场运作的主体，它所追求的是利润最大化。因此，对于消费群体中构不成规模效益的消费需求，企业是不会关注的。当服务购买者不是消费者本身时，又会出现市场的契约缺陷。例如，在敬老院中的消费者通常是消费选择有限的老年人，实际购买者是他们的子女。而这些购买者自己又无法评估服务水平的高低。于是，出于对非政府、非营利组织不以营利为目的的服务宗旨的信任，他们往往选择这类组织作为服务的提供者。而政府作为全体民众的代表，所追求的是社会效益的最大化。政府的行为往往要依据社会大多数公民的需求而定，从而在一定程度上也难以满足少数人的特殊需求。此外，即使在大多数人支持的工作中，由于政府行为时常伴随着臃肿、不负责任和官僚化，于是，人们仍然存在更倾向由非政府、非营利机构提供社会服务的需求。这一点在美国表现的尤为突出，因为美国社会有强烈反对扩大政府的文化倾向。总之，非政府、非营利组织所从事的一些活动是市场或政府都不愿做、没有做好或不能做的事情。他们的工作填补了社会经济发展的一些空白领域，如环境保护、消除贫困、落后地区的教育等等。同时，在一些传统上由政府从事活动的领域里，非政府、非营利组织有时可以比政府做得更好、更有效率。例如，一些特殊种类的教育培训活动以及各种社会经济发展项目的实施等。

此外，西方文化强调的是个人主义，因此，非政府、非营利组织扮演的角色推进了一个重要的社会价值，即自由和多元化的价值。事实上，美国社会的大多数改革是由非政府、非营利机构组织的，如争取市民权利、环境保护、工作地的安全、儿童福利、妇女的权益和新权利等等。即使在政府比非政府、非营利组织更有效地回应市场需要时，美国民众也仍坚持要非政府、非营利组织作为他们自由和有一定程度多元化的保证。

（三）
非政府、非营利组织理论简述

关于非政府、非营利组织的理论，可以从经济、公民社会以及政治等多重角度加以阐述。

新制度经济学将制度当作发展中的决定性制约因素，承认在现实经济生活中存在着信息成本、不确定性和交易成本，将制度、交易成本和新古典理论结合起来，为社会经济发展提供了一个组织和制度的分析框架。依据新制度经济学理论，对非政府、非营利组织的交易成本分析的结果表明：非政府、非营利组织在解决市场失灵和政府失灵的问题上可以发挥十分重要的作用。因为在非市场和非政府的交易中，各种民间的组织形式可以在一套不同于市场机制和国家机制的社会规则下运作。它们利用组织成员共同的意识形态、信仰、文化、家族等所形成的相互信任、利他主义、朋友式的情感以及对荣誉、声望的追求，在互助合作中易于遵守交易规则、互惠互利、相互监督，制裁机制也较为有效，这些都有助于降低交易成本。因此，非政府、非营利组织不仅参与和影响现存市场体制和政府体制中的结构和决策过程，它们还创造和发明制度，本身构成了一个独立的组织制度体系。

而非政府、非营利组织作为公民社会中的重要组成部分，它们的存在和活动体现着一定量的社会资本，对促进社会经济发展具有多方面的积极作用：一方面，非政府、非营利组织所包含的信任、规范和网络等因素可以促进对社会行动的协调，从而提高社会活动的效率；另一方面，非政府、非营利组织可以通过民间交流和自主管理等途径，培养社会成员之间的平等互惠精神，促进相互信任和理解，反映和表达公民的意愿。同时，在非政府、非营利组织活跃的社会中，国家和市场都会更有效地运作，从而有助于推动整个社会的进步。此外，非政府、非营利组织致力于提高社会成员的个人自我管理能力，它们在人权、教育、政治参与、信息流动等方面所开展的活动都促进了公民社会的进一步发展，使社会资本不断升值。

第三体系理论则侧重从政治的角度解释非政府、非营利组织现象。西方理论界认为，社会机制是由政府组织、非政府、非营利组织和企业组织"三大体系"构成的。非政府、非营利组织在全球表达民众的愿望和利益，是公民社会的组织代表。以非政府、非营利组织为研究对象的"第三体系"理论是关于公民在全球范围参与决策的理论。它来源于传统的政治思想，即假定公民们经过启蒙、理性化和工业发展，可以进入一种参与式的民主。"第三体系"理论从三个层面阐述了自己的主张：一是站在民众的角度，赋予发展以新的含义：即民众组织起来为了满足自己的需要，依靠自身力量去发展自己。"第三体系"理论家戴维·科藤（DavidKorten，1990，P218）认为，"第三体系主张的是以民众为中心的发展，这样的发展有三个基本原则：（1）民众是促成社会积极变化的真正角色，主权寓于民众；（2）民众为了发展自己和社会去行使主权和承担责任，民众必须能够控制自己的资源，能够得到相关的信息，而且还要能够有手段使政府的官员向他们负责；（3）凡是帮助民众发展的那些人们必须承认，他们所做的只是在参与和支持民众的议程。最终，第三体系理论的目标是全球民主政治。”二是将环境与发展危机归结为政治危机，认为其产生的主要原因是在发展过程中缺乏民众的参与。因此，这一理论体系主张在社会的各个决策层面促进民众的参与，使民众真正成为自主活动的主体。三是必须依靠组织的方式，引导民众通过参与社会生活，实现民众的自主、权力，并在此过程中增强民众的力量。由于非政府、非营利组织代表公民的利益和愿望，能够积极促进民众广泛地参与社会经济以及政治生活，因此，它是实现上述目标的有效组织形式之一。

（四）
“三大板块”效应

在西方现代社会，非政府、非营利组织作为沟通政府与市场的中介机构，与政府、营利组织（企业）一起，共同构成社会机制的三大板块。虽然三方承担的社会角色和功能不同，但却是一个完整的有机整体。政府的主要功能是通过不断完善社会福利制度，为社会成员提供最基本的社会保障；企业则通过市场机制提供各种有质量的服务，以满足社会总体需求；而非政府、非营利组织则根据团体的宗旨使命，运用团体本身的机制和能力提供专业性的服务，来满足不同群体的特殊需求。事实上，三者之间的关系不仅是相互补充，而且是互惠互利的。政府通过法律和政策，采用宏观调控手段，组织、管理和推进各种社会服务的发展，并在此过程中减轻了政府的社会压力；企业通过为非政府、非营利组织提供一定的资金和管理技术回报社会，由此不断改善企业形象，增强居民信任度，从而发展和提高自身的业务；非政府、非营利组织在政府和企业的支持和参与（包括政策、资金、技能和行动等方面）下，补充服务于两者力所不能及的群体，在履行团体使命过程中，得到不断发展和完善。如果三种“服务资源”整合得好，将会大大增强整个社会承担社会需求和处理社会问题的能力。借鉴国际经验，目前，我国理论界已开始关注非政府、非营利组织在社会发展中的润滑剂作用。九届人大在提出政府机构改革目标和方向的同时，已明确提出要大力发展社会中介组织。而社区中介组织的发育和成熟，将有可能承担起大量过去由政府承担的社会事务，使“小政府、大社会”的改革目标得以实现。

以上我们从社会整合的角度分析了非政府、非营利组织对于社会机制中政府与市场两大板块的相互作用与影响。事实上，在西方国家，非政府、非营利组织被认作是一种有限制条件的法律选择。这些限制条件是由政治世界的环境所决定的。对非政府、非营利组织活动的限制主要包括不谋求政治权力和不介入权力之争以及规定团体从事营利性经营的程度。而非政府、非营利组织由于不以营利为组建目的，因此不仅可以得到政府的资助，如减免税收和其他的公共补贴，享受减免邮资和在广播、电视上作“公共服务”广告的优惠等；而且可以在民众中树立良好的社会形象，从而有利于组织各项活动的开展。更重要的是由政府资助的非政府、非营利组织也为政府提供了许多帮助，其中包括政府有能力来奖励其偏好的社区居民，将公共服务的资金和管理风险从官员转移到私人团体或个人，以及通过非政府、非营利组织的努力，对紧迫的社会问题作出快速反应等等。这些好处既可以鼓励政府官员将公共资金拨给非政府、非营利组织的服务项目，同时又可以吸引那些对创立非政府、非营利组织满怀兴趣的人们投身于这一事业。

·第二节·

国内外社区非营利组织的形式以及操作手法

(一)

国外社区非政府、非营利组织的表现形式及其特征

1. 非政府、非营利组织在全球范围的发展

虽然非政府组织作为一种独立的社会组织形式发展至今不过半个多世纪的时间，但其源远流长。相对而言，发达国家的非政府、非营利组织的诞生远远早于发展中国家，且同慈善事业有着密切关系。早在 17 世纪，英国政府就通过法律鼓励和保护民间的志愿活动。英国的慈善法规定，对具有慈善性质的民间团体及其所进行的公益活动给予税收上的优惠。由于慈善事业有助于平息下层社会的怨怒，缓和社会矛盾，维持社会稳定，所以慈善事业已成为英国政府实现福利国家目标的辅助力量。至今，英国整个慈善界从民间募集的资金中约有 1/6 为非政府、非营利组织所占有。美国非政府、非营利组织的诞生源于社区的发展，其基本宗旨就是满足社区居民的需求。它从 18 世纪开始出现，19 世纪后逐步走向繁荣。而大部分发展中国家的非政府、非营利组织只是在本世纪 80 年代之后才逐渐发展壮大的。总体上讲，非政府、非营利组织作为独立的社会组织体系在本世纪 70 年代才崭露头角，但随后发展迅速，目前已经形成了遍布全球的网络体系。

从世界范围看，发达国家的非政府、非营利组织与发展中国家的非政府、非营利组织无论从组织规模还是服务对象上均存在较大差异。

发达国家的非政府、非营利组织特点：一是规模大、资金雄厚。各发达国家的非政府、非营利组织部门主要掌握在少数大型非政府、非营利组织手中。例如，1990 年在英国的 300 多个非政府、非营利组织中，12 个大组织所得收入占非政府、非营利组织总收入的 80%，其中有 7 个组织的年资金收入都在 1000 万英镑以上。美国普救合作组织 1992 年收入竟高达 6.2 亿美元。二是致力于发展中国家发展事业的发达国家非政府、非营利组织发展较快，作用日益增强。1993 年，这类组织已达 3000 余个，比 1980 年增长近 1 倍。目前，发达国家非政府、非营利组织对发展中国家的支持方式主要是：(1) 向发展中国家输送资金、食品和其他援助资源；(2) 从事操作性发展活动，即向发展中国家派遣工作人员在当地直接从事消除贫困、社区服务、卫生保健、教育以及环境保护等各种发展活动；(3) 利用本国和各种国际会议召开的机会，通过宣传、教育、研究与设计、倡议和游说等途径，积极开展声援发展中国家的有关活动。三是国际性的非政府、非营利组织多。例如，1993 年 12 月，几十个国家的代表宣布成立一个名为“公民志愿服务联合会”的新国际组织。它的宗旨是帮助“培育志愿服务精神，开展社区服务活动”，并为这些国家的非政府、非营利组织提供一个论坛，一个进行国际宣传的机会。

在发展中国家，国际性的非政府、非营利组织很少，大的全国性的非政府、非营利组织也不多。除了少量大的、中介性的非政府、非营利组织外，由于受工作人员和资金来源的限制，大多为小型的社会基层组织。非政府、非营利组织在发展中国家相对而言是一个新生事物，它们伴随着殖民主义后的人权运动和民主改革一起发展，现已成为这些国家政治和文化生活中的一支重要力量。80 年代、特别是进入 90 年代以来，发展中国家的非政府、非营利组织相当活跃，各种形式的志愿组织多达3.5万个，其服务对象超过2.5亿人。发展中国家的非政府、非营利组织主要是在农村直接从事发展活动的当地组织。它们向农村居民提供基本的社会服务，帮助当地居民建立社区服务组织。尽管发展中国家大型非政府、非营利组织数量较少，但它们起着类似传递枢纽的作用。一方面，它们同本国中央政府、政府间国际组织、外国政府以及外国的非政府、非营利组织保持联系，进行信息交流并寻求资助；另一方面，它们同国内各地同类性质的小型非政府、非营利组织也保持联系，组成全国性的服务网络，进行信息交换并提供指导与资助。由各个非政府、非营利组织联系在一起形成的非政府、非营利组织网络，在本国的社会经济发展中起着创新经验和有价值的思想传输作用。它们进行社会协调与调解，同时还负担着输送和分配资源的职能。近年来，发展中国家的许多非政府、非营利组织针对导致贫困的结构性、制度性因素，试图通过对政府的宏观政策施加影响去推动各种社会问题的解决。于是，它们开始注意在影响本国政府政策以及重大的国际决策上下功夫，在政策研究、倡议和游说等方面投入了较多的精力。

事实上，目前在世界范围内，形形色色的非政府、非营利组织通过网络、联盟、论坛以及各种国际会议等方式已经构成了一个庞杂的全球性组织体系。虽然这一体系从形式上看是自主、自愿、平等的，是为了特定的社会公益性目标而联成网络式关系的；但由于发达国家的非政府、非营利组织掌握着并向发展中国家输送资金、技术、知识以及其他各种资源，发展中国家的非政府、非营利组织仍处于不同程度的不平等和依赖性地位。

2. 非政府、非营利组织的形式

非政府、非营利组织可以按照不同的标准予以分类。按照活动范围划分：既可以有城市或乡村的地方性非政府、非营利组织，也可以有全国性的非政府、非营利组织，还可以有专门从事跨国活动的国际非政府、非营利组织。按照规模大小和联系程度划分：有松散的、面向当地人服务的小型非政府、非营利组织，也有组织发达、覆盖面广泛的全球性网络式非政府、非营利组织。按照活动领域划分：有致力于单一问题的专门性组织，也有全面从事社会经济发展活动的综合服务性非政府、非营利组织。按照非政府、非营利组织的支持者或资助者划分：可分为政府支持的非政府、非营利组织，国际组织支持的非政府、非营利组织以及由非政府、非营利组织支持的非政府、非营利组织三种形式。按照组织功能划分：也可以分为两个层次，即：直接从事公共福利工作的服务机构和专门以资金支持服务机构的赠款机构。服务机构是赠款机构的项目市场，赠款机构是服务机构的资金市场。虽然，上述分类比较科学，但事实上，世界上任何一个非政府、非营利组织往往是多种形式的复合物，且不同国家参与社区工作的非政府、非营利组织的类型也不尽相同。以美国和荷兰为例：

美国的非政府、非营利组织主要分为三种类型：

一是传统的社会服务机构，如马萨诸州防治虐待儿童协会。该团体始建于1878年，总部设在波士顿。这个团体和其他类似的团体是由那些富裕的市民领袖在新政前几十年就成立的。这些团体通常都有捐助（有时数量也相当可观），因此，它们很少像其他团体那样依靠政府资金的支持。他们通常提供许多不同的服务，而不像其他团体受限于任何单项服务的要求。典型的这类团体往往有来自社区的政界和经济界的精英组成的大董事会（人数多达30—40人）。教派机构，如天主教慈善会也属于这种类型的非营利组织。

二是那些在过去二十年中成立，能直接得到政府用于职业培训、精神疾病防治和其他服务资金支持的团体。如KeyProgram团体是1970年在波士顿成立的一个大型的青年服务团体，主要是为不良青少年提供社区和居民区内的服务。这类团体的资金主要、甚至全部来自政府的资助。与传统的非政府、非营利团体相比，他们的董事会通常小于10人。而且他们在得到政府的服务合约之前，通常并不是非营利团体，但其创始人在组建非营利团体之前往往对合约服务方式有一种心理准备或预期。例如，KeyProgram组织是由Wolfe兄弟组建的。还在他们策划成立这样一个非营利实体时，马萨诸州青年服务署的专员已经与他们协商一种松散的契约了。

三是为满足邻里和其他社区需要而组建的团体，其针对性较强。它们既可以是解决无家可归者、饥饿或青少年出走等本社区关注问题的团体；也可以是以扶助弱势群体，如受到强暴的妇女、日益丧失劳动或生活能力者以及艾滋病人等为主的团体。这类团体一般都是由志愿者发起，由志愿者或低薪工作人员来运作。他们出于强烈的人道主义精神承担着减轻人们痛苦或帮助他人实现其潜质的责任，但由于财力有限，这类团体运作初期往往十分艰难。事实上，尽管三类团体与社区间的关系或紧或松，不尽相同，但从政府的角度看，它们之间的互补性有利于社会事业发展的连续性。一面是新型的以社区为依托的团体。由于他们的行动最具有志愿联合的性质，因此，凭借对社会的责任感，他们的行动更具自觉性和主动性，也没有官僚作风；而为得到政府资助组建起来的非营利团体，由于是政府提供的项目为组织的建立和发展创造了机会，因此，他们更关注政府机构投资意愿，相对而言，自主性较小。而政府的这种投资导向，保证了社区服务的连续性。但这并不是说第二、第三类团体创建者的动机与服务社区的初衷不一致。60—70年代由政府资助和志愿组成的这两类非营利团体往往代表了社会改革家立志改变社会，对一些特殊问题和政策问题所做的种种努力。其实，社会团体究竟是完全由志愿者组成还是主要受政府资助取决于政府投资能力的大小。在政府投入资金相对紧缺时，积极为弱势群体提供服务的创造者就会组织完全是志愿性质的非营利团体；在政府投入资金充足时，组织的创建者不会把组成完全的志愿团体看得比获得政府资助更为重要。这时，他们宁可一边建立团体，一边获取资金支持。

荷兰非政府、非营利组织的分类与美国有所不同。在荷兰也有三类志愿性组织可以提供社区服务：一是常设代理机构提供大规模的标准服务。这类机构属地方性组织，规模很大。它们的专业化服务水准有赖于所提供服务的性质。例如，社会工作代理机构的专业化水平是很高的。大部分家庭照顾的工作都是由受过专业训练的人员进行的有偿服务。常设代理机构只使用很少的志愿者。其收入来源主要是地方社会保险和对委托方的服务收费。二是自创的基层组织对一些有特殊需要的人提供试验性或补充性的服务。这是一种全国性的、在服务体系中具有创新特点的机构。它们通常提供的是常设服务机构不能满足或因财源中断而未能满足的需求服务。例如对艾滋病患者的照顾和临终关怀。无业的专业人士经常在这些机构从事志愿性工作。尽管这种服务机构规模不大，但是社会不可缺少的。它们的收入部分是来自地方和中央政府的补贴，以及基金筹措、公积金和对委托方的服务收费。三是志愿者服务组织。志愿者所从事的工作主要包括：购物、维护交通秩序、送餐、慰问老人和残疾人等。通常这类机构由志愿者自己管理，有时候也由专业人士参与运作。这类组织的收入主要来源于会员费、基金支持、少量的补贴以及少量的服务收入。

3. 非政府、非营利组织的运作管理方式

非政府、非营利组织追求的最高目标是使需要受助的人获得最大化的帮助。其基本功能是将一个限定范围内的各种资源有效地整合在一起，从而寻找出参与解决或处理面临的各种难题的最佳途径。今天世界上绝大多数的非政府、非营利组织都将对团体的有效管理视作履行团体使命和获得发展的最重要手段。由于这种组织的特殊性，使其管理比营利性组织的管理更难以驾驭。非政府、非营利组织常常被看作是讲道德的组织，它们的处事行为是有一定的伦理和道德规范的。

在管理上，非政府、非营利组织和营利组织的最大区别在于他们具有不同的使命感。与营利组织不同，经济效益不是衡量非政府、非营利组织成功的直接或最终标准。这并不意味这类组织不可以像营利组织一样“挣钱”（为了有所区别，非政府、非营利组织往往更多地使用“积累”一词），但“挣得的钱”或称“积累”必须按照组织设定的目标用于公共目的。这不仅体现了这一组织的价值取向，而且也受到法律和捐款者的严格限制。衡量非政府、非营利组织工作的标准是该组织通过其提供的服务为社会作出了多少贡献，使被服务对象——个人或群体发生了多少变化。一个成功的非政府、非营利组织需要具备三个条件：外部机遇、团体综合能力和对社会的承诺。

非政府、非营利组织运作机构一般分为四个层次：第一层次是董事会，即决策机构。它是由出资人、政治活动家、社区居民代表、社会工作者等，经会员或会员代表大会选举产生，有一定任期，一般为3—5年。董事会成员不在组织中获取报酬，是组织最重要的非受薪志愿者领袖。董事会的责任是：确定组织的使命和目标；选择执行总裁并支持和评估执行总裁的工作；规划组织的未来；通过组织的服务和活动计划并监督其执行情况；提供良好的财经管理；保证组织的经济来源；提高组织的公共形象；增强董事会本身的工作效果等。董事会作为组织的最高“统治者”，要站在战略的高度上超越组织的局限而放眼外部的大环境；要保证组织有一个明确的使命和战略规划；它实施的是战略领导，确保组织良好的运作管理；它指导资源的总体配置，但一般不涉及具体数额；它对组织的表现负责，但不干涉具体工作；它是集体决策而不是个人决策；它考虑的重点是未来而不是过去或现在；它主动应战变化的环境而不是被动应战。第二层次是执行总裁，他是由董事会聘用，专门负责组织运作管理和协调各项工作。执行总裁的工作职责是执行董事会所制定的方案，管理组织资源、开发服务项目、拓展外界渠道，争取社会募捐，考核和评估雇佣人员。总裁的角色不仅要领导下属工作人员，保证董事会制定的各项政策和通过的规划和计划得以正确贯彻，保证组织所有工作运作正常、完成良好；而且要起好董事会和工作人员之间的桥梁作用，避免董事会陷入琐事，使其更好地集中精力指导总体和长期的工作。在许多非政府、非营利组织里，总裁亦是董事会成员。第三层次是带薪工作的职员。他们的主要任务是协助总裁工作，研究日常工作，开展人员培训，对各类雇员进行工作评估和监督。第四层次为操作层，由专职、兼职的社会工作者和社区志愿者组成。实际上，在许多非政府、非营利组织内，专职人员并不多，除兼职人员外，大量依靠自愿贡献业余时间的志愿工作者支持日常工作。例如，在美国现有成年人口中有一半人志愿贡献他们的业余时间，每年贡献200多亿小时，相当于900万全时工人一年的工作量；每年捐赠时间的价值约为2000亿美元左右，大体上与全社会捐赠的资金价值相等。

人力资源开发是非政府、非营利组织管理的重要内容之一。非政府、非营利组织的基本使命是帮助那些有需求但自己没有能力满足需求的人实现他们的愿望。这就要求组织必须根据“顾客”需求提供服务，而不是根据团体的需求去替被服务对象作决定。组织的管理在很大程度上是要使董事、志愿者和工作人员真正理解和懂得什么是被服务对象的需求，并在工作中努力去不断把握和了解被服务对象的愿望，并以此作为开展工作的依据。

非政府、非营利组织的经费来源途径广泛，但归纳起来不外乎有三个渠道：一是政府资助，其资助数量的多少取决于当地经济发展水平和实行的社会政策。一般而言，经济发达或实行高福利政策的国家，政府资助所占比例高一些。政府资助采用财政拨款、设立专项资金、签约服务等方式进行，但数额通常是依据社区发展规划和年度推荐项目而定。二是社会赞助，主要是通过机构赠款、民间捐款等方式实现。三是有偿服务收费，主要是非政府、非营利组织依据政府规定的收费范围和标准，通过提供有偿服务实现。事实上，除了有巨额资产的基金会无须筹资以外，所有的非政府、非营利组织都没有足够支持全年开支的固定收入，都必须以努力工作的成效争取社会的援助。正因为绝大多数这类组织都处于募捐市场的竞争之中，所以谁都不敢对工作有丝毫的懈怠。因此，非政府、非营利组织在公众心目中的形象很好。遇到社会中出现的，诸如青少年不良行为、破坏公共环境、影响生活秩序等问题，群众不是找市长，而是找非政府、非营利组织解决问题。政府只需把主要精力放在制定法律法规、依法管理上就够了，用不着自行兴办和直接管理社会福利、教育、科学文化、医疗卫生等各种机构，因而保证了许多国家“小政府、大社会”格局的正常运转。

4. 非政府、非营利组织参与社区工作的途径

第一，利用名人效应，争取社会支持。非政府、非营利组织的董事会成员通常都是那些支持团体目标并能够起领导作用的社区知名人士。增加董事会成员要取决于组织的目标和董事会其他成员的力量。典型的选择董事的方法是看他们对实现团体使命的潜在贡献，包括他们可能会提供的财政支持，他们的名望和其专业技能。医院、博物馆或交响乐团找的董事是那些

能够在财力上支持这些团体，并使他们的朋友慷慨解囊的人们。新职业培训中心或青年发展团体可能会在商界找一些有社会意识的人士，他们与银行界有联系，有利于贷款，在团体决策时又能随时获得律师的咨询帮助。与政府有契约的团体可能会找那些有政治势力或与其有联系的人物，以便可以帮助他们保住原有契约并签订新的契约。

第二，根据团体使命，通过组织内部的职业社会工作者的专业化服务，为社区居民提供高质量的服务。

第三，许多非营利团体每年可以从那些愿意支持社区机构发展的个人那里募捐到他们年预算中相当部分的资金，以帮助各种需要的受助群体。例如，人们走出去募捐，以帮助饥饿的人和艾滋病救助项目。他们为圣诞节基金捐款，帮助那些无家可归者和贫困人群。他们把玩具、衣物、食品捐助给当地的儿童团体。总之，现金和实物捐助也是非营利组织参与社区工作的一种表现形式。

第四，非政府、非营利组织广泛使用志愿者参与社区服务。志愿服务是民间系统服务于社会的群体行为，即非政府、非营利组织利用组织内外部的知识、技能、体能或财富，通过各种服务性的行动去实现和体现对社会事业的服务与奉献，或实施和完成对有困难的社会群体及个人的服务与保障。志愿者是指志愿的或表示要志愿参与服务的人。社区志愿者一般由两部分人组成，一部分是社会志愿者；另一部分是在校学生，以大中学生为主。社会志愿者包括政府公务员、公司职员、医护人员、园艺师、艺术工作者、各类学校教师、社会工作者、家庭妇女、退休人员、甚至失业者，各类、各阶层人士均有。除了有专业技能的志愿者所进行的定向服务（如反强暴妇女中心依靠专业志愿者提供咨询和支援工作）之外，许多志愿者加入了非专业技能的社区服务行列。例如，医院依靠志愿者去充当礼品商店和咖啡室工作人员，去接待和指导病人和来访者；为无家可归者提供住房的组织依靠志愿者去提供膳食，使受助者有宾至如归之感。从挨家挨户征求意见到每年打电话联系，志愿者都是寻访工作的主力军。此外，低报酬也使非政府、非营利组织的受薪工作具有一定的志愿性质。

5. 志愿者与职业社区工作者之间的关系

在对国外非政府、非营利组织进行深入分析、比较研究之后，不难发现，尽管各国非政府、非营利组织数量多如牛毛，但在组织内部工作的职业社会工作者数量要远远低于志愿者的数量。因为，一般认为，志愿者服务模式至少包括五种：(1) 从事法定社会服务的志愿者；(2) 从事志愿性社会服务的志愿者；(3) 地方志愿者；(4) 被鼓励参与非正式照料网络以满足服务需求的社区成员；(5) 由某个机构招募并加以培训后分派与他人一起工作的志愿者等。许多社会工作者本身也积极投身于志愿服务工作，成为志愿者队伍中的成员。对于志愿者是否获取报酬，各国看法不一。有的国家将志愿者认定为“义工”性质，志愿者应为无酬工作者；有的国家则将志愿者提供志愿服务时，享有获得报酬的权利作为志愿者应享有的基本权利而加以明确规定。但有一点可以确定，即：即使志愿者通过志愿服务获得一定的报酬，其所得也是低微的，补偿性的，如车旅费、电话费、培训费、生活津贴等，与职业社会工作者的工资性收入有着本质性的不同。荷尔姆（Holme）和梅杰尔斯（Maizels）在 1987 年关于“社会工作者与志愿者关系”的研究中分辨出两者之间的两种有意义的合作模式，即补充模式和互补模式。他们认为，在补充模式中，志愿者去做那些职业社会工作者“感到需要去做而不能或不该去做”的事，这是职业人员与志愿人员间最普通的关系，不需要密切合作。在互补模式中，志愿者“协助职业人员完成服务性工作，在此过程中与职业人员形成密切的伙伴关系”，志愿者在这种情况下的角色作用就与职业人员在工作上形成了相互补足。

(二)
香港非正规社会支持网络体系

近年来，“社会支持网络”（SocialSupportNetworks）作为一种新兴的社区工作组织体系，日益受到社会工作者和从事社区研究工作的专家及学者的关注。认为它有助于帮助我们加深对人际关系、社会结构及社区互助等现象的了解，通过运用社会网络策略，有效解决社区内个人及社会问题。

“社会支持网络”是指由家人、朋友、邻里和有意相助的人士所提供的非正式照顾和支援网络。由于它具有提供工具性(可以提供一些实质或技术性的支援）和情感性（提供情绪或心理上的支持）支持的功能，通常被认为是补足正规社会服务的一种有效支持模式。目前英国及我国香港特别行政区在开展“社会支持网络”的实践中，取得了很好的效果。现以香港仔街坊福利会社会服务中心为例，对“社会支持网络”组织体系作一介绍。

香港仔街坊福利会社会服务中心是一所政府资助的地方性非营利机构，推行“社会支持网络”方法已有十余年的历史。其网络建设大体分三个步骤进行：

1. 准备阶段。首先是培训社区工作者，以保证其有良好的业务素质和工作效率。内容包括：“社会支持网络”的理论、功能和方法；方案设计、组织手段与工作原则；公务拜访时谈话内容与技巧；地方政治、权力架构以及社区中的代表性人物和有影响的机构情况介绍；社区资源状况和分布以及一些具体的操作方法。其次是确定社区联络人员及联络对象。服务中心根据网络建设的需要，并结合员工的特长，采用优势互补、分工协作的方法，确定联络员及联络对象，后者主要指社区中的地方领袖、议员、公私团体，包括政府部门、学校、教会、工厂、商户等。其目的在于：(1) 加强机构间的联系，增进交流与合作。(2) 了解社区需要和社区动态。(3) 发掘社区资源、争取各方支持。(4) 建立中心良好的声誉与形象。(5) 介绍并推广中心的服务。(6) 提供适当资料以解决问题。

2. 建网阶段。服务中心采用的建网手段主要是：(1) 正式拜访：即指派经过培训的员工亲自上门拜访机构或私人办事处，以示合作诚意。此法最适合建网初期使用，但平时采用，可确保机构间有良好的网络关系。(2) 参与会议：积极、主动参与区内各类相关会议，增加与各社团或政府机关代表的接触机会，以便加深彼此认识，从而有助于网络的建立和相互合作。(3) 筹办活动：通过合办或赞助活动，密切机构间、工作人员之间的关系，便于交换知识和资源，也为日后加强联系奠定了基础。(4) 利用特别场合：指派员工经常参加一些社团的特别活动，以便扩展社会网络和关系。这些活动包括各种宴会、开幕式、新春酒会、机构开放日、周年纪念会，等等。(5) 制备宣传品：服务中心以海报、宣传手册、期刊、活动报告书、年报等方式，向拜访和来访对象进行宣传，以便使对方了解中心工作，加强联络。

3. 服务阶段。“社会支持网络”建成之后，服务中心通过采用四种网络策略，达到区内成员守望相助，解决社区问题的目的。一是个人网络策略，这是使用频率最高的一种策略，其重点在于强化服务对象的现存人际关系及他所处环境内有发展潜力的成员的互助能力。通过“社会支持网络”系统，中心工作人员协助服务对象选择可以提供帮助的成员，鼓励他们与这些有能力并愿意提供协助的网络成员接触，并采取种种方法建立或强化他们与网络成员的关系，同时，提供适当的支持去帮助网络成员增强协助他人的能力。二是自愿联结策略，即中心员工帮助需要援助的人及可以提供协助的辅助者之间建立一对一的辅助关系。而这些辅助者通常有经验处理某些问题，因而能对需要辅助的对象提供切实的帮助。例如，中心在推行老人社会网络计划时，将港岛南区内无依无靠、贫病而独居的老人，通过电脑与招募而来的义工进行配对，使接受服务的老人们都得到至少一位义工为其服务，成效显著。三是互助网络策略。它是把面对相同问题或具有相似兴趣、能力的人聚合在一起，建立他们之间的联系，以达到互相支援和互相咨询的效果。例如，中心所属辖区内有十多位背景及问题相近的家庭主妇，她们除了有经济困难以外，还有较强的自卑感，并缺乏照顾子女的知识。为此，中心将她们组织起来，设立综合援助小组。一方面给予她们适当指导，同时借助成员间的支持系统，通过互相教育、交流经验和相互砥砺，形成合力，一起去面对共同的问题。互助网络策略实施了一段时间之后，妇女们的自信心明显增强，教子之法也有很大长进，并愿意通过为区内独居老人清洁居室，回馈社会。四是社区授权网络策略。该策略是通过联系一个地域社区内的关键人物、地区领袖和主要社区代表，发展一个聚合了非正规化社区领袖的讨论场所，以便有效反映区内各种群体的意见及利益。社区工作者的任务是去促进这些非正规领袖的沟通、联系及互助，并建立网络，鼓励这些网络成员共同参与并关心区内问题，形成社区内申述问题及倡议社区政策改革的统一声音。香港的这家社区服务中心，采用社区组织方法，联系该区十余个居民组织，成立了一个联席委员会。他们的活动除商讨大厦管理问题和举办康体活动外，还成立了一个行动小组，经常反映社区中诸如街灯昏暗、街道肮脏等问题。他们既争取资源（如区议会拨款）去解决本身问题，又不时约见当地有关官员和议员，以便加强联系并表达他们所需及争取他们应有的权益。

总之，经过十几年“社会支持网络”工作实践，香港非正规社会网络组织体系在完善社区照顾方面的作用越来越大，已成为社区工作中不可缺少的重要手段。

（三）
中国城市社区服务组织发育情况

如果按照严格的非政府、非营利组织定义考查中国城市的社区服务组织，恐怕具有完整意义的非政府、非营利组织性质的社区服务组织尚不多见。这一方面是由于我国社会组织体系分类中虽然有人民团体的编制设置，但至今为止的人民团体大都带有准官方性质；另一方面，由于我国社区服务组织的出现缘于国家政治与经济体制改革的需要，在初始阶段，必然更多地体现为政府行为，因而与国外和港台地区的非政府、非营利组织从起源上就有很大不同。因此，从国情出发，我国现有的城市社区服务组织也具有中国特色。

1. 城市街道社区服务中心

我国最早的城市街道社区服务中心诞生在 80 年代后期。它以民政部门的社会福利机构为依托，以拓宽服务对象、增加服务项目、提高资源利用效率为出发点，经过十多年的探索和努力，已经成为我国城市社区服务的重要载体。从整体来看，街道社区服务中心具有几大特征：

一是呈行政性社区组织建构方式，直接受街道办事处领导。部分地区的社区服务中心与街道办事处的福利科是一套人马，两块牌子。中心的资金来源以街道自筹为主、财政支持为辅，主任由办事处负责人兼任，管理人员由办事处招聘。虽然社区服务中心不属于行政组织，但它带有强烈的行政管理色彩，对政府权威有很强的依赖性。

二是形成了网络式组织模式。街道社区服务中心作为辖区服务组织网络的枢纽，上与区级社区服务信息网对接，下与居委会及部分社会服务机构联通，并逐步向家庭延伸。

三是实行综合性、专业化服务。社区服务中心作为一个为广大社区居民提供接收各种教育、开展生活服务和文化娱乐的“便民、利民、助民、乐民”的全方位服务场所，已经形成了系列化服务体系。以南京市鼓楼区为例，街道社区服务中心的服务项目涉及12大类48项：（1）老：老年公寓、老人之家、托老陪老、心理疏导；（2）残：残人之家、残疾养护、工疗康复、残儿日托；（3）孤：孤儿庇护、孤儿设施、孤老包户、孤老服务；（4）幼：幼教咨询、幼儿保健、幼儿训练、托幼设施；（5）婚：婚姻介绍、婚恋咨询、婚前教育、婚姻服务；（6）抚：优抚之家、帮扶孤寡、双保协议、政策咨询；（7）贫：扶贫济困、脱贫致富、邻里相助、志愿服务；（8）难：便民利民、万家解难、老少包饭、热线电话；（9）医：家庭病床、家庭医生、流动巡诊、康复诊所；（10）教：各类培训、课外辅导、弱智培育、失足帮教；（11）管：物业管理、综合治理、环境卫生、治安联防；（12）丧：临终关怀、殡葬咨询、联系火化、代办公墓。除此之外，有的社区服务中心的服务项目还扩展到旅游、民俗、财经、法律、商务、就业、中介等更高的服务层面。

四是受益面广泛。由于街道社区服务中心贴近百姓生活，既方便居民往来，又质优价廉，得到社区居民的认同。以上海吴街社区服务中心为例，每月参加社区活动的居民达9000人次。而在北京西城区10个街道社区服务中心享受社区服务的人数在1997年就已超过150万人。

五是社区服务中心成为再就业工程的基地。其作用体现在两个方面：其一是直接接纳下岗职工就业；其二是通过中心的中介服务，为各类人员重新找到再就业机会。例如，近年来，北京西城区的街道社区服务中心通过兴办各种服务设施，发展便民服务网点，先后安置了下岗职工、待业人员和残疾人500余人，通过中介服务，使2000余人重新上岗。

2.“罗山市民会馆”——街道社区服务中心的特例

罗山市民会馆是由上海浦东新区社会发展局（简称社发局）、浦东新区社会发展基金会（简称基金会）、基督教上海青年会（简称青年会）和罗山街道办事处（简称街道）共同创建的集社区服务、社区教育、社区文化为一体的社区福利机构。它占地面积5000余平方米，投资总额450万元。内设敬老院、市民休闲中心和999市民求助热线三大服务系列。会馆自1996年2月开业以来，已接待来馆参加活动的居民30万人次，服务区域也超出管辖范围，辐射到浦西。

罗山市民会馆之所以有别于其他街道社区服务中心，在于它采用了公办民营的管理模式。其特征可以概括为“政府主导、街道协作、各方参与、社团管理”：

政府主导——政府为会馆建设的投资主体。在全部建设总投资450万元中，政府的社会福利主管部门——浦东新区社会发展局出资260万元，占投资总额的57.8%，此外，还提供了一座闲置的幼儿园；民间基金组织——浦东新区社会发展基金会赞助90万元，占投资总额的20%；罗山街道办事处提供了一座紧靠幼儿园、产权归街道的闲置的托儿所；上海基督教青年会投资100万元，主要用于补贴开办费用。由于社发局的投入，使得政府获得了监督和控制会馆发展的权利。政府采用法人管理方式监督会馆的运作，即社发局与青年会就罗山市民会馆签订了托管三年的合同书。合同明确规定：会馆的设施和会馆归社发局所有。会馆由社发局委托给上海基督教青年会经营。政府监督的目标是保证社区服务的公益性方向，并负责社区服务计划、服务项目、服务价格的审定等。如果会馆违背合同要求，社发局有权中止和取消会馆的经营权。合同同时授予青年会具有独立经营会馆的权利。

街道协作——除了给予提供场所便利外，街道办事处作为会馆所在辖区的社区总管，在协调会馆与外界关系、保证会馆的正常运作方面起了重要的支持作用。

各方参与——体现在三个方面：一是投资主体多元化；二是形成了以政府为主的多元监督机制。为了有效引导会馆的经营方向，成立了以浦东新区社会发展局为首、有浦东新区社会发展基金会、上海基督教青年会、罗山街道办事处和居民代表参加的罗山会馆管理委员会。这一制度创举不仅保证了政府对会馆的监督，而且可以充分听取基金会和居民层面的建议和意见，有利于及时扭转不利局面；三是居民对会馆活动和服务的积极参与。例如，会馆拥有一支由400多人组成的成人志愿者队伍和一支庞大的中小学生志愿服务者队伍，参与志愿活动的人数1998年达到近2万人次。

社团管理——受浦东新区社会发展局的委托，罗山市民会馆由民间非营利社会服务团体——上海基督教青年会自主经营。基督教青年会简称YMCA，是一家国际性民间社会服务团体。它1844年成立于英国，随后日益发展壮大，现已形成由132个国家的会员组织构成的庞大的国际性非政府、非营利组织网络。上海YMCA成立于1900年，是个有着悠久社会服务传统和丰富服务经验的民间社会服务组织。其组织宗旨是“服务人群，造福社会”。

由社会民间团体自主管理街道社区服务中心，在我国还是首创。它的产生有其一定的背景条件。上海浦东是我国东部沿海地区最有影响的经济技术开发区。配合新区经济、社会发展需要，浦东新区社会发展局从建立伊始，就是一个精简、高效，集民政、卫生、文化、体育、教育等五大部门为一体的综合、小型的政府管理机构。而小政府必须有大社会的辅助，才能正常运转。于是，当浦东社发局希望寻找一家社团做社区服务机构管理试点，以探索政社分离的有效途径时，就选择了上海基督教青年会作为合作伙伴。上海基督教青年会是富有使命感的民间团体，有很长的社会服务历史，在中国近代文明的发展史上有过辉煌。但由于中国人一般比较忌讳宗教，因此，解放后，青年会组织一直比较沉默。“文革”后，当青年会恢复工作时，社会上知道这一组织的人已经为数不多。90年代初期，随着上海社区服务需求的剧增，青年会就一直渴望能有机会献身于社区服务事业。于是，当社发局委托青年会承担罗山市民会馆的管理重任时，恰是一拍即合。

经过三年的实践探索，青年会在独立管理罗山市民会馆中，创造了一套有效的管理经验：

一是严格管理，一流服务。为了确保会馆的高质量服务，青年会制定了一系列规章制度，并严加执行。例如，按照规定，值班门卫不允许将外人带进值班室。一次，一个平时兢兢业业，工作十分努力的门卫值班时，遇到多年未见的老朋友，虽再三犹豫，还是碍于情面将其请进值班室。事后，他被扣除当月25%的工资。许多人为此替他向领导讲情，但会馆领导并未妥协。正是这些“小事”上的点滴教育，使全体员工增强了遵守劳动纪律的自觉性。为了争创一流服务，会馆在全体员工中推广“微笑活动”。其结果，在赢得市民信赖的同时，也在敬业过程中逐步形成了爱馆如家的良好集体主义氛围。

二是培养居民自我管理、自我服务的习惯和能力。会馆要办成居民之家，必须要让居民有宾至如归的感觉。为此，会馆想方设法鼓励参与会馆活动的人，进行自我服务、相互帮助。例如，老人茶室有一项活动叫“为后来者泡一杯茶”，即先来茶室的老人为后来的老人泡上一杯热茶。看似简单的一项活动，使原本只是来喝茶休息的老人间的关系发生了突变：原来无任何交往的各类不同身份、不同文化和经济背景的老人以此为契机，迅速联络而成为友人。它不仅满足了老人们交友的愿望，而且使老人们开始关心和珍爱这块天地。一些老人甚至从微薄的退休金中挤出钱来主动为茶室添置电扇和其它用品。

三是用行动影响、感动、教育市民。为了扭转市民在公共场所不讲卫生的陋习，会馆一方面勤于打扫；另一方面，发动全体员工做“弯腰运动”，即只要看见废弃物，大家都有责任捡拾干净。日久天长，工作人员的行为感动了不爱护公共环境卫生的人，会馆终于变得干净了。

四是坚持非营利方向，力促收支平衡。会馆作为一个非营利服务组织，在服务免费或低收费的情况下，通过优质服务，赢得了政府、社会各界和民众的信赖和支持。在前两年由青年会每年补贴 20 万元的情况下，如今已实现收支基本平衡。

五是有一支高素质的专业工作者队伍。青年会有着十分严格的专业培训制度要求。总干事和所有干事都在国外民间专业服务机构接受过严格、系统的专业训练。这种训练是经常性的、与专业实践交叉进行的轮训。培训的结果是岗位人员能够明白干什么、怎么干和为什么这么干的道理。经过培训的专业工作人员具有敏锐地发现问题、解决问题和依据需要设计新项目的能力，这是罗山市民会馆取得成功的秘诀所在。

上述情况表明，罗山市民会馆的组织管理模式在一定程度上已经体现了非政府、非营利组织的基本特征。

3. 社区服务志愿者组织

中国邻里间的互助活动由来已久，但真正有组织地开展社区志愿活动还只有十余年的时间。尽管时间不长，规模却在日益扩大。时至今日，全国社区服务志愿组织已发展到 6600 多个，参加社区服务的志愿人员已达600多万人，如果加上近年来各行业派生出来的青年志愿者、工会志愿者、妇女志愿者、科技志愿者、医疗志愿者、扶贫帮困志愿者和环保志愿者等，志愿者总数已经超过1000万人。

我国城市志愿服务活动以发起者为标识，大致可以分为四类：一是最早出现的民政系统组织的志愿服务活动；二是由共青团、妇联、工会等社会团体发起的志愿服务活动；三是由各区政府、街道等直接组织的志愿服务活动；四是由民间自发组织的志愿服务活动。

民政系统开展志愿服务的特征是：(1) 政府搭台，民政牵头，各方参与，居民互助，政府起着发动机的作用。(2) 以街道为中心，居委会为基础，社区为依托，将志愿服务与社区服务紧密结合在一起，具有鲜明的社区性。(3) 精心组织志愿服务者服务网络，保证志愿服务的长期化。(4) 服务对象从主要为社区特困群体服务扩展到整个社区居民层面。

工、青、妇等社会团体是党领导下的超大型社会团体，具有成员众多、组织严密、资源丰富等特征。但由于这类组织都是按照原有计划经济体制建构的，存在着行政管理色彩较浓、社会化程度不高等问题。应该说，在探索新时期下社会团体参与社区工作的新途径过程中，共青团率先迈出了一步。以共青团北京市委为例，1998年3月，团市委开始在全市8个城区全面推进实施“跨世纪青少年文明社区创建工程”，经过一年半的探索实践，取得了可喜的成绩，主要体现在：(1) 在不改变原有组织隶属关系的前提下，适应社区工作需要的地域化组织网络初步建成。这是一只“横向到边，纵向到底”的社区组织“经纬网”。“横向到边”是指在街道层面成立各种形式的社区联谊会，本着“依靠区属团组织，联系市属团组织，争取中央团组织”的原则，加强驻区单位团组织间的横向联系和工作协作，达到整合资源，共同开展社区青少年工作的目的。社区共青团联谊会多以团工委为核心，在内部成立由团工委书记、有影响力的团干部和团区委派出的固定联络员共同组成的核心组作为联谊会执行机构，负责联谊会的具体运作，努力形成区域联合的工作格局。所谓“纵向到底”就是在社区、乃至居民小区建立团队组织，使团的工作可以覆盖社区所有青少年，覆盖团员及青少年八小时以外的生活空间。(2) 多样化的社区工作基地体系初步形成。一是社区宣传和法制活动基地；二是社区教育活动基地；三是社区文化活动基地；四是社区服务活动基地；五是社区管理活动基地。基地的活动主要是在社区服务中心、居委会、市民学校以及驻街单位的活动场所内进行。(3) 专业化社区青年志愿队伍体系已基本建立。成员主要来自三个渠道：一是组建以“青年文明号”、“青年岗位能手”为主体的社区服务团（队）；二是面向社会和院校定向招募法律、卫生、艺术等专业志愿者，直接为社区居民服务；三是面向社区居民招募专业志愿人员，开展邻里互助活动。(4) 逐步建立社会化的经费筹集渠道。目前，已开通的四条筹资渠道分别是：政府专项资金、与企业共同设立的专项基金、开办经济实体以及团内基金。(5) 逐步形成共青团社区服务品牌。在挖掘团组织优势、开展丰富多彩活动的过程中，共青团特有的品牌，如社区维权、社区帮困助学、外来青年培训等项目对社会的影响力日益扩大。尽管工会与妇联组织成员各具特色，但总的说来，工、青、妇等社会团体组织的志愿活动的基本特征体现在三个方面：第一，活动视野较为开阔，活动形式更为丰富，尤其是大型的志愿活动对整个社会产生了重要影响；第二，专业分工较为明确，填补了以往志愿服务专业咨询方面的空白；第三，组织创新意识较强，使原有的组织重新焕发活力并出现新的功能定位。

社区服务志愿者协会是政府参与组织志愿服务活动的重要形式之一。天津市和平区新兴街道是全国城市基层社区第一个社区服务志愿者协会的诞生地。1988 年 3 月，为了摸清辖区社区服务供求情况，街道组织了首次万户问卷调查，结果表明：广大居民急需 9 类与居民日常生活和文化娱乐有关的服务，其中老、残、低收入群体是社区服务的重点对象；同时，有 1752 名居民表示愿意为他人提供志愿服务。于是，街道办事处发动居委会干部和居民群众开展多种形式的社区服务活动，其中朝阳里居民区的 13 位居民积极分子于 1988 年 10 月自愿组成服务小组，开展长期的义务包户服务，深得群众欢迎。街道办事处及时总结推广了朝阳里志愿服务小组的经验，在各个居委会都建立了志愿服务小组，并于 1989 年 3 月 18 日成立了全街统一的社区服务志愿者协会，制定了章程、管理办法，选举产生了理事会，健全了基层组织网络。根据章程和有关制度规定，新兴街的社区服务志愿者协会实行包括居民个人会员和企事业单位团体会员在内的两种会员制度；协会分为街道协会和居民区协会两个层次，并分别选举理事会作为领导机构；会员入会、退会自由，个人和团体入会须个别申请，按章程履行批准手续，方可成为会员，并分别就近编入本辖区分会组织；会员履行志愿服务义务，实行尽力而为与量力而行相结合、有偿服务与无偿服务相结合、面向社区全体成员的全方位服务与确保优抚救济对象、老年人、残疾人优先优惠的重点服务相结合的原则，会员每月至少志愿服务两次，三个月不履行义务即自动丧失会籍。志愿者协会在街道办事处和民政部门的指导下，实行自我教育、自我管理、自我服务。经过十一年的积极探索与实践，新兴街的社区志愿者协会从会员规模、服务形式到服务范围均有长足的发展。目前，全街的社区服务志愿协会个人会员已由 1989 年的 400 多人，发展到近 5000 余人，团体会员也达到114个、5400多人；社区服务形式由单项服务发展到双向服务、协同包户服务、设点服务、楼院挂牌服务、大型集中服务等八种形式；服务项目也由当初单纯解决困难居民柴米油盐的生活琐事，发展到可以满足居民多元需求，包括社区服务、社区教育、社区文化、社区医疗保健、社区社会秩序、社区环境建设在内的六个系列的60多个种类。在志愿者的积极努力下，全街590户民政对象得到了全方位的重点帮助，全街直接受益的居民占居民总数的70—80%，全街居民每年直接享受到的志愿服务达三万多件次。由政府参与组织的社区志愿服务活动一般都带有比较明显的行政组织色彩，但随着志愿服务活动的广泛推进，由政府发动和倡导的志愿服务逐渐成为居民群众自觉参与和自我管理的行为方式。这在居委会层面表现得尤为突出。

民间自发组织的志愿服务活动主要由两类组织发起：一类是由学校、医院、公司、企业等企事业单位组织的志愿服务；另一类是依靠民间力量形成的自发组织，如基督教青年会、妇女法律援助中心、癌症康复俱乐部，等等。民间自发组织志愿服务活动的特点是：具有明显的专业特色和组织特征，志愿者有着强烈的社会责任感和奉献精神。

4. 单位后勤工作社区化探索——清华园模式

清华大学所在地清华园是典型的单位大院式社区，其特殊性在于学校、街道、社区合一。清华园街道办事处作为北京市三个单位街道之一，接受海淀区政府和清华大学的“双重领导”，人员由清华大学自配（清华大学副总务长兼任清华园街道党委书记），资金由清华大学自给，其任务是结合校情，将市、区政府布置的工作落实到位。清华大学后勤工作社区化的实践探索起始于1998年。主要内容是配合学校后勤改革，从减轻校系行政负担出发，将与职工生活有关的各项服务转交社区服务中心承接。为此，学校成立了由人事、组织、工会、党办、校办、离退休人员管理处等12个专业职能部门负责人参加的社区服务中心理事会，由清华大学总务长任理事长，街道党委书记任常务副理事长，筹集资金100万元，从政策、干部、经费等各方面给予大力度的支持。1998年8月，具有事业法人资格的清华园社区服务中心正式挂牌服务。按照城建和社区双重任务的要求，街道重新调整了干部分工和工作布局，由一位副主任专职担任社区服务中心主任，以保证社区服务工作的正常运转。

“清华园模式”的基本特点体现在六个方面：

第一，学校、街道、社区“三位一体”，投入主体即受益主体，易于协调利益关系，便于整合社区资源。

第二，有来自单位强有力的财力支持。清华大学的领导将创建高质量的社区服务提高到与建设世界一流大学相平行的高度来认识。因此，校方决定在社区工作起步的3—5年内，给予社区中心较大的硬件投入和资金支持。1998年学校给服务中心拨款100万，1999年拨款50万，2000年预计仍拨50万。目前，社区服务用房、用车都由学校无偿提供。中心的固定资产包括：100平方米的服务中心用房（现计划新建一栋社区服务中心专用楼）、20平方米的医疗站、400平方米的老人活动室、200平方米的敬老公寓、2辆专用医疗保健车、办公用车以及相应的配套设施。

第三，形成了以社区中心为主、多部门协同配合的服务格局。清华园社区中心理事会的建立，将与社区服务有关的职能部门全部纳入了社区管理者的轨道，从而有效地解决了社区建设中常见的协调难问题。形成了以社区服务中心为主，发挥各部门优势，齐抓共管、相互配合的新局面。例如，社区医疗保健站是由校医院配备医务人员、东区居委会提供场地合建而成的；社区教育则是依托学校自身多层次的教育体系实现的，等等。

第四，灵活有效的运行机制。清华园社区服务中心是一个具有事业法人地位的非营利机构，即：它既是一个服务实体，又是一个福利型服务机构。中心实行“社区搭台、行业唱戏；一人多岗、专兼结合；无偿联系、有偿服务；服务育人、优质高效”的办社方针和管理运行机制。社区服务中心现有专职人员22人，兼职人员150人，社区志愿者200余人。他们提出的服务宗旨是：“不以事小而不为；不以利小而不为；不以困难而不为”，并在实践中形成了“全时服务，随叫随到”的工作作风。

第五，有规模庞大的受益群体。清华园境内有4万居民，其中学生近2万人，教职工8000人，校内居民6000户，离退休人员超过3600人。由于年龄不同，需求各异，构成了社区服务需求的大市场，这是单位大院式社区开展社区服务的市场优势。它有利于通过“以服务养服务”的途径，实现单位后勤工作社区化的转轨。

第六，有一个高素质的决策班子。清华园社区服务中心理事会是一个有学识、有远见、懂管理、会经营、善于运用心理学知识分析市场需求的协作团体。他们依据高校需求的特点，以离退休专家的“特人特需”、老龄大学、学生食堂等为突破口，找准服务定位，使得社区服务很快深入人心。

目前，清华园社区服务中心的服务项目涉及三大块九个部类：一是面向学校各部门及居民个人，提供各种行政、事务性服务的行政事务部，主要服务内容包括：会场布置、提供会场所需物品、书写、悬挂横幅、标语以及24小时的系列化殡葬服务。二是各种便民利民服务，主要有家政服务部、社区体育部、社区医疗保健部、家电维修及家庭装修服务部等；三是针对老年人的特殊服务，如老龄互助社、敬老公寓、老龄大学等，使老年人能够“老有所养、老有所学、老有所乐、老有所为”，安度晚年。此外，社区服务中心还设有职业介绍所，专为辖区居民及用工单位提供就业服务。

·第三节·

培育中国社区非营利服务组织的框架思路

（一）

走势判断——前景光明

虽然通过上节描述，我们不难看出我国现有的社区服务组织与国外非政府、非营利组织相比，总体发育程度还较低；但同时，我们从中已经发现：具有真正意义上的社区非营利服务组织萌芽已现。结合国家体制改革的宏观背景，我们有理由相信，我国未来的非营利服务组织同样将作为政府与市场的中间板块，在满足国民多种需求，缓解社会冲突，维护社会稳定方面发挥重要的润滑剂作用。作出这一判断是基于如下考虑：

第一，客观需要。当前，我国正在着手进行政府机构改革，其目标是要建立一个办事高效、运转协调、行为规范的行政管理体系，朝着“小政府、大社会”的方向迈进。而“小政府、大社会”改革目标的实现，必然有赖于非营利组织的发育和完善。因为，以社区为载体的非营利组织本身就是大社会的一个重要而不可缺少的组成部分。通过非营利服务组织的运作，不仅可以克服政府直接操办社区服务具体事务所产生的官僚弊端、低效率和服务不到位，又能通过政策的调控和奖励，来增强社区非营利组织的责任感和使命感，使之更好地履行服务社会的责任；同时，非营利服务组织在承担社会公共事务或公共福利的过程中，通过填补因“政府不能，市场不为”而出现的服务“空白”，可以有效缓解各个层面的供给不足，一定程度上有助于缓解政府的社会压力。调查数据表明，我国社区服务有着巨大的市场空间，而其中相当部分的需求不可能通过产业化途径得以实现，而非营利服务组织不以营利为目的的服务才是人们可以接受的最佳选择。

第二，政策支持。为了配合国家政治、经济体制改革，党的十五大明确提出要积极培育和发展各类社会中介组织。民政部根据国务院要求，已开始着手研究制定民间组织的管理办法和扶持政策，并就民间组织的生存作出了与国际惯例接轨的操作上的界定，为民间组织的发展创造了良好的外部环境。各地政府也在采取积极措施，加大对合法民间组织的支持力度。

第三，实践启迪。从罗山市民会馆的实践中我们得到的启示是：政府把社区福利服务的部分交由非营利服务组织去做，至少有如下好处：一是通过引入竞争机制，打破了官办和统包产生的僵化局面，为社区福利事业带来生机和活力；二是有利于发挥非营利组织的服务特长，通过多元化的运作机制，提高服务效能；三是有利于把政府从繁杂过重的社会事务中解脱出来，专司行政管理职能；四是非营利服务组织处于政府与百姓的中间层，具有心理和人力上的优势，便于开展社区服务；五是有利于培养一支专业化的社区工作者队伍。而这些正是非营利服务组织的优势所在。

第四，条件具备。由于我国特殊的国情，长期以来，政府与市场之间缺少非营利组织这样一种媒介。但与国外不同的是，在政府与企业之间，我们有队伍庞大的所谓“事业单位”。在我国，事业单位一般都是由各级政府及其职能部门作为主体设立的，其编制由国家核定，经费由国家划拨。尽管我国的事业单位既不是政府，也不从事经营活动，但它是政府的衍生物，而不是社会中介机构，因此，它并没有直接为政府承担社会职能。此外，虽然目前我国城市社会中也存在为数不多的社会团体，但因它们多具有半官方性质，也难以独立承担社会改革的重任。因此，政府职能转变与建立“小政府、大社会”的社会运行机制，必然呼唤社会中介机构的再现。值得注意的是，九届人大在提出政府机构改革目标和方向的同时，已明确提出了事业单位改革的初步设想，即除了保证教育和少数部门的资金投入外，绝大部分事业单位，每年都将按三分之一的比例削减经费，三年实现经费自筹。据此，绝大多数的事业单位都将面临着转制的挑战。我们认为，国务院关于事业单位改革的设想与整个国务院机构改革的方案是配套的；而部分事业单位由官办向非政府、非营利性组织的转变，也将成为一种必然的发展趋势。

（二）
应注意把握的几个问题

社区非营利服务组织的培育与发展需要一个过程，不可能一蹴而就。特别是在我们这样一个社会转型时期，更要把握方向和时机，实施有计划、有步骤的逐步推进政策。我们国家的社区非营利服务组织尚处在初始阶段，及时借鉴国外和港台地区的有益经验，可以避免走不必要的弯路。我们认为，当前首先需要确立以下几个理念：

第一，坚持培育发展与监督管理并重的方针。

我们强调培育发展社区非营利组织是因为现有的组织规模、运作方式、实施效果不能满足社会发展与改革的需要，但并不是说，社区非营利组织越多越好，更不是让其脱离政府控制，成为脱缰的野马，自行其是。事实上，国际公认的非政府、非营利组织除了正规性、非营利性、自我治理性、社会公益性等基本特征之外，很重要的一点是非政治性，即这种组织不能采取政党路线，否则将受到经济制裁，甚至遭到取缔。为此，我们首先要严格审批程序，杜绝带有政治倾向的民间组织混入其中，危害社会。其次，要建立社会监督体系，将非营利组织置于广泛的社会监督之下。政府管理部门要尽快建立非营利组织的发展指标体系、评估体系和监督管理体系，以便于实施科学化管理。第三，要依法查处非营利组织中的违法违纪行为，严厉打击违法活动，不给敌对分子可乘之机。培育发展与监督管理非营利组织是辩证统一的关系。加强监督管理的目的，是为了培育与发展。只有强化依法监督和管理，才能保证非营利组织健康、有序、规范地发展。

第二，社区非营利服务组织不同于社区产业化服务组织。

目前国内产业化的社区服务组织也在悄然兴起，这是日益扩大的市场多元化需求发展的必然结果。尽管这类组织服务的表现形式与非营利服务组织相似，但前者的服务宗旨是追求利润最大化，是一种企业行为，与非营利服务组织的非营利性运作有着本质的不同。非营利服务组织的非营利性是区别于企业组织的显著标志。正是由于这种非营利性特征，才使得非营利服务组织能够起到满足社会不同群体的特殊需求，缓解社会矛盾，促进社会正常运转的润滑剂作用。

第三，正确把握政府、企业和非政府、非营利组织之间的伙伴关系。

如前所述，政府、企业、非政府、非营利组织本是社会机制中不可分割的三大板块。要想保证非政府、非营利组织具有长久的生命力，除了社会需求之外，必须有政府的支持、社会各界的关爱。以加拿大为例，非政府、非营利组织赖以生存的资金主要来源于三个方面：（1）政府拨款占56.5%；（2）社会捐赠占 12.1%；（3）各类活动收费占 31.4%。加拿大政府除了在财政上支持社区组织之外，还将自己直接提供的社会服务项目转交给民间团体去做，并通过制定一些税收优惠及退税制度来扶植这些非营利团体开展社区服务。加拿大的企业界对支持民间组织建设健康社区也给予了很大的帮助，他们注重承担社会责任并认为参与这方面工作是增进企业在社区形象的机会；而社区志愿者组织则通过宣传方式，扩大企业在社区的知名度，使企业获利。由此可见，只有准确把握政府、企业、非政府、非营利组织之间的伙伴关系，做到各尽所能、互助互利，才能通过彼此的友好合作，满足社区成员的各种需求。

第四，理想的社区服务组织模式应是正规社会服务与非正规社会支持网络的有机结合。

香港"社会支持网络"系统在社区建设中的重要作用给我们以启迪。但仅仅依靠这种非正规的支持网络系统是不够的。事实上，正规服务与非正规支持网络各有其优缺点。正规服务的最大优点是专业化服务水平较高；而且由于提供服务的人员都曾接受过各层次的专业培训，并有工资收入，因此，这种服务具有持久性，不会因任何突发因素而中断或暂停。缺点是容易产生官僚作风，服务方式或内容缺乏弹性及灵活性。此外，需要一定程度的资源投入。而非正规社会支持网络的优点则在于其服务的灵活性、弹性和及时性。此外，由于充分利用社区现存的人力、物力资源去为有需要的人士提供所需的照顾和服务，因此，可以节省支出费用。但这种网络服务具有一定的局限性，首先是它依靠非专业的非正规照顾者去为服务对象提供支援，因此，服务水平有限；其次，非正规照顾者虽然热心助人，但他们属于志愿性质。一方面，由于自身的工作和家庭的压力，使得他们很难为受助者提供经常连续性及可靠性的支援；另一方面，受助者持续求助的需要亦可能使志愿照顾者产生沉重的压力，致使他们不得不拒绝或退出援助。由此可见，在社区服务中，正规服务与非正规社会网络服务同等重要，必须将二者有机结合起来使用。

第五，加大政策支持力度，是政府应尽的责任。

国际经验表明，政府在将社会事务转交非政府、非营利组织承担的过程中，并不能推卸财政上应负的责任。同理，我们认为，尽管我国目前正处于改革时期，需要财政支持的领域很多，但如果在精简机构的同时，将节省下来的“吃饭财政”，通过转移支付方式，用于建立非营利服务组织发展基金，本着“政府购买社会劳务”的改革思路，逐步建立对社区服务机构的资助制度不失为一良策。可以借鉴国外经验，将这种资助纳入政府经常性的财政预算。资助数额可以依据为社区提供服务的社团组织所能为政府承担的社会工作项目，以及社区发展规划和年度推荐项目综合评定。通过这种方式，逐渐将政府承担的社会工作转交社会团体去做，形成“政府出钱，社会团体办事”的社会分工格局，为“小政府、大社会”的改革目标奠定基础。除了财政支持外，政府的政策支持同样具有促进非营利服务组织尽快发育的效用。例如，通过制定诸如有社区服务经历者可以优先升学、就业等鼓励性政策，可以推进社区服务志愿活动持久开展下去；通过低息贷款和税收减免政策鼓励民间组织参与社区服务；通过拨款数额的增减，体现政府关注的重点，达到控制社团行为的目的，等等。

（三）

国内现有社团组织的重新整合与改造

第一，要创造条件，逐步将现有以政府为主导，具有明显行政化管理特征的街办社区服务中心转交非营利服务组织管理。实现这一转变至少需要三个条件：一是接管的非营利服务组织必须具有高度的责任感和综合管理、协调能力，能够获得社会认同；二是有政府的财力、政策支持；三是居民能够承受其服务收费标准。三个条件缺一不可。显然，这是一项系统工程，需要积极创造条件和相互配合，包括居民消费观念的转变和生活水平的切实提高。

第二，改变社团管理机制，充分发挥工、青、妇等社会团体在社区中的中介作用。我国的工、青、妇组织，具有强大的网络覆盖优势，而且凝聚着各行各业的优秀人才。通过这些社团组织参与社区工作，既可以增强不同职业、年龄、性别层面居民的社区参与意识，在服务社会的过程中提高自身素质；又能够为政府承担部分社会责任，成为沟通政府与百姓之间的桥梁，其积极作用是显而易见的。然而，我们的社团组织与国外、香港地区的社团组织有着较大的差别，即：我们的大部分社会团体具有强烈的行政性，受政府编制、工资定额、等级待遇等制约条件限制，独立运作能力十分有限；而国外和香港地区社会团体的最大特征在于它的社会性，即它不具有行政性特征，不受行政条件约束，可以在社区中独立运作。尽管由于制度、体制的不同，我们不能完全按照国外或香港地区的标准来要求我们内地的社团组织，但是，从“小政府、大社会”的改革目标出发，逐渐将社会团体从行政约束中解脱出来，探索一条适合中国特色的社会化管理的途径，工、青、妇等社团组织有条件、有能力成为这一改革的排头兵。当务之急是要调整社会团体对政府的依赖关系，要明确社团离不开政府的支持和宏观调控，但要改变政府用行政手段管理社团的机制和方法。例如政府对社团资金支持的形式可从现有的下拨“事业费”或“人头费”（将社团当成政府某一部门）逐步向提供“项目经费”（承认社团独立的法人地位）过渡，把提供经费与社团的服务内容和质量联系起来。管理机制和方式的转变，既有助于提高政府对社会团体宏观调控的能力，也可逐步促进社会团体的发育和成熟。

第三，逐步实现部分事业单位转制。一方面，可以先在直接从事社会发展事业的部门按照非营利组织的架构进行试点改革，成功后再做推进；另一方面，可以学习清华园的经验，将单位的后勤服务工作与职工生活服务通过社区服务形式有机地结合起来。在适当时候，再转制为非营利服务组织。这样做的好处是，后勤人员的自然转岗，既缓冲了他们因转岗、下岗产生的精神压力，又使他们在社区服务过程中学到了技能，为今后做职业社区工作者奠定了基础；同时，也为企事业单位体制改革铺平了道路，一举数得。

第四，发挥名人效应，组建真正意义上的非营利性社区组织。国外的经验告诉我们，利用知名企业家、社会活动家的个人潜能，争取社会支持，是非政府、非营利组织参与社区工作的有效途径。在西方国家，非政府、非营利组织的董事会成员通常都是那些支持团体目标并能够起领导作用的社区知名人士。典型的选择董事的方法是看他们对实现团体使命的潜在贡献，包括他们可能会提供的财政支持，他们的名望和其专业技能。事实上，我国城市中拥有数量众多的企业界和政界知名人士，其中不乏关心社会事务的有识之士。充分发挥他们的名人效应，通过非营利服务组织形式为城市社区提供多方位服务，应是明智之举。

第五，寻找突破口，探索居民社区参与的新途径。在目前居民社区意识比较薄弱的情况下，我们认为仅仅通过宣传教育手段来提高居民的社区参与度，在短期内较难奏效。如果能以非正规的“社会支持网络”和推行中学生参加社会公益事业服务劳动作为居民参与社区工作的突破口，可能会收到事半功倍的效果。运用“社会支持网络”系统可以充分利用社区内的各种人力、物力、财力资源，将社区居民的个人需求与自愿提供服务结合起来，使他们成为利益共同体。这种社区介入方法，容易为社区居民所接收。另一个有效途径是建立中学生定期参加社会公益服务劳动制度。中学生参加社会公益服务劳动，不仅有助于培养跨世纪的一代从小树立志愿服务和社区参与意识，而且会对下一代乃至全社会文明素质的提高产生长远效应。北京西城区已在这方面做了有益的尝试，并取得了良好的社会效益，值得在更大范围内进行推广。

第四章
构建中国特色的社区服务体系

无论在国外，还是在我们中国，社区服务在社区建设中都占有重要地位。你不了解社区服务，你就不可能了解社区建设。由于国情不同、历史背景各异、实行社区服务的动因不一样，所以，社区服务的概念、内容和措施，以及社区服务的发展程度也就大相径庭。但每个国家，无论是西方发达国家，还是东方国家和地区，在社区服务的发展过程中都积累了有益的经验，也有一些失败的教训。历史发展过程总有惊人的相似之处。借鉴他国社区服务的经验，汲取他们的教训，对我国的社区服务的发展不会是没有用处的。在本章中，我们将首先阐述社区和社区服务的理论，然后揭示我国社区服务的发展历程，分析国外社区服务的发展实践和有益的经验。在此基础上对我国和国外的社区服务，尤其是英国、美国等比较典型国家的社区服务作一比较，找出共同点和不同点，并分析造成这种状况的原因。最后通过国内外社区服务的比较，力图对我国社区服务的发展提出对策性建议，以推动我国的社区服务理论的研究和社区服务实践的发展。

·第一节·
社区服务理论

要比较国内外的社区服务，我们首先必须弄清社区、社区服务的概念，弄清社区服务的内涵和外延，弄清社区服务、社区建设以及社区发展的相互关系；同时，我们也将对社区服务的功能进行理论上的分析和探讨。

（一）
社区服务概念

1. 什么是社区服务

就像对社区的理解各有不同一样，对社区服务的理解也各有不同。有的把社区服务等同于社区服务业，认为“社区服务是在改革开放中发展起来的新兴社会服务业。社区服务业是在政府倡导下，为满足社会成员多种需要，以街道、镇和居委会的社区组织为依托，具有社会福利性的居民服务业。”（《社区研究——社区建设与社区发展》，第160页）阎明复1994年12月22日在全国社区服务经验交流会议上的报告中，对社区服务业所下的定义也是这样。有的认为，“社区服务是一种社会福利性质的社会服务。它是社会保障的不可缺少的重要组成部分。”（《中国城市社区服务发展道路》第10页）有的认为，“社区服务是不以营利为目的的社会福利服务。民政部门倡导、推行的是以民政工作对象为主，面向全体居民的服务。”（《社区照顾的理论、政策与实践》第34页）还有的认为，社区服务就是“在政府的支持下，通过调动社区内外的各种资源而进行的福利性服务”。这个定义强调的是，在市场经济条件下，社区服务仍是一种福利性的服务活动，它不同于商业服务。我们认为，在我国，所谓的社区服务，就是由政府倡导，以一定地域里生活着的居民为对象，由居民自助互助服务、街企、军警民双向服务和社会福利性为特征的社会服务。

这个定义包含这么几层含义：

社区服务和一般商业服务不一样。一般的商业服务不是由政府倡导的，它是市场主体之间的一种等价交换关系，它是由市场主体之间的利益驱动的。追求利润的最大化是商业服务的目的。市场主体之间没有利益关系，没有对利益的追求，通常不会产生商业服务。有些售后服务即使是免费的，但实际上也是存在着等价交换关系的。而社区服务则是由政府倡导的，包括政府募捐，发行彩券、为社区服务提供者提供减免税等优惠政策，以体现政府的政策导向；并且通常注重的是服务的社会效益，而不是经济效益。

社区服务以一定的地域性和以自助互助为特征。它主要是提供本社区范围内的服务，提供服务的人员也主要是在本社区生活的成员，享受服务的人员也主要是生活在本社区的成员。社区服务表现出区域性、社区性、互助性。

社区服务的一个重要特征就是它的双向性，即它的整合能力。社区服务就是把社区内的所有资源用来满足社区居民需要的服务。所以，它包括居民与企、事业单位的双向服务，也包括军民、警民的双向服务，还包括提供者和受助者的双向性和角色互换；也就是说，每个社区居民既是社区服务的提供者，也是社区服务的接受者，那些特困群体也是社区服务的提供者。这种双向服务是社区服务的重要内容。

社区服务具有福利性。社区服务最初是从为老年人、残疾人、优抚对象提供社会福利服务而发展起来的，这些服务属于民政工作的范畴，具有无偿或低偿服务的特色，因此具有福利性。即使社区服务的范围不断扩大，扩大为面向社区居民的便民利民服务和面向社区内企、事业单位和机关团体的双向服务，社区服务也仍然具有其原有的福利性。开展为老年人、残疾人和优抚对象的福利服务仍是社区服务的重要内容。

但是，我们也不同意把社区服务仅仅看成是福利性服务的观点。我们认为，在社会主义市场经济条件下，面对老年人、残疾人和优抚对象的服务是福利性服务，而面对全体居民的服务，以及面对企、事业单位的双向服务应该是商业性服务。不把这些服务当成商业性服务，那么，无论从理论上还是从实践上，都是行不通的。所以，就目前我国的实际来说，社区服务应该是福利性服务和商业性服务的结合，单纯强调哪个方面都是不对的。

社区服务的提供者包括社区居民自己、共建单位、商业服务单位，也包括政府。政府在这里不仅为民政对象提供福利服务，也为社区居民提供免费的市政设施服务，如修建道路，提供电力设施、自来水设施、邮政设施，治理环境污染，为社区的配套设施如学校、医院、养老院、幼儿园、商店制定政策法规等，这些服务也应该看成是社区服务的内容。

社区服务可以划分为各种不同的类型。划分的标准不同，类型也就各异。就我国社区服务的发展状况来说，可以大体划分为如下的一些类型：

从社区服务的对象上来说，社区服务可以划分为：(1) 老年人服务系列：如敬老院、家庭敬老室、求助门铃、临终关怀、老年婚介和就业等服务。(2) 残疾人服务系列：残疾人就业安置、精神病人监护、残疾人的文体活动、残疾人婚介、聋哑学校、弱智儿童培训等。(3) 儿童服务系列：托儿所、幼儿园、校外活动站、学前班教育、假期教育、小饭桌、少儿军校、青少年教育基地建设等。(4) 优抚对象服务系列：烈军属之家、军人家属安置、军地两用人才的培养、烈军属综合包户服务、举办各种双拥活动等。(5) 便民利民服务系列：家电修理、理发、洗衣、商品服务、代办服务（换煤气罐、买煤等）、入户服务（陪老人聊天、居室打扫等）、搬家服务等。

就具体服务内容来说可以划分为：(1) 吃穿住行服务系列：饮食服务、百货店、服装裁剪、彩扩、废品收购、入学、入托接送服务等。(2) 文化娱乐教育体育服务系列：职业技术培训、文化培训、艺术培训、居民学校、夏日文化广场、露天电影、棋牌室、书报阅览室、图书馆以及各种文体活动等。(3) 卫生保健服务系列：社区卫生站、残疾人工疗站、家庭病床、家庭医生、精神卫生治疗、婚前检查、婚前教育、孕妇学校、婴幼儿保健、青少年减肥等。(4) 劳动就业服务系列：为下岗职工介绍就业、通过社区服务本身安排劳动就业等。(5) 中介咨询服务：小时工介绍、家政服务介绍、旅游服务、政策法规咨询、房屋调换、房屋买卖服务、婚姻服务、殡葬服务等。(6) 社会治安和民事调解服务系列：维护社区治安、治安巡逻、预防盗窃；解决家庭纠纷和邻里纠纷等。(7) 扶贫济困服务：救助失学儿童、设立帮困基金等。(8) 环境卫生服务：植树、植草、绿化美化环境、清扫垃圾、灭鼠活动、楼房区禁止饲养家畜家禽、楼道整洁、禁止私搭乱建、乱倒垃圾等。

每种划分方法又都是互相交叉的。每个系列的社区服务又可以分为若干个系列，就像 DOS 操作系统的目录树一样。比如老年人服务系列又可分为：老年人吃穿住行的服务系列，婚姻介绍的服务系列，文化教育体育的服务系列，医疗健身的服务系列，再就业服务系列，丧葬服务系列等。文化娱乐教育体育服务又可以分为各种各样的服务，如保龄球、台球、乒乓球、游戏厅服务、秧歌队、市民学校、再就业培训，等等。

就社区服务的方式上来说，可以划分为阵地服务和入户式服务。阵地服务是基于一定的社区服务硬件设施的服务；入户式服务是到服务需求者家中从事的服务，是单纯的服务性劳动。也可以分为主动服务和被动服务，主动服务是服务提供者主动到居民家中调查和上门提供的服务，是服务提供者找用户；被动服务则是由居民主动要求提供的服务，是用户找服务提供者。

从运行机制上来说，又可以分为有偿服务和无偿的志愿者服务。有偿服务主要是面对社区居民的商业性服务，如社区卫生服务、洗衣裁剪服务、护理服务、文化娱乐服务等。1992年北京市社区服务工作领导小组办公室下发了《关于在社区服务设施内开展有偿服务收费项目的规定》，它规定的社区服务收费项目的范围包括六项：(1) 老年人、残疾人的收养，收托和护理。主要包括敬老院、托老所、残疾儿童寄托所、弱智班、聋儿语训班。(2) 老年人、残疾人的文化娱乐活动。包括老年人舞会、棋牌、图书阅览（借阅）。(3) 健身、康复性项目。(4) 各种服务性教学培训。包括老年学校、居民（家长）学校。(5) 各种咨询、婚丧服务项目。(6) 互助服务性活动项目。主要包括老（小）饭桌、各种维修、理发、代购代办、家庭劳务计时服务。像托儿所、幼儿园、卫生站、体育场、综合百货商场、食品商场、集贸市场、书店、药店、粮油店、银行、邮局、电话局、停车场等，也属于社区有偿服务的范围。这部分服务是按产业化运作的，是要营利的。

无偿服务主要是由社区志愿者提供的服务。这部分服务是不收费的，是免费提供给受助者的。但是，志愿者服务和无偿服务还不是一个概念，这一点在我们国家往往容易混淆。首先必须保证，志愿者从事的服务不能让志愿者既出力又赔钱。志愿者，尤其是那些下岗职工和失业者提供的服务，他们赔钱也赔不起。志愿者服务不以营利为目的，但是志愿者必要的误餐费、交通费、通讯联络费等还是要由政府负担的。这才是志愿者提供的无偿服务的真实内涵。

2. 社区服务与社区环境

环境决定人，人也改变环境。社区环境影响着人们的社区认同感，影响着人们的社区评估指数，进而影响着人们的社区参与意识和由此决定的提供社区志愿性服务的程度。

我们在这里所说的社区环境指的是社区生态环境和人文环境的总和。社区生态环境构成社区的自然的物质基础。任何社区都首先是在一定的地理环境基础上的，没有一定的地缘关系，就没有一定的社区人与人之间的关系。一定的社区环境在满足人的基本的自然的需求和文化的需求方面，在维持人的生命活动方面，都起着不可替代的作用。比如社区生存发展所需要的水源、矿产资源、交通资源、区位优势、绿化美化、文化氛围、周围社区对该社区的传统意识等，对社区的影响力、凝聚力、吸引力和由此带来的社区的认同感、参与感的作用，都是不可低估的。

我们的社区生态研究是研究居民对社区环境的相互依存关系，以及社区环境对居民活动的影响，是居民适应环境、改造环境，以及社区环境改造居民的过程，是居民选择环境而生存和环境选择居民的过程（适者生存，自然淘汰）。社区环境对居民的影响和社区意识的养成是一个过程，所以社区环境对居民参与意识、责任感的影响也是一个过程。而一旦形成社区意识也就有了相对稳定性，对社区服务的影响也就是长期的和不易变动的。

在社区服务和社区环境的关系中，还存在一个居民数量与社区服务的关系问题。社区成员既是社区服务的主体，也是社区服务的客体，他们在享受着社区服务，同时也在制约着社区服务，在这个意义上说，他们也是社区环境因素。

每个社区与居民人口数量的关系都有一个最佳值，每个社区所能容纳的社区居民的数量都有一个最大限度，在这个限度之内社区资源可以最大程度地满足居民的需要。人口过少，社区资源相对充裕，但社区服务的提供者也嫌不足，社区成员的相互支持系统就较薄弱。国际上通常用罗格斯蒂法则表示生物增长和环境容量的关系，认为生物量的增长有自身的规律，同时又受到环境容量的制约，所以其增长表现出来的不是指数，而是罗格斯蒂曲线。用公式表示就是：dN/dt = rN（K - N/K），dn/dt 表示生物群落的瞬时净增率，r 为生物群落增长率，N 为 to 时刻的生物量，k 为最高容量，（K - N）/K 是限制项，表示离饱和量的差距。（见何钟秀、曾涤编《城市科学》，浙江教育出版社 1988 年 10 月版，第 145 页）就某一社区的容量和居住人口的关系来说，这个公式也是适用的。某一个社区容纳居民数总有一个最高限度，人口无目的的聚集势必造成市政设施和其他硬件服务设施的相对不足和超量使用，降低市政设施的再生能力。这样，社区服务设施和市政设施就难以充分发挥为居民服务的作用，带来的只是环境的脏乱、社会秩序混乱、污染严重、犯罪等社会问题增多。找到社区环境和社区人口的最佳搭配，也是发挥社区服务作用的重要前提。

3. 社区需要与社区服务的关系

城市是人口的聚集，这种聚集本身创造了效率和需要。城市人的需要是旺盛的，生活却是脆弱的。人们一方面每天在通过各种各样的方式创造着这种需要，另一方面也在创造着满足这种需要的方式。我们只要看一看城市里车水马龙的状况，看一看粮食列车、牛奶列车、运送牲畜的列车，以及各种冷藏车、煤车、煤气罐瓶车、大型的粮食仓库、大型货栈、庞大的液化气罐瓶厂、发电厂、自来水厂就可以了；只要看一看城市庞大的电视机构、无线电广播机构、游乐场所、公园、大型的剧院、电影院、报刊杂志社和出版社，以及各式各样的互联网机构就行了。这些设施都在不同方面满足着人们的需要，在为社区成员们提供着社区生活环境，它们构成被测定的社区效能的一个方面。

需要是人们一切活动的动机，社区需要是社区服务的动机。没有社区需要，也就没有社区服务。社区需要的发展推动着社区服务的发展；而社区服务本身的发展又反过来刺激着人们的社区需要；同时社区需要的满足又可以看成测量社区服务的标准。要搞好社区服务，必须研究人们的社区需要。不是建立在社区需要基础上的社区服务就是虚幻的、空洞的、官僚主义的、没有生命力的，就得不到居民群众的欢迎。

美国学者托马斯博士早在20世纪初就提出了人的四种基本欲望：(1) 他必须有安全感，即是说有一个家庭；某种出走而后复归的场所。(2) 他必须有新的经理、新的娱乐、新的冒险、新的感受。(3) 他必须受到承认，必须在他所属的那个社会中占有它的地位，必须在他所属的那个组织中是个成员。简言之，不管在任何地方，他必须是个人，而不是经济的或社会的机器中的纯粹的螺丝钉。(4) 最后，他不能缺少爱，不能缺少与某人或某物的亲密关系。从这种关系中他感到了一种情感并且知道这种情感是相互的，即使对方只是一只猫或者狗。人类的一切特殊欲望最终都可以归纳在这四个范畴中。除非这四种欲望或多或少地得到了充分实现，否则认识不会感到康乐和愉快的。

美国人本主义心理学家马斯洛，1943年出版了他的《调动人的积极性的理论》，提出了需要层次论。1954年，他又出版了《动机和人》一书，进一步明确了需要层次论。认为人的需要从低级到高级排成阶梯，依次为：生理需要、安全需要、相属关系和爱的需要、尊重需要、自我实现的需要。他认为，在人的高级需要得到满足之前，他的低级的需要必须得到适当的满足。无论是托马斯博士的四种欲望论，还是马斯洛先生的五种需要论，实际上这些需要可以归纳为物质需要和精神需要两大类，这些需要在社区中也都有表现。生理的需要是基本的，它包括吃、穿、住、行、用等的需要，它涉及到便民、利民服务设施和市政设施是否齐全；安全的需要也是人的基本的需要，这种需要的满足就要靠居民的自我服务、保安的服务和警察的服务；相属关系和爱的需要、尊重的需要和自我实现的需要涉及到家庭和睦和邻里和睦的实现，涉及到社会关系网络的构建，它与社区意识的养成是一致的。所以说，社区服务的开展以及社区服务的发育程度直接就是社区需要满足程度的界标；而社区需要的满足程度也就成了测量社区服务的一个关键的指标。人们迄今为止已经创造了各种各样的方式来满足人们的日益增长的物质和文化需要：连续不断的供水、天然气工程，输变电等电力工程，下水管道工程，电话线、有线电视入室工程等，这些工程有些属于市政工程的范围，直接影响着社区生态，影响着人们的归属感、参与感和责任感的形成，在广义上也算是社区服务。我们的社区服务首先要满足的是人们吃、穿、住、行的需要，然后也要满足人们精神文化的需要。这就要求我们的社区建设要以社区服务为宗旨，社区内各种建筑物的位置、市政设施的建设、公共绿地的设置、车辆的停放、对垃圾的处理、空气污染的控制等都要人化，都要从城市生态学的角度、从人们物质文化生活需要的满足的角度去安排、去布置。这是对社区服务的最基本的要求。以上是就一般意义上说的，具体而言，社区需要因人们的职业、性别、文化水平、民族风俗习惯、就业状况、单位所属性质等不同而表现得千差万别。要提供人化的社区服务，要从分析人们的社区需要出发提供完美的社区服务，还必须对人们的社区需要进行定性、定量的分析和解剖。

根据我们课题组在北京市的社会调查，文化程度的高低与社区服务的需要是成正比的；也就是说，学历越高，对社区服务的需要也就越多。在一般的物质需要中是这样，在文化需要中也是这样，下表就说明了这一点：

需求项目	低等文化程度者	中等文化程度者	高等文化程度者
车辆存放	67.5	78.1	82.3
家务服务	32.5	33.5	44.5
服装加工	49.0	52.6	64.0
法律咨询	31.8	38.1	45.7
托老服务	43.7	34.9	43.9
专题讲座	16.6	20.2	38.4
食品加工	34.4	38.7	50.0
图书借阅	29.1	47.6	67.7
订送报纸	53.0	58.0	72.0
便民信箱	48.3	56.4	62.8
便民餐馆	49.7	50.9	62.8
家庭医疗保健	55.0	52.4	64.0
生活用品维修	62.9	68.1	78.7

（注：高等文化程度者是指大学及其以上水平，中等文化程度者是指中学水平；低等文化程度者是指小学水平或不识字。）

在列举的这13项社区服务需求项目中，其中有8项属于一般的物质生活需要的范畴，有5项属于精神文化需要的范畴，高、中、低等文化程度的社区服务需要的差别是明显的。

此外，在性别上的差异，老、中、青不同年龄段的差异，在不同就业者中的差异，国有与非国有单位的差异，不同行业的差异等都会使人们对社区服务的需求不一样。

而且，社区是由各不相同的人们组成的利益共同体，每个人的需要不一样，所要达到的目的就不一样，追求的目标就不一样，利益就不一样，所要求的社区服务就不一样。有些是共同的需要，有些则是相互冲突的需要。怎样在满足一些人的需要的同时不妨碍另一些人的利益，或者取得另一些人的宽容和谅解，这都需要研究。不同的社区，由于人口素质、年龄、流动性等的不同，所要求的社区服务也就不同。一般说来，人口流动性大的社区所要求的社区服务就要多些。

4. 社区意识与社区服务的关系

社区意识一般是指社区认同感和社区归属感以及由此导致的社区责任感和社区参与感的综合。社区意识越浓厚，社区成员的任性和个性就越少，居民的团体意识和互助意识就越强。居民的自我服务和互助服务也是社区服务的重要内容，而居民对本社区有无认同感、归属感、责任感和参与感，以及程度如何，都会影响到社区互助服务的发展程度和水平。所以，我们说，社区意识和社区服务有着十分密切的关系。

一般来说，农村社区的社区意识相对浓厚。农村居民对本村本乡的认同感、归属感、责任感和参与感要强些。他们有的几代人离不开本土，祖祖辈辈生活在这里，与生于斯长于斯的社区有着深厚的感情。所以，在农村社区，有着基于血缘关系的互助网络，农村的社区服务比城市开展得要好些。

在城市，由于城市居民受工作关系、职务升迁、住房商品化、血缘关系缺乏等因素影响，居民对本社区的责任感和参与感也就相对较弱。这种社区认同感、归属感和责任感、参与感的弱化，影响了社区互助服务的开展，从而直接影响了社区居民物质文化需求的满足和实现程度。社区认同感比较直接的影响应该是财产的拥有状况和就业状况，生活稳定程度，闲暇时间的多少等。本课题组对北京市 1000 户居民的调查也表明了这一点。

该调查设置了 7 个正式调查的社区认同感项目，分别为：应当共建文明居民区；有权利了解公共事务；区内大家随时有关联；外遇同区人备感亲切；居委会干部素质重要；遇有损公益之事反感；邻里之间应守望相助。统计表明：辞停人员和下岗职工的社区意识淡化，而离退人员的社区认同感最强，在职职工次之。这是因为离退人员生活相对稳定、闲暇时间增多。

可见，工作、生活的稳定、闲暇时间的增多是社区认同感、归属感的前提之一。在职业状况与社区参与感的相互关系上，离退休人员的社区参与感也是最强的，说明了闲暇时间对社区参与意识的影响。

当然，这些因素也不是一成不变的。比如，社区帮助辞退和下岗职工实现再就业，就直接影响到辞退和下岗职工的社区认同感和责任感，作为对社区的回馈，这些曾经弱化的社区意识也会强化起来。所以，社区工作者的责任就是要促成这种转化，增强居民的社区意识，促进社区互助服务和人际关系的和谐。

5. 社区服务和人口的年龄结构及工作方式的关系

人们的社区需要和人口的年龄结构同样有着密切的关系。我们的调查表明：总体上，青年人（34 岁以下）的社区服务需求要高于老年人（55 岁以上）和中年人（35 至 54 岁），在车辆存放、幼儿入托、家庭教师、家务服务、婚姻咨询、法律咨询、就业咨询、保姆咨询、图书借阅、订送报纸、帮助搬家、接送孩子上学方面，青年人的社区需求率都明显高于中年人和老年人。有的高达 10 个百分点和 20 个百分点。比如在车辆存放方面，在订送报纸方面，在保姆咨询方面等，青年人的社会需求都是遥遥领先的。青年人是主要的社区需求者，同时，青年人又是社区服务的主力军。我们的社会工作者只要动员好、发挥好这支主力军的作用，那么，社区服务就会上一个新的台阶。不过，动态地看，随着我国人口老龄化的加速，社区中的老龄人口将会日益增多，一个老龄社会的来临也是一个个老龄社区的来临。那时，与老年人有关的社区需求将会日益增多，与老年人有关的社区服务也将在总的社区服务中占有重要地位。

社区服务又与人们的工作方式联系密切。离退休人员、下岗人员、辞退人员的主要活动区域就是社区，在职职工8小时之外的活动场所也是社区，这是我国目前的状况。这么说，离退休人员、下岗人员和辞退人员的社区需求率最高。不过，随着知识经济的崛起，随着互联网的发展，虚拟企业增加，在家办公已经不仅仅是大学教授们的专利，而成为上班族的一种重要的工作方式。家庭办公在80年代末开始出现，在90年代初开始发展起来。1996年1月2日美联社报道，美国1995年有1200万员工在家办公，有的是全职、有的是兼职，比1990年增加了3倍多。还有5400万人部分在家办公，约占美国劳力的1/3。预计在21世纪会有更多的人在家办公。美国IBM公司有20%的员工已经在家办公。加拿大的北方电信公司渥太华分部，60%的员工在公司和家里两处上班，有40%的员工则完全在家里上班。员工通过电子函件与主管和同事联系。在德国，远程办公的人数已经达到了50万，有10%的企业采取了远程办公的形式，还有35万人既在家里办公，也在办公室办公。一些跨国公司也在我国的有些地方试行在家里办公。1998年5月，台湾惠普科技公司就施行在家里上班。上海的一家报社把办公大楼出租，员工在家里办公，报社职员通过因特网与主管领导联系。在家办公改变了人们的工作方式，原来对单位的依赖性有很大一部分变成了对社区的需求。社区的环境、人际关系、便民利民措施、市政设施等原来可能间接影响着人们的工作，现在则直接影响着人们的工作，生活的环境也成了人们工作的环境。上班族对社区服务的需求也会日益增多起来。工作方式的改变在推动着社区服务的发展。这是知识经济的一个影响。

知识经济的另一个影响就是世界各个国家将大量地减人增效。电脑的发展、人工智能的发展不仅使机器代替了人的体力劳动，使蓝领工人大大地减少；而且也代替了人的大量的脑力劳动，导致部分白领工人失业。现在，美国是2%的农业人口生产了它所需要的全部农产品，每年还出口很多；在工业领域，美国大约8%的工业工人生产了全部的工业品，包括电子计算机芯片。据预测，到2015年，美国工业人口将降到2%，也就是说，2%的人口将生产出大家需要的全部工业产品。总共4%的人口生产了全部工农业产品，剩下的大量人口将一部分从事服务业、文化产业，也有相当一部分不得不回到社区，成为新的失业者。而大量失业人口的存在对社会本身就是不安定因素，处理不好就会导致犯罪增多、矛盾增多，影响社会的发展和进步。所以，和知识经济导致的工作方式的变化一样，知识经济也导致就业人口的变化，就业人口的变化将导致社会问题的增多，社会问题的增多要求社会予以解决，而解决社会问题的重要方式就是加强社区建设，增强社区服务。我们可以把社会划分为三个领域，一是政府领域，它坚持的是多数原则，它制订的政策不可能得到每一个社会成员的认同，也不可能照顾到每一个社会成员的利益，只要照顾到多数社会成员的利益、得到多数社会成员的认可就达到了目的，它追求的是社会效益。第二个领域就是市场领域，在这个领域中追求的是利润最大化，市场主体之间处理相互关系的方式是等价交换原则、平等原则和自由原则，计算原则和理性原则，市场不讲也不应该讲情面。第三个领域就是我们强调的社区领域。这个领域的原则是以人为本、奉献爱心，它不讲究等价交换原则，而是讲究奉献和爱心；它重视情感培养，而不重视理性；它讲究互利互惠，而不是彼此竞争；它讲究“一人为大家，大家为一人”，讲究互相关心和爱护，而不是自私自利；所以，它能够密切联系群众，走群众路线，解决群众迫切关心的问题；它能够暖人心、稳人心，化解各种原因引起的矛盾和敌对。这就是知识经济的发展、经济结构的调整、工作方式的变化所导致的

21世纪的另一大趋势，即社区建设、社区服务将成为21世纪的一大趋势。

6. 社区服务和社区服务业

社区服务和社区服务业是两个既相联系又有区别的名词。什么是社区服务？比较通行的被人们广泛引用的解释是："社区服务是在政府倡导下，发动社区成员通过互助性的社会服务，就地解决本社区的社会问题的活动。"（《崔乃夫部长谈城市社区服务》，载《社区服务工作文集》，中国社会出版社1991年版，第3页）这里的"社区"基本上限定在城市街道和居委会的范围之内，所以指的是街居范围内的福利性服务和便民、利民服务。

什么是社区服务业？1993年国务院十四部委联合下发的《关于加快发展社区服务业的意见》中指出："社区服务业是在改革开放中发展起来的新型社会服务业。社区服务业是在政府倡导下，为满足社会成员多种需求，以街道、镇和居委会的社区组织为依托，具有社会福利性的居民服务业。社区服务业由社区福利服务业、便民利民服务业和职工社会保险管理服务业组成，是社会保障体系和社会化服务体系中的一个重要行业。""社区服务业具有福利性、群众性、服务性、区域性四大特点。"1994年12月25日，民政部长多吉才让《在全国社区服务经验交流会上的总结讲话》中指出："社区服务业，就是一项不以营利为目的的专业性社会服务业，又是一项特殊的产业，其特殊性就在于它是属于社会工作的范畴，具有福利属性。"总之，社区服务业既是一项事业，又是一项产业，"作为事业，是不以营利为目的的专业性社会服务；作为产业，是一种特殊的第三产业，其特殊性主要表现在社会福利属性上。"就是说，社区服务业也要引入市场机制，也要盈利；不过，盈利主要用在发展社区服务业上。所以，社区服务和社区服务业在很多场合是一致的，它们的内涵和外延具有一致性。

但两者又有不同：第一，开展的时间不同。社区服务作为社区居民的互助性的服务，在我国的改革开放之前，甚至在我国的古代就存在着这种服务；而社区服务业作为一项产业是我国改革开放之后发展起来的。第二，服务的程度不同。产业化、实体化、社会化的社区服务，就是社区服务业。社区服务向社区服务业发展，引入市场机制，这是一种进步。它一方面扩大了社区服务的对象和范围，另一反面又为社区服务提供了动力源泉，使社区服务具有了生机活力。

7. 社区服务与社区建设的关系

社区建设包括社区服务，社区服务是社区建设的宗旨、落脚点和中心内容。在我国，社区服务无论在理论上还是在实践上都要先于社区建设。我国从 1987 年开始社区服务的实践，而社区建设尽管从 1992 年就与社区服务相联系，但社区建设直到 1998 年才在全国城市真正展开。社区服务的内涵比社区建设要狭窄。社区建设不仅包括社区服务的内容，还包括社区经济的内容，它包括在一个社区内社会发展的全部内容，包括社区内政治、经济、文化的各个方面；包括社区服务、社区卫生环境、社区治安、社区文化等项内容。它是与单纯的经济发展相对应的一个概念，强调的是经济与社会的协调发展、同步发展，它和国外强调的“社区发展”的概念是一致的。不过，社区建设是一个更加适合我国国情的概念，这个概念强调的是发挥社区主体的主观能动性；而社区发展则强调的是一个自然历史过程，更加强调的是客观因素。社区服务在西方是与院舍照顾相对应的一个概念；而在我国，社区服务则是与“单位服务”相对应的一个概念。不过，社区服务和社区建设又有着本质的一致性。社区服务是社区建设的龙头和核心，社区建设首先要从社区服务抓起，因为社区建设首要的是保障社区内特困群体能够过上和正常人一样的生活；其次是一般社区居民要有方便的生活，包括吃穿住行用、水电气、医疗卫生、文化体育教育等；然后是全体社区居民生活安定、治安良好、有安全感；在此基础上，再去谈论环境的绿化、美化，再去讲究建筑的整齐、协调、优美，再去谈论人际和谐。而一个社区达到了生活方便、环境优美、治安良好、人际关系和谐，那么它就是一个文明社区，就会吸引各种投资家进行投资，从而促进社区经济的发展和社区文化的发展。所以，没有社区服务就不可能有社区建设。社区建设以社区服务为本，出发点和落脚点都是社区服务。在一个社区内，社区服务的好坏，直接关系到社区发展的状况，直接关系到一个社区的兴衰。社区服务搞好了，就会带动社区内各项事业的发展，尤其是带动社区劳动就业和第三产业的发展。而一个社区发展了，那么，也就证明该社区的社区服务是发达的和优质的。当然，这绝不是说，这些内容就不可以同时进行，或者前后次序可以颠倒。

（二）
社区服务的功能

在我国，社区服务具有如下功能：

1. 社会保障功能

它适应了我国人口老龄化、家庭小型化、住宅小区化和商品化趋势，适应了我国居民生活质量的提高和物质文化需求的不断增加的需求，具有社会保障的功能。

随着我国人口的老龄化，养老问题在我国日益突出。在现代的城市居民中，老年人一般由子女赡养，老年人患疾病的医疗、吃饭穿衣以及擦洗等贴身服务，一般也都由子女负担。但是，大部分子女都是有工作的，不可能为老年人提供全天候服务；而且老年人不仅需要物质上的关怀和资助，而且也需要精神上的娱乐，寂寞和无聊对老年人来说是可怕的，这就更加重了子女的负担。据有关专家预测，在下个世纪中叶，我国将出现夫妻双方照顾4个老人和8个老人的家庭，子女的家庭负担将会更重，他们既要照顾老人，又要照顾小孩，又有繁重的家务和社会工作，这使他们不堪重负。所以，我国传统的养老方式不能不发生重大变革。目前，许多子女都要求社区兴办托老所、养老院，用专业人员的专业化服务和丰富多彩的精神生活让老年人安度晚年；同时，让年轻人减轻生活的负担，拿出更多的精力投入到工作中去。

2. 满足居民多方面需要的功能

随着经济和社会的发展，居民的消费结构也日益多元化，人民群众对养老、托幼、保健、娱乐、婚丧、家务、青少年教育、再就业的需求在不断增长。一定社会的物质文化和精神文化发展水平决定该社会的消费水平，决定该社会居民的商品和服务的购买力与消费力。我国改革开放经过20多年的发展，国家的综合国力增强了，物质文化产品丰富了，国民收入增多了，人们的文化水平提高了，人们的消费也就由简单的消费向复杂的消费发展，由单一的消费向多元化的消费发展，由单纯追求自然的吃穿住行的消费向追求文化消费和服务型消费发展。这就要求社会为此提供满足需求的方式和手段。而我国社区服务的兴起，正是适应了居民日益增长的物质文化需求的需要。

3. 促进社会文明进步的功能

社区服务是社会进步和社会文明程度的重要标志。社区服务直接影响到社区质量。社会是由一个个的社区组成的，社会的进步经由社区实现，这已经成为国际上这方面专家学者的共识。没有一个个社区的发展进步，就没有社会的发展进步。没有良好的社区服务，就不可能有良好的社会服务。没有社区内居民物质文化生活水平的提高和物质文化生活需求的满足，就不可能有整个社会的文明和进步。从本质上来说，社区服务的发展和社会进步的要求是一致的，它们都是旨在促进人民生活质量、人口素质和社会文明程度的不断提高，都是旨在着眼于人民群众、服务于人民群众、满足于人民群众。一些社会学家已经指出，社区服务的开展可以和谐人际关系，可以减轻受助者的精神压力，使他们保持健康的心理状态，也可以给提供服务的居民带来欢乐，增强他们的集体主义和利他主义精神。社区质量可以用多项指标去评价：如社区内的房价、房租价；还有软件因素：社区内受过高等教育的人口的比例，居民的收入水平，失业人员的比例，低收入家庭的比例等；但是还有一个重要指标就是社区服务，其中包括良好的人际关系所构筑的社区服务支持网络。一些硬件设施差的社区，如果有着良好的社区服务和人际关系，也会成为一个高质量的社区。社区服务是评价社区质量的重要指标。

4. 稳定社会的功能

社区服务，也是社会稳定器，它起到稳定社会的作用。社区服务具有稳定社会的功能。经济要发展，社会需稳定，没有一个稳定的环境，什么建设也搞不成，这是邓小平同志早就告诉我们的。社区服务解决了人民群众日常生活的迫切问题。在职工下岗再就业培训中，在居民养老托幼中，在子女入学中，在邻里纠纷的解决中，在居民休闲、娱乐、健身和医疗保健中，社区服务为民解了难，也就安定了民心，和谐了人际关系，也就为国分了忧，也就为经济发展和社会主义现代化建设提供了一个良好的社会环境，使经济建设有了可靠的后勤保障。

5. 保障改革的功能

社区服务，适应了社会主义市场经济的需要，适应了对传统的单位办社会模式的改革的需要。社区服务具有保障改革的功能。在我国，从50年代开始，企业一身二任，既担负着发展生产的职能，又担负着保障职工生活的职能。职工的吃穿住行、旅游、娱乐、医疗保险，以及养老、小孩入托、入学，企业都管。一个企业或一个事业单位简直就是一个小社会，企业和单位负担沉重，经费开支巨大。1990年，北京市职工劳保福利费已达40亿元人民币。党政事业单位也是如此。在千年之交的1999年，这种单位办社会的现象依然存在，一些单位依然承担着职工养老、住房、保险等方面的福利。这就是单位办社会的模式。在这种模式下，人是单位的人、企业的人，单位和企业不仅要管职工的工作，也要管职工的生活，在这里，职工的生产和生活是统一的。这种统一给职工带来了严重依赖企业和单位的懒惰习性，却使企业和单位在经济负担上和精力上背上了沉重的包袱。这种现象在国外是不存在的。在西方，企业根本就不承担职工的个人福利，在我国的香港地区也是如此。随着改革开放和经济体制改革的深入，我国经济也日益与世界经济接轨，我国的合资企业增多，与世界的交往增多，进出口贸易增多。面对日益激烈的市场竞争，一方面企业不堪重负，驮着职工福利费已举步维艰，已难以参与世界经济的竞争。这就要求把职工福利这一块从企业中剥离出来，交给社会，使企业在市场经济中在同一个起跑线上竞争。另一方面，在传统的计划经济体制下，跟城市市民联系最紧密的一个是家庭，一个是单位，对自己所在的社区没有多少联系；而在市场经济条件下，企业把办社会的职能逐步交给了社区，经济改革也造成了一大批下岗人员，人们对社区的归属感和依赖感增强。原来的街道和居委会那套管理方式越来越不适应居民群众的物质文化生活需要，解决不了城市生活服务短缺问题。这就把以居民社区为单位的社区服务提上了日程。

6. 落实精神文明建设指标的功能

社区服务，是社会主义精神文明建设的一种重要形式。社区服务具有促进精神文明建设的功能。社区服务可以把群众性精神文明建设、市政建设、城市管理有机结合起来。江泽民就曾经指出："提倡社会互助，促进精神文明建设。"明确指出了社区服务与社会主义精神文明建设的关系。通过开展自助互助活动，开展尊老爱幼助残济困等活动，我国人民的传统美德得到进一步发扬，中华民族优秀的传统文化与社会主义精神文明建设有机地结合起来了。通过开展文明楼院活动，通过邻里互助、军警民共建等活动，进一步增进了人们的亲情、友情，促进了人际关系的和谐。以社区服务设施为主要内容的城市建设，以市民文明公约、和谐人际关系、丰富居民的文化体育生活为主要内容的思想道德建设，都在社区服务中找到了自己的位置，并沿着社区服务的轨道有条不紊地向前发展。在这里，物质文明建设和精神文明建设得到了高度的统一，精神文明建设在这里有了具体的、可以看得见、摸得着的硬指标。由于有了这些硬指标，精神文明建设就显得非常具体、明确和扎实，也就可以避免出现一手硬、一手软的状况。

（三）
社区服务的目标和原则

开展社区服务，我们要达到的目标是，根据居民不断增长的物质文化生活水平的需要，在我国经济不断发展的基础上，以一批硬件设施为依托，不断提高社区服务的水平，逐步实现老有所养、幼有所托、孤有所抚、残有所助、贫有所济、难有所帮的总目标，使我国的社会发展达到一个新的水平。

为了达到这个目标，我国社区服务的开展必须坚持如下一些原则：坚持实事求是、一切从实际出发的原则；坚持机动性原则；坚持产业化与非产业化相结合的原则。

社区服务必须坚持一切从实际出发的原则。一切从实际出发，实事求是，是我们党的思想路线，同时也是我们发展社区服务的重要的指导原则。它包括几层意思，一是要根据我国经济发展的实际，在经济发展的每个阶段上提出社区服务发展的不同的要求，在经济发展的不同基础上建设相应的硬件服务设施，以满足居民群众的物质文化生活需要；二是要从每个社区居民的职业、年龄、性别构成，民族、种族、语言、传统习惯等方面出发，从每个居民的社区服务需要出发，构建社区服务设施，提供具体的、实际的、分门别类的、标准有别的、个性化的社区服务，而不是官僚主义的随心所欲、长官意志和任性；三是要从社区服务的需求者的角度、根据他们不断变化的需求提供社区服务，而不是从社区服务供给者的角度硬加给需求者主观随意的社区服务。

社区服务必须坚持机动性的原则。机动性的原则就是学习借鉴的原则、比较的原则。世界上每个国家、每个民族都有自己的长处和优点，社区服务在国际上也有自己的共同性和普遍性，这是指一国的经验有在他国重复的可能性。所以，借鉴他国的经验，通过比较，学习一些带有规律性的东西，我国的社区服务就可以不走或者少走弯路，从这种比较和借鉴中获得力量和经验。当然，这种比较和借鉴不可忘记各国在社会制度、意识形态、历史和文化方面的差异。要坚持机动性的原则，就必须鼓励国际交流，这一点英国做得很好。英国卫生部在1990年到1993年的三年时间里，向国家社会工作机构提供了30万英镑的资金用于建立国际中心，积极鼓励从事国际交流。“中心将集中安排访问和出访，收集和分析全欧洲的社会服务方面的信息，与其他社会照顾国际机构进行联络。它还将提醒我们关注国际社会事务，尤其是这一地区社区法规的影响。”

坚持产业化与非产业化相结合的原则。社区服务产业化是一个国际性的趋势，世界上一些发达的资本主义国家战后曾经实行过福利制度，但由于财政上的沉重负担和社区照顾的低效率，也不得不改变原来的做法。推动社区照顾、社区服务向多元经济成分方向发展，政府实行社区照顾和社区服务的采购的办法，让社区服务和社区照顾向产业化发展。我国还是一个发展中的社会主义大国，经济文化的落后使得我们还不能实行发达国家那样的高福利，更应该走社区服务产业化的路子，通过有偿服务使社区服务业滚动发展，使社区服务充满生机与活力。但是，社区服务由于不同于一般的商业服务，它最初就是从福利服务发展起来的。所以，它必须坚持自己的福利属性，对优抚对象、残疾孤老等的服务就不能实行产业化，而应以坚持社会效益为最高标准，决不能为了单纯追求经济效益而忽视了社会效益。

·第二节·

社区服务的实践

我国的社区服务起始于 1986 年，在经过十几年的发展之后，社区服务形成了自己独具中国特色的社区服务运行机制、管理机制，但也在实践的发展中遇到了一系列问题和困难。西方的社区服务，尤其是英国的社区照顾可以追溯到本世纪 50 年代，在长期的发展过程中形成了自己的特色，积累了丰富的经验，值得我们借鉴和学习。东方国家和地区，尤其是日本和我国的香港地区也发展了比较完善的社区服务，它们都是“儒家文化圈”的，深受我国的传统文化的影响，它们在开展社区服务方面的有益经验更值得我们学习和吸收。

（一）

国外社区照顾与社区服务的实践

在国外，社区服务无论就内容还是就形式说，都各不相同。单从概念上说，英国和我国的香港地区就叫它“社区照顾”，而在美国、日本、澳大利、新西兰等国家则叫它“社区服务”。从这两个词的外延上说，“社区服务”的外延比“社区照顾”要宽泛。不过，有些国家如荷兰，虽然也称“社区照顾”，但它的范畴则近乎“社区服务”，也包括购物、维护交通秩序、送餐、慰问老人和残疾人等。为了说明问题，我们在这里选取几个有代表性的国家或地区，分析它们在实行社区照顾或社区服务方面的经验，试图找出一些有规律性的东西，为我国社区服务的发展提供借鉴。

1. 英国的社区照顾

英国提出的是“社区照顾”（communitycare）概念，最早的社区照顾可以追溯到欧洲中世纪的英国。在那时，教会就开始照顾无依无靠的穷人。1349 年，英国就开始了福利立法。1531 年亨利八世法令规定，对没有劳动能力养活自己的老年人和穷人，发给他们行乞的执照；而对有劳动能力的乞丐和流浪汉则严厉惩罚。1536 年的英国法令则规定，无能力的穷人要由教会养活，有能力的乞丐则要被强迫工作。1601 年伊莉莎白济贫法则进一步规定教区只负责养活没有亲属供养的穷人，只要有亲属供养，就不被列入济贫的对象，同时规定，教区有责任为有劳动能力的穷人提供工作。19 世纪末、20 世纪初，英国开始向福利国家过渡。第二次世界大战则加速了这一过程。1941 年 6 月，以威廉·贝弗里奇为主席的社会保险和联合服务部际委员会就提出了要消灭 5 种巨人的计划：即贫困、疾病、愚昧、肮脏和懒散。这个委员会通过社会调查，提出了一个建立社会保障体系的报告，其中包括统一完全充分的社会保险项目。它由国民交纳保险费，内容涉及到生老病死伤残和失业等项；对于那些通过社会保险津贴不能得到有效保护的人，国家还要给予帮助，也就是由政府向无收入和低收入者提供社会救济；婴儿在出生后，其母亲可以得到25英镑的津贴，并由国家承担产妇的医疗费用，一般为1150英镑；对16岁以下的所有儿童提供生活补助和免费教育等；为全体人口提供全面的免费的健康和康复服务，患病享受免费医疗，在28周之内，每周还可以领取44英镑的津贴；通过公共工程维持充分就业，防止经济危机时期的大量失业。1948年，英国宣布建成了福利国家。

福利政策的实施固然改善了英国人的生活，但也带来了一些负面影响，如增加了国家的财政负担和使人变懒。在英国，早在50年代，就有人提出过“社区照顾”。70年代的财政危机和人口的老龄化趋势，更使由政府对全体人员进行的照顾成为不可能，于是就兴起了“非政府化”（de - publization）和“非中央化”（de - centralization）运动。在80年代初，撒切尔夫人上台后，对英国的福利政策实行了调整。社会服务的决策权限下放到地方政府甚至社区，服务的提供也不要由政府全保，而应由政府、民间组织和志愿者团体共同承担，甚至也要发动亲友及邻舍提供非正规照顾，单一的政府照顾也就由“多渠道照顾”代替了。以前对老弱病残者提供的社会服务，是安排在由政府办的大院舍里。院舍式的照顾也暴露出了一系列弊端，如把有问题的人放在强制机构中照顾是不人道的，老人和残疾人长期住院会使他们产生依赖感和失去适应社会的能力，而且费用昂贵。尤其是在虐待精神病人和残疾人的事件被披露后，更激起了公众的不满，于是就激起了非住院化（de - institutionalisation）运动，要求对老弱病残者的照顾更富有人情味，使被照顾者回归社会。由于这两个运动的推动，英国政府提出了发展“社区照顾”的服务方式，它是由英文的（community）和（care）两个词结合起来的。1981年英国政府发表了“社区照顾”的白皮书，1985年1月社区服务委员会的报告“社区关怀”发表，社区照顾开始发展起来。1989年英国发表了《公众照顾》白皮书，于是，基于各种照顾机构的社区服务就成了英国国家政策的主要着眼点，社区照顾代替了院舍照顾。该白皮书是这样解释社区照顾的，所谓社区照顾，就是能提供正确的干预和支持，使人民能够获得最大的独立性，支配自己的生活。为了实现这一目的，发挥各种设施的服务作用是其关键。一些研究人员从资源利用和照顾提供者入手，把社区照顾解释为：是涉及正式的公共机构以外的可利用资源，尤其把家庭、朋友以及邻里之间的非正式联系，作为提供照顾的手段。它包括两层含义：一是在社区内照顾，把需要照顾的对象安排在社区内，使他们享受到一般居民的亲情，不脱离一般的大众，它是作为院舍照顾和制度照顾的对立物出现的。院舍照顾是由中央政府或地方政府组织的，而社区照顾则是由地方政府组织的；二是由社区照顾，依靠社区照顾，充分利用社区资源对需要照顾对象进行照顾，这些社区资源包括家庭成员在内。在这里需要特别提及的是，在西方国家和在我们中国不同，西方国家并没有子女赡养老人的法律义务，而在我们中国则有明文的法律规定。所以，他们实行社区照顾比我们要难，尤其是由家人实行照顾就更是这样。但是，因为社区有亲密、默契和真实的人类感情，因此，由社区实行照顾可以使被照顾者在正常的环境中，也就是在家中或者像“家”一样的环境中过上和正常人一样的生活。

就社区照顾的对象和目的方面，《白皮书》指出：“社区照顾是指为那些年长的、有精神疾病的、智力残障的、有身体或感官障碍的人们提供服务与支持，使他们能尽可能独立地生活在他们的家庭或家庭所在的社区。政府要制定社会照顾政策，使这些人充分发挥他们的潜能。”

就社区照顾的内容方面，应主要包括如下几个方面：对个体需求者和提供照顾者提供反映灵活、灵敏的服务；所提供的服务允许消费者有一定选择的范围；为领养者提供必要的服务；重点为那些急需服务者提供服务。

在英国，还规定了被照顾者的权利，包括获取信息的权利，投诉的权利和接受高质量的、适宜的、和不断提高的服务质量的权利。认为公民这些权利的实施，有利于提高社区照顾的质量。

就社区照顾的提供者来说，既包括政府官员及其下属工作人员的参与，也包括非正规照顾者（informalcarers），如家人、亲友、邻里、义务人员等，也就是强调政府提供和社区内民间提供的结合。

为了提高社区照顾的质量和效率，英国政府正在改变过去国家负担过重的局面，走多元化的社区照顾之路。1979 年，保守党政府就鼓励卫生保健部门和社会照顾管理部门购买服务，把竞争机制引入社会照顾领域，在社区照顾领域里也实行“委托制”和“契约制”。1989 年英国政府颁布的《为病人服务》白皮书，使契约制的社区照顾不断扩展，把原来由政府承担的一些社区照顾移交给私营机构和志愿者组织。政府委托这些机构提供社会所需要的社区照顾，然后政府花钱购买，提供给照顾的需求者（这种委托包括如下内容：“陈述任务和签署协议、评估人口需求、地点的选择和评估、服务的规格、与服务机构的协议、对服务的评价、对服务的质量和效果的检查、协议的更新和终止、反馈已经满足和尚未满足的需求信息”，它们还明确强调，这种合作性的委托和竞争性的招标还是不同的）。地方管理部门只起宏观管理作用，它们安排、提供和购买适应个人需求的照顾，所提供的服务应该去适应个人的需求，而不是让需求去适应所提供的服务。这既减轻了政府的负担，也提高了社区照顾的质量和效率。

2. 德国的社区照顾

德国的社区照顾讲究“辅助者原则”。“辅助者原则”强调的是充分发挥被照顾者的主动性、积极性，发挥他们的自助潜能，政府发挥的作用相对较小；而英国和丹麦政府发挥的作用则要大得多。“在德国，‘辅助者原则’之一是，需要照顾的人必须为之付款，或者政府责成他们的亲属为这种服务提供资金或者筹措资金。政府的照顾只在志愿者组织失效的地方实行”，“一般说来，在‘辅助者原则’下，自助是首先要考虑的事情，一个人在尚未获得政府的社会资助的资格时，必须努力改变自己的环境，以得到他们的家庭或者志愿者组织的支持。这是德国体系的主要结构特征，这是与英国多元主义差异之所在。”在德国，受助者的压力比其他国家要大，受助者必须自己努力改变自己的处境，然后是他或她自己的家庭，接下来是其他团体要负责。责任一级一级往外推延，个人和家人负的责任最大，只有在尝试着一些机会还不能解决问题之后，人们才能得到社会资助。“上了年纪的人必须为提供照顾的服务者支付资金，如果他们无力支付（只有在几乎没有任何家庭来源的情况下）他们才能获得社会福利。”

德国的“辅助者原则”，其理论来源是天主教会法。罗马教皇在《四旬斋的第一个星期日通谕》中就指出：“社会哲学有一个固定的、不可改变的基本原则，即一个人不应该丢掉自己，不应该把自己和企业能够完成的事情交给社会；不应该把较小或次一级的团体能够完成的功能，移交给更大、更高级的团体。”“辅助者原则”强调的是自助和自强，强调个人和较小社会单位独立自主和自强自助，强调发挥受助者本人的作用和潜力。所以，德国更重视社区照顾的多元化经济形式。政府只负责为社会照顾制定详细的计划、决定海外资助的使用和颁布社区照顾的标准，具体服务政府不管，而是交由志愿者、非营利机构、教会组织、社区组织和与服务计划委员会有关系的劳工组织。私人的和非营利的地方服务更贴近社区居民的需求。

在社区照顾的内容方面：重视发挥老年人的作用。老年人一方面是社区照顾的对象，另一方面又是社区服务的提供者。比如在柏林就开展了“来自年长者的经验”的活动，年长者为年轻人传授他们的经验。德国不仅重视对成年人的照顾，也重视对儿童的照顾。1990年颁布的“德国青少年服务法案”就指出：应支持那些有孩子的家庭，帮助他们抚养孩子。还规定，为所有满6岁的儿童提供幼儿园、课后照顾和儿童指导，对必须在家里接受照顾的儿童，法律按规定提供的社会和教育支持每周应达到20小时。

3. 美国的社区服务

美国的社区服务和英国的社区照顾不同。

就社区服务的提供者来说，美国的社区服务分为政府提供的服务和由社区志愿者提供的服务。政府提供的社区服务限于涉及居民最基本需要的部分。如：水电、煤气、通讯设施以及绿化、保洁和照明等，主要由政府出资委托或承包给专业公司。严格的法律责任和由政府各个专业职能部门指派代表组成的社区顾问团，使居民经常可以得到快捷、负责任的服务。美国是一个市场经济和法律都比较发达的国家，如果居民反映的水电、交通等市政问题得不到及时解决，市民就有权对专业公司提出诉讼；所以，这些专业公司都不敢懈怠，出了问题往往都能及时得到处理。

社区服务的另一部分就是由志愿者提供的。参加志愿者的有专业技术人员、退休人员、政府官员、普通市民、艺术家、大中学生，他们提供社区所需要的各种各样的社区服务。在这里值得注意的是，在校的大中学生参加社区服务，目的是为了获取社会实践的经验或学习一些基本技能，有的学校对学生参加社区服务有一定的规定，学生不达到一定的服务时数是不能毕业的。美国的社区志愿者服务是很有特色的。如纽约市成立了“市长志愿者行动中心”，该中心设有信息网络中心，与各个社区联网，它把每个志愿者的专业、特长、希望从事的服务种类和服务时间等信息输入电脑，把各个社区需要提供的各种服务也输入电脑，由该中心根据每个志愿者的专业特长和服务时间合理安排他们提供社区服务。对于从事志愿者服务的人员，只要达到一定的服务时间，该中心就发给证书，市长还根据各个社区推荐的优秀志愿者的材料，每月对10名志愿者进行表彰，在新闻媒体宣传，使人们养成一种从事志愿者服务光荣的良好风气，带动更多的人从事社区志愿者服务活动。这使美国的志愿者服务活动蔚然成风，大约有一半的美国成年人参加过社区志愿者服务活动。政府支持志愿者服务，希望靠志愿者服务弥补市场经济的不足，希望靠志愿者服务“把美国带回充满互爱和志愿者行动的黄金时代”。但由于政府补贴不足，志愿者服务机构为了生存，不得不提高部分商业性服务的收费，而一些营利性社会服务业开始抢夺原来属于志愿性服务的领地。“美国的社会福利系统在80年代朝市场化发展。非营利的社会服务机构不断地进入市场，营利性机构也在稳步的拓展其市场份额。”

就社区服务的内容来说，可以说囊括了社区居民需要的方法面面：吃穿住行、教育、文化娱乐、园艺美化、医疗卫生、水电、交通、通讯等基础设施服务；照顾老弱病残的特殊服务；还包括人际关系的处理。在美国，每个社区大都设立了

“邻里关系办公室”，专门处理邻里纠纷。美国的住房私有化比例比较高，住房成了商品，住房的价位高低，除了反映住房本身的质量和区位外，还有一个重要的方面，就是社区建设的情况。如果社区内不规整，到处脏乱差，社区内治安混乱，居民没有安全感，那就影响社区内作为商品的住房的价位，受损的是整个社区的居民。所以，社区居民都有一种社区意识，那就是从自身利益出发维护社区的整洁和美化。要是邻居私搭乱建，破坏社区的整体形象，任何人都可以告发。要是社区治安混乱，他们就设法和警察搞好关系，维护社会治安。当然，社区主任也会通过劝说和其他强制手段维护社区的整体形象。

针对日益严重的老龄化趋势，美国采取了许多办法为老年人提供服务。在自然老人社区里，（NORC），针对老年人感情脆弱、更孤独、更有依赖性的特点，纽约的UJA联盟为政府资助的、自然退休居住在社区里面的老年人提供他们所需要的上门服务，比如实施并管理家庭健康服务、会同医院保证并监督出院计划的顺利实施、为老年人提供感情和精神健康状况的咨询、安排金融和法律咨询、为定期照顾慢性病人的人提供帮助、监督紧急救援系统、评估并设法满足家庭护理服务的需求等。还有帮助老年人去医院和商店的运输系统，有为老年人提供健康服务的社区卫生系统等。

在美国，社区服务还十分重视政府和市场之外的第三种力量的作用，也就是不以营利为目的的社会中介组织的作用。美国社区发展合作组织（community development corporations，简称CDC）就是这样的组织，它们有的叫“邻里发展组织”、“经济发展公司”等。它由居民自治，领导成员由有威望、有影响的居民组成，它帮助处理最困难的社会问题，争取政府、公司、银行、宗教界、慈善机关的支持和合作，帮助发展社区经济，促进劳动就业，振兴衰败的社区，开展一系列的社区服务，如儿童保育、老人照顾、职业和就业技能培训、家庭企业咨询、调解纠纷、夏令营、健康检查、反酗酒计划、开展健康诊疗所、文化生活服务等。无论在城市，还是在农村，无论是贫困人口的就业问题，还是住房问题，无论是哪一个种族和民族，也无论是妇女还是男人，印第安人还是黑人，老人还是青少年，失业者还是社救对象、无家可归者，CDC都会给以帮助。它起到了政府和营利组织所起不到的作用。但它必须取得政府、各种基金会、教会、私人公司和银行的大力支持。事实上，在美国，你只要是热心为社区发展服务，不以赢利为目的，那你就会得到政府等广泛的支持。成就突出的CDC大都得到了联邦政府、尤其是州政府的大力支持。因为他们认识到，CDC的发展是促进社区发展、促进经济发展和反贫穷的重要手段，这个社会中介组织为政府分忧，解决了许多社会矛盾，稳定了社会，促进了社会发展。他们认为，给予CDC以资金支持，是对城市未来的发展的一种明智的投资。

为了在服务效率和社会福利之间寻找平衡，美国和英国一样，正在把原来由政府提供的服务变为由政府购买服务。1978至1979年，美国政府从营利性的私人机构和非营利性的志愿者机构那里购买的社会服务占全部社会服务的35%，在英国，这个比例为8%。

4. 荷兰的社区服务

在荷兰，社会服务的提供不能由利益机构负责，而只由志愿性组织提供。这些志愿性组织分为：常设代理机构（established agencies）；自创（innovative organizations）的基层组织；志愿者组织（volunteer organizations）。

常设代理机构提供标准的服务。它规模最大，大宗服务由它提供。它的专业化水平很高，只使用很少的志愿者，“大部分家庭照顾的工作都是由受过专业训练的人进行的有偿服务”。

它是地方性的，很少有全国性的。收入来源主要是：地方政府+社会保险+对委托方的收费。

自创组织，它注重创新性，提供的是创新性的或者是试验性的社区服务，它是小型的服务，但具有全国性。它提供常设代理机构未能满足的服务，比如对艾滋病患者的照顾和临终关怀。“无业的专业人士经常在这些机构从事志愿性工作”，有的专业人士有报酬，有的纯粹是志愿性的，没有报酬。收入来源是：地方和中央政府的补贴+基金筹措+公积金+对委托方的收费。

志愿者组织，它提供志愿者服务，他们所从事的工作有购物、维护交通秩序、送餐、慰问老人和残疾人。它是地方性的机构，有的是全国性机构在当地的分支机构。收入来源：会员费+基金支持+少量的补贴+少量的收入。

在荷兰，存在着三种不同的志愿性组织，各自为自己所属的那个团体、教派服务。这是由荷兰社会的多元化决定的。荷兰的宗教是多元的，荷兰社会分裂为四个群体：天主教徒、清教徒、社会民主党任何保守党/自由党人。所以，“在社会服务和福利部门，由此导致平行的机构，它们在每个社区为不同的人提供或多或少相同的服务。在每个群体内部，这些服务机构都有近乎垄断的地位。对于天主教徒，这些机构安排与它们的补助原则相吻合；对于社会民主党，与它们的分权观点相吻合；对于民主党而言，这与他们对滥用权力的担忧相一致。”不过，60年代以后，社会世俗化进程加快，许多社会服务和卫生组织放弃了它们的宗教教派背景，开始为所有教派的人服务。

在荷兰，也有由地方政府管理的社区服务，比如社会保险服务，它是以个人社会服务为基础的，护理服务和家务服务就属于个人社会服务的范畴。这个系统的管理人员由政府和不同的利益团体——贸易联盟、雇主组织、保险组织等的代表组成。还有导向性的社区服务，如邻里中心、针对社区发展、个人和家庭需要的信息服务机构等。1988 年的社会福利法案规定，这些服务要受到地方政府的管理和财政支持。中央政府每年也划拨一部分经费给地方政府，如省、直辖市，专门供这些服务机构使用。

经费负担、效率低下、官僚化、对服务需求者的不关心、缺乏服务效率和服务质量，这是福利国家的通病，荷兰也面临着这样的问题。为此，荷兰政府也打算制定新的政策，通过个案管理、目标导向的具体项目，更加关注个人需求和服务质量，力图实现这样的转变："从普遍主义的承诺转向有选择的目标定位；从需求决定服务质量转向成本限制服务质量；从官僚体制层次的效率转向个人服务层次的效率。"针对国家负担过重，尤其是卫生保健方面开支过大的状况，政府从 1982 年就开始通过征税对卫生保健机构的总量进行调控，并对卫生保健机构每年的花费进行预算。这样，卫生保健机构就不得不加强管理、提高服务质量，并制定政策，节省开支。

目前，荷兰的社区服务正在向多种经济成分发展，这和其他西方国家一样。营利和非营利的社会服务机构将同时存在，社会的和私人的保险公司、政府补贴、服务收费和慈善事业将同时起作用。

5. 澳大利亚和新西兰的社区服务

在澳大利亚和新西兰，社区服务内容广泛，基本上是居民有什么样的需要，社区就提供什么样的服务。如专为移民服务的移民咨询、帮助办手续、解决语言障碍和帮助移民就业等；为老年人服务的医疗康复服务和日常护理服务等；还有为残疾人和婴幼儿服务的；以及针对普通居民的法律、房地产、就业服务，家庭婚姻、宗教服务，戒毒、戒赌、戒烟的三戒服务等。

志愿者服务在这里也受到相当重视。参加志愿者服务的有各种各样的人员，如大学教授、政府官员、大中学生、退休人员、文艺家等。政府鼓励人们从事志愿活动，对经常参加志愿者服务的颁发证书，并优先介绍就业。

政府对社区服务的重视表现在社区服务组织机构的健全上。在这里，既有政府专门机构负责社区服务和社区建设，也有半官方的由社区居民选举产生的社区委员会，还有自治性的社区服务组织。它们分别从不同角度和不同层次上制定社区服务和社区发展的政策，反映居民意见和实施具体的社区服务计划，而且职责十分明确。

6. 日本的社区服务

日本的社区服务是十分发达的，内容也十分广泛。有残疾人服务、老年人服务、妇女服务、儿童服务；组织环境卫生工作，组织居民参加传统活动等。提供社区服务的有专业人士，也有志愿者。专业人士都受过专门的业务培训，持有家庭服务的资格证书，他们由社会福利机构负责推荐给服务的需要者。在日本，志愿者也有自己的志愿者服务协会，参加志愿者的有各种职业的人员，教师、职员、家庭主妇、学生等。他们的信息都输入微机，便于需要者查询。为了改善伤残人、老年人和特困户的生活质量，政府和民间团体就会指派社区住户轮流为他们服务，这项服务是由家庭中的妇女提供的。

为了为社区服务的需要者，尤其是那些老弱病残者提供更好的社区服务，日本重视社会中介组织的作用。在日本成立了许多的协会，如妇人会、老人会、儿童会等。妇人会受商业、工业协会的领导，是民间组织，它的领导人由选举产生。协会负责与政府沟通，了解家庭情况，提高妇女的素质和地位，促进妇女参与社会，鼓励妇女参加社会志愿者服务活动。老人会，主要是关心老人家庭，为老人家庭打扫卫生，帮助老年人到公民馆参加娱乐活动，使他们消除孤独感。对老年人的照顾，都是由政府出钱雇佣服务人员提供的。对于特困户，政府每月发给2500日元的资助。儿童会则是负责儿童教育的民间组织。在日本，还成立了公民馆这样的组织，它是民间组织，其馆长由居民选举产生。它是老年人休息娱乐的场所，同时，它还有监督学校教育的作用。在农村，最低一级的行政机构是町（相当于中国的镇），町下设区，町有公民馆，各个区也有公民馆，有的町达到4个分馆。

至于社区服务的资金来源，一般来自3个方面：政府拨款、社会赞助、创收等。比如在农村社区，社会福利协议会的资金，来自政府的国库支出金占70%，企业赞助占20%，还有町民的会费，占10%。这部分资金全部用于为老百姓谋取切实可行的福利事业，不得挪作他用。

在社区管理方面，日本的社区管理法规多而详细。对于社区内垃圾的倾倒，汽车和自行车的存放，废旧电器的遗弃，社区绿地的标准及维护，汽车废气的排放，建筑工地施工的条件，锅炉燃料的使用等等都有专门的规定；而且非常具体，易于操作，这就使社区服务有法可依、有章可循。

7. 我国香港特别行政区的社区服务

香港特别行政区的社区服务基本上和英国的社区照顾差不多。

首先是社区照顾的内容，主要包括老年人照顾，儿童、青少年照顾，弱能人士康复服务，释囚的教育感化服务，为伤残人士提供的服务等。对老年人的照顾是社区照顾的重中之重。每一个服务对象又可以划分为不同的服务内容，如针对老年人的服务就包括医疗照顾、住屋服务、提供老年人宿舍和安老院，为老年人和有老年人的家庭设立优先配屋计划，设立社区老年人活动中心，为老年人提供家务助理、日间护理中心，以及在交通和娱乐方面提供优待等。社区服务的经费主要由政府承担，政府提供土地、房舍和政府津贴。资料表明，有70%的社区服务是由非政府组织提供的，但政府为此提供了44%—100%的服务经费，具体情况不一样，有的年份政府提供了44.6%的经费（香港基督教服务处1990—1991年度的经费来源），有的机构政府则提供较多，如香港善道会1995年至1996年度经费有87.9%是政府资助的。非政府机构在承办社区服务时，也向老年人收费，主办机构也向社会募捐。由于受政府资助，所以，对提供社区服务的人员要求严格，从事社区服务的工作人员有统一的编制，有从事社区服务所必须的学历要求，以及从事社区服务所必须的设备条件。达不到一定的条件，是不准从事社区服务的。他们把专职的社区服务提供者称之为专业社工，包括医生、护士、临床心理医生、营养师、物理治疗师、职业治疗师等。在社区服务的管理上，香港注重规范和整齐划一，每个社区的硬件设施要达到一定的标准，比如政府规定，每个社区的老年人达到17000人就建立一所社区老年人活动中心，每6500名青少年人口设一所青少年中心。这样可以保证社区服务在各个社区都有规定的服务内容、服务设施和人员配备，注重规范性，避免出现地区差异。政府按照一定的合同向非政府机构购买社区服务，在这里实行了政事分开，注意经费的节约和社区服务质量的提高。香港在社区服务的硬件设施上堪称亚洲一流，在服务的具体内容上也丰富多彩。如对老年人的服务方面，就包括现金援助、医疗、社区支援服务、房屋服务、院舍服务、殡葬服务等。在现金援助方面，有困难的老年人，可以向政府申请综合援助金，达到65岁的老年人可以向政府申请高龄津贴。在对老年人的社区支援服务方面，香港建立了各种满足老年人需求的硬件设施和软件服务：老年人社区服务中心、老年人中心、老年人日间护理中心、家务助理服务、外展服务、老年人暂住服务、护老者服务、长者义工计划、长者社区网络计划等。院舍服务方面，香港建立了疗养院、护理院、安老院、紧急和临时院舍、老年人宿舍。不过，这些安老院舍大都设在公共房屋内（香港有一半以上的居民生活在政府提供的公共房屋内），和社区居民住在一起，这就使香港地区的院舍服务和社区服务非常接近，分得不是那么清楚。

在香港，政府重视社区支持网络的建设，香港政府 1991 年发布的文件中就肯定了这一点："社会网络是中国文化与传统的一部分，这传统一直存在于香港。本港家庭在为其成员提供照顾和福利方面仍然担当主要的角色，而同乡会、邻舍组织及义工亦在这方面作出贡献，清楚显示了社会网络的作用。近年来，社会工作者及社区组织人士设立了志愿小组及自助组织，较有系统和有意识地推广社会网络的概念，通过社会网络提供照顾和支持的措施，将会予以发展和推行。"在香港，家庭仍在为家庭成员提供照顾和福利方面担当主要角色，同乡会、邻舍组织和义工也起了一定的作用，志愿者组织和自助组织也开始推广，开始有意识地支持社会网络的建立，发扬中华民族守望相助的传统美德。他们尤其重视受助者互助组织的建立，如老年人的互助、残疾人的互助等。目前香港有八类互助组织，如：残疾及长期患病者、健康欠佳人士、丧失亲人人士、照顾者、单亲人士、滥用药物者、曾经受性侵扰者、释囚等。通过这种自助互助可以使这些同病相怜者增强生活的信心和战胜困难的勇气，充分利用了社区资源，同时也减轻了政府的负担。

香港的社区服务经历了这么几个阶段：根据不同的需要划分为不同服务，随着居民需要的增多，划分的社区服务也就越精细，设立的服务机构在增多。但是，过分精细的服务又导致了服务分割，受助者需要花费太多的时间和手续才能得到自己需要的服务，才能满足自己多方面的需求。如一个受助老人要满足自己的需要，就不得不同家务助理、义工服务、社区康复网、医院、专科诊所、老人院、老人中心、社康护士、家庭服务、社会保障办事处、复康巴士等诸多机构和人员发生关系，费时费力，而且由于机构太多和重叠，往往造成资源的闲置和浪费。于是，社区服务正在向综合性的服务方面发展。从社区受助者的多方面需要出发，充分利用社区资源；避免摊薄社区资源，加强各个社区服务机构之间的整合和协调，以尽可能满足社区受助者的多方面的需要。尽管社区综合服务模式有各种各样，有的学者分为全面的和局部的综合服务模式，但它却都是针对过去单纯强调单一服务模式的一种反思，强调的是社区服务的综合协调，以更充分地满足受助者的物质文化需要。由同一机构在社区内为某一对象提供的一系列服务，如针对老年人的服务系列：医疗保健、职业介绍、文化娱乐、吃穿住行等等。这样既可以充分利用社区的各种物质资源和人力资源，又可以更好地满足受助者的各种需要。

8. 墨西哥的社区服务

墨西哥作为第三世界国家，在经历 80 年代前经济高速发展的时期之后，也带来了由于只重视经济发展而导致社会畸形发展的后果，环境污染日益严重，贫富两极分化导致社会出现不稳定因素。于是，80 年代之后，这个国家开始重视社会保障制度的建设和社会服务。

墨西哥的社会发展主要是由三个机构承担的：社会保险局（公司）、社会发展部（厅）、全国家庭一体化体系。

社会保险公司是个半官方机构，其总裁由总统任命，属于内阁成员；下设八名副经理，负责医疗技术、社会福利等部门的工作。它的主要职能是：提供医疗保险服务；发放退休金、救济金、基本生活费等；组织居民开展文体活动、进行就业培训等。

社会发展部是政府机构，它的主要职能是扶贫济困。墨西哥有40%的人口是社会贫困人口。社会发展部的主要职责就是向绝对贫困人口提供食品救济，帮助贫困地区和贫困人口改善电力、饮水、住房、食品等基本生活条件，还包括对贫困人口的教育扶贫，着重提高贫困家庭的文化素质和劳动技能；社会特殊群体，如无家可归者、残疾人、老年人的照顾，也是社会发展部的责任。他们建立儿童收养所，为无家可归者提供生活、学习服务，为他们介绍工作；老年活动中心则免费为老年人提供活动场所和提供各种服务；政府在居民区建立了残疾人活动中心，为残疾人的治疗、受教育提供服务。

墨西哥还有一个机构就是全国家庭一体化体系，其主任由总统任命，各个州的州长担任本州家庭一体化体系的主任，经费主要由政府拨款。其主要职责是：为儿童提供廉价早餐；资助举办幼儿园、托儿所、青年人之家、残疾人康复中心；为贫民提供食品救济。

总结国外一些国家社区服务的实践，我们可以得出如下结论：

第一，在国外的社区服务中，国家的主导作用十分明显。它不仅表现在政府为社区发展制定规划和政策上，也不仅表现在像澳大利亚和新西兰那样在政府中设立专门的娱乐与社区服务委员会上；而且也表现在政府的实际资助、资金支持上，还表现在政府对志愿者的鼓励和宣传上。

第二，它们重视社区工作者的作用。它们的社区工作者和中国在街道一级的社区办公室中的工作人员相似，但它们比我们做得更细。在西方国家，社区工作者担负重任，他不仅要详细了解社区中居民的，尤其是老弱病残者的各种需要，而且还要挖掘社区资源，创造社区资源。包括创建新的社区互助组织，寻找挖掘这些社区资源的方法，减少运用这些资源时的阻力。社区工作者还要善于编织社区人际关系支持网络，并善于运用这些网络去支持和帮助最需要帮助的受助者。在英国是这样，在美国也是这样。他们十分重视政府官员在整合社区资源中的作用，在社区资源共享及为社区服务中的作用。政府官员是整合社区服务资源的关键，他的职责就是要把社区内的各种分散的社区服务资源统一起来，形成网络，以尽可能满足社区居民的需要。没有政府官员的协调和整合，社区服务资源共享是不可能的。

社区工作者还要善于处理矛盾，当受助者和家人、邻居、亲友和服务机构的工作人员在出现不协调和矛盾时，社区工作者还要有调解各种矛盾的能力和决心。在美国，大多数社区都设立了邻里关系办公室，专门处理邻里纠纷。邻里关系办公室接受居民的举报，对于邻里有影响社区环境卫生的行为，如私搭乱建、破坏绿地等行为，社区主任就可受理，并使问题得到最终解决。社区工作者既要维护受助人的合法权益，通过对社区居民的宣传教育工作，争取他们对社区服务的支持和参与；同时也要注意维护服务提供者的合法权益，对他们的服务给予应得的报酬、荣誉和奖赏。社区服务发展得怎样，直接取决于社区工作者工作能力和努力程度。

第三，它们重视志愿者的作用。在国外，社区志愿者服务广泛开展，形成风气，并且也旨在改善社会风气，为失业者再就业提供培训和锻炼，使志愿者服务成为失业者再就业的训练场地。在匈牙利、立陶宛、英国、法国、西班牙、德国、荷兰、在丹麦、意大利、爱尔兰、瑞典，都有大量的社区志愿者服务组织，并且得到了各个方面的支持。比如意大利的 calabri

工程就是公众集资支持的志愿者项目；在爱尔兰有 chievers-down 工程，它们的宗旨就是帮助那些需要帮助的残疾人和学习障碍的人。社会上的任何人员，包括退休者和在职人士，成年人和未成年人，正常人和残疾人都可以成为社区服务的志愿者。志愿服务会给整个社区、社会、志愿者本人带来好处。大中学生参加志愿者服务，不仅对他们的就业有利，而且使他们终身受益，这种志愿服务的热情可以维持相当长一段时间。对于残疾人来说，志愿者服务可以培养他们的能力，帮助他们建立生活的自信心，也可以帮助正常人改变对残疾人的看法。失业者从事社区志愿者服务，可以使他们感觉到自己存在的价值，使他们精神振奋和受到鼓舞。失业者往往孤独、沮丧和失去生活信心，这是导致家庭暴力的重要原因；而他们参加志愿者服务，则使他们重新认识自己的社会价值，鼓足了生活的勇气。他们帮助了受助者，受助者也反过来帮助了他们，而且失业者长期从事志愿者服务，对他们今后的就业也很有帮助。在西方国家，政府支持失业者积极参加社区志愿者服务。有过犯罪记录的人参加社区志愿者服务，可以帮助他们改过自新，重新做人。受助人也可以成为志愿者，残疾人帮助残疾人，老年人帮助老年人，弱者帮助弱者，这对于他们彼此提高自己的生活质量，增强生活的信心，都是很有意义的。此外，家长参与志愿者行动可以组成互助网络，并可以进一步提供更多的资源。邻里参加志愿者行动可以呼吁改善环境，或为地方社区服务提供建议和信息。"'志愿者'就像是一把雨伞，支撑着以不同形式紧密相连的许多各种各样的服务活动。"（《国外社区发展的理论与实践》第 197 页）

志愿者由于是发自内心的服务，是心甘情愿的服务，是不为报酬的服务，所以更受到受助者的欢迎。"在地方，接受志愿者帮助的最多的委托人群体主要是那些老年人和身体有残疾的人。如果给他们选择的话，很多人喜欢志愿者的服务，而不是与职业社会工作者在一起。”（《国外社区发展的理论与实践》第199页）

第四，它们普遍强调专业培训对社区服务的作用。这种培训不仅是针对专业人士的，也是针对社区服务志愿者的。对志愿者的培训应当提供如下帮助：（1）帮助他们识别已有的相关经验和技术。（2）帮助他们识别合适的角色和任务，探讨可能对他们形成的影响以及如何去应付。（3）给予他们要完成的任务以充分的指导。（4）帮助他们考虑自身发展的需要。他们把培训看作是整个志愿服务流程的一部分，他们根据每个志愿者的不同的特点、经验、技能、动机、期望值等进行培训，目的是使他们掌握从事志愿者服务所需的有关经验和技术，认识从事志愿者服务所要完成的任务，帮助他们完成任务，也帮助志愿者满足自身发展的需求。“大多数志愿者通过一段时间的训练、开发技能，都将获得信心。”（《国外社区发展的理论和实践》第201页）退出志愿活动的人数将会减少。此外，社区中专业从事社区工作的社区工作者也需要培训。为的是使他们掌握招募、挑选、有效安置和评估志愿者的本领；掌握与志愿者一起工作的技巧；掌握志愿者工作的时间等。

第五，它们重视社区服务的法律法规建设。一个社会的文明程度和法律法规建设是密不可分的。任何一个发达社会都有相应的法制文明作为保障。在西方发达国家，法规多如牛毛。在社区服务方面，也制定了详细的法律法规以及条例，法律实施起来也是比较严格的，所以社会秩序显得井然有序。在日本，汽车尾气的排放、绿地的面积、工厂烟尘的排放、建筑工地污染物和噪音的控制标准等都有明确的规定。在新加坡也是如此，对厕所卫生的管理细致到每平方米只允许有几滴水滴，不允许有一个苍蝇这样的地步。环境卫生的承包者若不能达到这个标准，那就被视为违反合同，就会受到惩罚。

第六，为了提高社区服务效率和服务质量，在一些发达国家如英国、荷兰、美国等，已经开始由原来政府主办服务转变为政府花钱购买服务，实行“契约制”和“委托制”，鼓励社区服务的多元化，目的就是从单一的政府全包型向综合经济型的转变，努力建立一种多种经济成分的社区服务模式。政府与社区服务机构之间要建立的是一套讨价还价似的合同购买关系、契约关系，委托提供社区服务的社会组织必须按合同办事，否则，就要按违反合同处理，违反者要承担相应的法律和民事责任。社区服务中的这种“委托制”和“契约制”，有利于提高社区服务效率，同时它又把社会福利服务结合起来了。这种社区服务的方式很值得我们学习和借鉴。

第七，德国注意发掘受助者的潜能，强调“辅助原则”，也就是说他人的帮助和社会的政府的资助都是辅助性的，而受助者自己要自助、自强、自立，不要单纯依赖政府和社会。德国强调有问题首先要自己解决，自己解决不了的再由家人解决，然后由朋友解决，最后才找政府或者社会团体。德国的这种做法对于解决福利国家的财政负担问题，增强社区照顾的生命力有十分重要的意义。

（二）
我国社区服务的实践

我国的社区服务的发展是改革开放和市场经济的产物。在“文化大革命”前，民政工作主要解决老百姓的日常生活问题，民政工作在政府工作中是重要的。70—80年代中期，民政工作基本上和以前一样，就是发发钱、拜拜年，给民政对象发放补助，逢年过节慰问孤寡老人，其他的服务基本上是没有的。我国的社区服务从1986年开始起步，大体经历了如下阶段：

第一阶段，从1986年至1987年为开始阶段，基本局限于为民政对象的服务。改革开放以来，城市人口增加、人口老龄化严重，随着旧城改造，出现了一些新的社区，旧的社会服务跟不上形势的发展，满足不了居民的日常需要。于是，民政部在1986年就提出了在城市中开展社区服务的构想，各地民政部门开始了试点。1986年5月23日，北京市民政局向民政部提交了《北京市民政局关于发展社会福利网络三年规划的报告》，提出了总的构想是："经过三年努力，逐步建立起具有中国特色和首都特点的四个层次（市、区县、街道、居委会)、两条战线（老年人、残疾人)，以街道网络为重点的社会福利体系，争取使北京市的社会福利事业达到全国城市福利事业的先进水平。"提出了市一层、区一层、街道一层、居委会一层的具体规划，其中对街道一层提出的要求是，凡是客观需要而又有条件的街道都要在已建立的福利厂的基础上，再建一院(敬老院)、一所（残疾儿童寄托所)、三站（老年人活动站、老年人服务站、精神病人工疗站)，形成网络。北京市西城区在1987年投入了65万元，建成了有四条服务线（为老年人、残疾人、精神病人和烈军属服务）和三方面服务内容（生活服务、康复服务和文化娱乐）的社会福利网络，每个街道建立了一所敬老院和精神病人疗养院。三年任务，一年完成。在北京市率先完成了三年规划任务。在天津市和平区，从1987年就开始了社区志愿者服务活动。这一阶段的社区服务还没有充分展开，从服务内容来说，这个社区服务还是和以前的民政工作没有什么区别，就是以福利对象为主的服务。

1987年，民政部在武汉召开了全国城市社区服务工作座谈会，对各地的经验作了总结，界定了社区服务，并且指出了社区服务今后发展的方向。

第二阶段，从1988年至1991年6月为发展阶段，社区服务的对象由民政对象扩大为社区居民的便民利民服务和与企事业单位的双向服务。从1987年武汉社区服务工作座谈会以来，全国各地的社区服务有了很大的发展。为了进一步总结经验，民政部在1989年9月在杭州召开了社区服务工作经验交流会，交流了各地社区服务工作的经验，提出了今后开展社区服务工作的主要任务和具体措施。

在各级政府部门的倡导和支持下，各地的社区服务得到了迅速发展。就北京市西城区来说，在第一阶段建立的社区服务设施规模小、布局分散。为了进一步搞好社区服务，在地点选择和设施规模上还需要改进，这就需要建立多功能、全方位的社区服务中心。于是，区长带领相关的人员到每个街道现场办公，解决社区服务中心的地点选择和设施规模问题，在区长的亲自过问下，当场拍板定案。1988年8月30日，西长安街街道社区服务中心落成，到1988年底，西城区建立了6个社区服务中心。到1991年6月，全区投入资金500多万元，10个街道都建立了社区服务中心，总面积6000多平方米，最小的360平方米，最大的1050平方米。与之相配套的社区服务分中心23个，各类活动站1331个，便民服务网点4000多个。在这一阶段，社区服务发展的主要标志是全区10个街道社区服务中心的建立，社区服务中心的建立对全区的社区服务业起到了很好的指导、示范作用。在设施建设上，西城区可以说是全国领先的。

在运营机制方面，这个阶段的主要成绩是在北京市西城区西长安街街道探索出了社区服务社会效益和经济效益双承包的发展模式，突破了过去单纯由政府负担的模式，发挥了社区服务自身的造血功能。这种把有偿服务和低偿服务、无偿服务结合起来，用有偿服务补偿无偿服务的做法得到了北京市原副市长何鲁丽的肯定。

在管理机制方面，1988年，北京市西城区成立了社区服务指挥协调委员会，由副区长任主任，民政局长任副主任，成员是各个街道主任和工青妇组织的负责人。1991年又改为社区服务领导小组，区长是组长，副组长是主管区长和民政局长，还有区里的副书记和文明办主任，成员扩大了，把工商、税务、房管、卫生、物价局的一把手也吸收进来，加强了对社区服务的协调领导。

从1988年开始，我国的社区服务才能叫作现在意义上的社区服务，它突破了单纯服务民政对象的狭隘界限，开始了面向全体居民的服务和街企、军民、警民共建的模式。1991年11月，民政部在北京召开了全国社区服务工作研讨会，开始从理论上对社区服务的内涵、地位、作用和组织管理及进一步发展问题进行研讨，标志着这个时期的结束。

第三阶段，1992年至1998年为进一步完善阶段。此时，以邓小平的南巡讲话为契机，在已经建立了社区服务硬件设施的基础上，我国的社区服务网点得到了进一步发展。到1994年，全国共建有社区服务设施8.9万个，便民利民服务网点16.9万个，分别比1989年杭州会议时增加了2万个和5万人。全国城市社区服务队伍也在不断壮大。到1994年，全国已经有专职服务队伍41.4万人，兼职队伍34.3万人，其中仅离退休人员就近20万人。社区志愿者队伍也在扩大。1994年，在全国注册登记的社区志愿者组织54380个，志愿者人数315.4万。经常接受社区服务的居民达到7000多万人。社区服务的内容也由单一向多元化方向发展，具有福利性的服务，如有托老养老服务、优抚对象服务和为一般居民的服务都已经形成了系列化，并且摸索出了一条有偿、低偿和无偿相结合的社区服务新路子，创建了阵地服务和互助服务、经常性服务和临时服务、专职服务和志愿者服务，以及军警民共建、街企共建等等新形式。这个阶段社区服务的主要特点是逐步向“规范化、产业化、实体化、社会化、行业管理化”方向发展。

第一，社区服务趋于规范化。随着社会主义市场经济的建立和社区服务的发展，社区服务日益受到党和政府的重视，社区服务的地位和作用日益显露出来，它已经成了解决再就业、稳定社会、解决经济与社会协调发展的重要举措，所以，从国家民政部到北京市政府都制定了一系列促进社区服务发展的有力措施。1993 年 8 月 27 日，民政部会同国家体改委、财政部、劳动部等十四部委颁布了《关于加快发展社区服务业的意见》；1994 年 12 月 25 日，民政部部长多吉才让在全国社区服务经验交流会上作了《提高认识，加强领导，推动社区服务业的全面发展》的讲话，副部长阎明复作了《大力发展社区服务业，建立健全城市社会福利服务体系》的讲话，对社区服务的范围、目标、指导思想、措施等都作了阐述；1991 年 4 月 9 日北京市政府发布了《北京市社区服务设施管理若干规定》的政府令，对社区服务设施的用房、资金及税收方面的优惠和社区服务设施的用途都作了专门规定；1992 年 1 月 8 日，北京市物价局发出了《北京市物价局关于社区服务设施有偿服务收费问题的通知》，对有偿收费的六大项目作了规定；1992 年 7 月 10 日，首都规划建设委员会办公室发出了“关于在《新建居住区公共设施配套建设的规定》中增设社区服务设施指标的通知”；1993 年 12 月 4 日，北京市城乡建设委员会发出《关于住宅小区配套建设项目若干规定的通知》；1994 年 12 月 23 日，北京市人民政府颁布《关于在本市新建改建居住区公共服务设施配套建设实行指标管理的通知》，对新建改建居住区中托儿所、幼儿园、小学、中学、卫生站、综合文化活动中心体育场、社区服务中心等的千人指标、一般规模、设置要求都作了明确的量化的规定；1995 年 12 月 22 日，北京市人民政府办公厅印发了

《市民政局关于加快发展北京市社区服务业意见的通知》；1996年1月，北京市民政局制定了《“九五”期间北京市社区服务事业发展规划》。这一系列的政策法规对于规范社区服务业的发展起了重要作用，标志着社区服务业进入了规范化的发展阶段。

第二，社区服务业向产业化、实体化和社会化方向发展。到1994年，全国建有社区福利服务实体2584个，从1989年到1994年总共创造产值81.7万元，实现利税9.3亿元，其中由投入社区服务业的资金2.8亿元。在北京市，1991年之后，西城区各个街道都开始注重两个效益，在注重经济效益的基础上发挥社会效益。到1994年底，西城区已经有6个街道的社区服务中心开办了经济实体。1991年全区社区服务创收50万元，1992年，全区社区服务创收102万元，1993年达到152万元，1994年创收187万元，1995年创收204万元，1996年创收280万元，1997年1—10月创收350万元。有了经济效益作基础，社会效益也更大了。他们把社区服务创收的一部分用于社区服务，创收追求的是福利性，创收的钱用于民政对象的救济。1992年他们为民政对象投入了6万元，1993年为13万元，1994年为26万元，1995年为36万元，1996年为42万，1997年1—10月为69万元。所谓社区服务的社会化，是指在社区这个地区社会中的一切单位和个人都要参与社区服务，充分挖掘利用社区资源，做到有钱出钱，有力出力，有办法出办法，学校的操场、社区单位的浴室、图书馆、健身房、医务室、游泳池都应对外开放。北京市西城区德外街道的裕中西里小区就很好地做到了这一点。

第三，社区服务开始向行业管理发展。行业管理是指通过行业协会对本行业的咨询、指导、协调和监督，是指通过制定行业公约，规范本行业的生产经营行为，保证行业自律，维护其自身的利益和社会形象。它不是政府行为，也不是行业内部的条条管理，这种管理具有民间性质。截止到1994年，全国许多城市都成立了社区服务协会、社区服务发展促进会、社区服务公司等中介组织。全国有327个市、县制定并实施了《社区服务管理办法》和《等级管理标准》，规定了行业标准、服务项目、收费价格、监督管理、职业道德等环节。有的地方还制定了社区服务指标体系。这些措施，为促进社区服务质量的提高和两个效益的取得起了重要作用。比如，北京市西城区的社区服务业在走向产业化、实体化的同时，为了加强行业自律，更好地处理好经济效益和社会效益的关系，也于1992年引进了行业管理模式。1992年，北京市西城区社区服务协会成立，10个街道也成立了协会分会，成为协会的团体会员。协会申办了具有法人资格的经济实体——社区服务开发公司。在条件成熟的街道也成立了分公司。公司负责对分公司的指导、协调、监督和服务，分公司接受公司的业务指导和协调，并根据承包契约上缴一定的管理费。行业管理成了行政管理和法制管理的有力补充，对于促进社区服务的发展具有重要意义。

在政府的高度重视和社区服务工作者的努力下，从1987年开始社区服务设施建设，经过三个阶段，历时10多年的时间，到1997年底，我国的社区服务事业有了很大的发展，形成了自己的特点。在北京市西城区，每个街道都已经建成了具有一定规模的社区服务中心，还建成了30个街道社区服务分中心，10个街道级敬老院，1个聋儿康复中心，老小饭桌26个，居委会卫生保健站24个，各个类型的幼儿园95所，便民服务网点1357个，总投资在1100万元以上。在软件方面，西城区的社区服务已经形成了包括老年人服务、优抚服务、残疾人服务、社会福利服务、中介服务、教育服务、少儿服务、便民利民服务婚姻服务、文化体育服务在内的15个服务系列，可谓成绩斐然，并形成了具有大城市中心区社区服务发展的基本特点。

第四阶段：社区服务和社区建设相结合的阶段。从1998年开始，在民政部发起的社区服务的基础上，全国范围开始了以社区服务为中心的社区建设和社区发展阶段，并把它与社会全面发展和可持续发展紧密联系在一起。经过十多年的发展，我国的社区服务已形成了自己独具特色的运行机制。

第一，在社区服务上加强了政府的宏观调控力度。

政府主要在资金投入、设施规划、机构设置、组织协调等方面加强了自己的宏观调控力度。近几年，各级政府把社区服务当作政府工作的龙头来抓，始终贯彻了“为民解愁，为国分忧”的思想，提高各级政府各个职能部门和街道办事处干部的思想认识。政府还号召各个职能部门要挖掘各种资源，找到与社区服务的切入点和结合点，为发展本地区的社区服务作贡献。政府在财力并不雄厚的情况下也尽量拿出一部分资金投入到社区服务的事业中去，并支持为了社区服务筹集资金所进行的有奖募捐活动。

为了把社区服务工作落到实处，各级政府还把社区服务纳入了国民经济和社会发展“九五”计划和2010年远景目标。在年度计划中，各级政府也把社区服务工作列入了政府工作的日程。在政策方面，《中华人民共和国营业税暂行条例》中规定了对社区服务中的育婴托儿、养老院、残疾人福利机构、医疗保健、婚姻介绍、殡葬服务等项目的收入免征营业税。对敬老院、民政部门管理社会福利性质的老年人活动中心、老年公寓等设施实行固定资产投资方向调节税零税率。对于独立核算的居民服务业，新办的劳动就业服务企业，经民政部门批准兴办的福利生产企业，经税务部门批准可以享受财政部、国家税务总局财税字（94）001号关于《企业所得税若干优惠政策的通知》中规定的优惠政策。这些政策的实施，对于社区服务业的发展起到了极大的推动作用。

第二，把以设施为基础的阵地服务和以志愿者为骨干的社会互助服务结合起来。

硬件设施是社区服务的重要载体和基本阵地，没有一定的硬件设施是不行的。在我国，一般在每个城区都建有一所规模比较大的社区服务中心，在每个街道也都建有规模不一的社区服务中心，同时建立养老院、残疾人康复中心等。在有的地方，由几个居委会共同建立社区服务分中心，以解决街道太大、人员太多、单一的社区服务中心不能满足居民物质文化需求的局面。在居委会一级，硬件设施的建设一般是一些规模比较小的设施，如老年人活动站、青少年校外辅导站、残疾人之家等，满足了居民最急切的需要。这些服务设施的建立充分发挥了便民利民的服务功能，满足了不同层次的社区居民的物质文化生活需要。但是，这种硬件设施的建设要受一定的经济发展水平的制约，因此，单靠硬件设施的建设还难以满足广大居民的物质文化生活的需要，还必须把这种硬件设施的阵地服务与社会志愿者的互助服务结合起来，发动社区居民积极参与到社区服务中来，把每个社区居民都变成服务者和被服务者，变成社会互助服务的主体，动员社会力量和社区居民广泛参与到社区服务中。为此，社区服务志愿者组织也应运而生，邻居互助、楼院互助、庭院互助、胡同互助服务广泛开展起来，社区内的党政机关、群众团体、企事业单位、居民群众都发动起来，设施服务和社会互助服务有机结合，各自发挥了自己的优势，社会互助服务也弥补了硬件设施的不足。

第三，把对民政对象的物质关怀和精神安抚结合起来。

对民政对象的福利服务是社区服务的重要内涵。在我国，在经济不断发展的基础上，对民政对象的服务已经不满足于单纯的物质支持，而且把它与精神安抚结合起来。在使他们物质生活水平不断提高的同时，提高他们的精神文化生活水平。

首先要给予他们物质的关怀，使他们的物质生活水平不断提高。比如北京市西城区现有各类民政对象 11000 多人，其中生活困难急需从经济上给予帮助的有 1000 人，其中有烈属孤老、伤残军人 234 人，月人均生活费 250 元；社会救济对象 406 人，月人均生活费 50 元；地方退休人员、遗属孤老、残疾人特困户等近 400 人，月人均生活费 120—140 元。对于这些生活困难的群体，政府已经在现有财力的情况下数次调整定补，但仅靠政府补助是不够的。于是，西城区把扶贫帮困推向了社会，动员社区内社会各界的参与，他们采取签订协议的形式，动员社区内各个热心扶贫帮困的单位对民政对象实施长期的经济资助。在西城区的 74 个中央、市、区属单位分别与街道办事处民政科、居委会、民政对象签订了协议书，承包了 236 个生活困难民政对象，使他们的月生活费提高了 20—50 元。复兴商业城、百万庄园实业总公司、中国保险公司、中国银行、中信实业银行北京分行、新街口个体协会、全国政协、新华社、商业部、西城区教研中心都积极签订协议，帮助困难户解决实际问题。实际问题解决了，物质生活水平改善了，吃饭穿衣不愁了，对于民政对象来说，还有个精神愉快的问题。这些民政对象大都老弱病残，“手中有钱购物难”，使他们的生活缺乏快乐，有些压抑，他们在得到物质关怀的同时，也渴望精神的安慰和精神娱乐。为此，西城区社区工作者组织他们外出参观、学习、旅游、疗养，使他们了解社会，娱乐人生。在机关、学校、街道大力宣传革命烈士、伤残军人、老复员军人及现役军人的光辉业绩，在街道、社区群众中形成一个尊敬、爱戴优抚对象的社会氛围，社区工作者还组织一些优抚对象演讲团，通过对青少年的革命传统教育，反过来教育优抚对象自身，提高他们的精神生活质量，增强他们的荣誉感和自豪感，使他们得到精神上的满足和愉快，这样，老弱病残就不是一个物质匮乏、行动不便和被社会抛弃的群体，而是受到社会关怀、享受到家庭一般温暖、物质和精神生活都充实的社会平等的成员。

第四，在投资机制上，把社会集资和政府资助结合起来。

坚持社会集资为主，政府资助为辅，把这两者有机地结合起来。这是我国社区服务投资运行机制的一个重要特点，强调建立多层次、多途径、多种经济成分并存的社区服务业投资体制。

在我国目前经济发展水平还不是很高，国家还拿不出更多的资金建立更多的服务设施的情况下，坚持“社区服务社会办”是政府的一个重要方针。这也是由社区服务的福利性、社会性、便民性的特点决定的。北京市西城区七个街道的社区服务中心的资料表明，在累计投资278万多元中，其中市民政局投资28万元，占总投资的10%；区民政局投资40万元，占14%；街道自筹125万元，占45%；社会集资85万元，占31%；政府投资只占了24%，不到四分之一，其余全为街道自筹和社会集资。在对社会救济对象和民政对象的资助中，社会力量的捐资帮困也超过了政府给予的定期补助。街道自筹包括社区服务中心和各个社区服务网点有偿服务所得，社会集资包括有奖募捐等。

第五，在经营运行机制上，以有偿为主，坚持有偿服务和无偿服务的结合，坚持经济效益和社会效益的统一。

提高合理收费，社区服务部门才能积累自我发展的资金，以便更好地发挥自己的社会效益。在北京市西城区，1994年，西长安街、新街口两个街道的社区服务的29个服务项目中，有偿服务4个，占13%；低偿服务项目8个，占27%；无偿服务项目17个，主要是居民文化娱乐、便民服务等，占58%。有偿和低偿服务的年收入为36万元，其中为无偿服务补贴8.5万元，占总收入的23%，受益人数高达20多万人。目前，有偿服务的比例还不是很大，随着社区服务的发展，将发展以有偿服务为主的社区服务形式，改变社区服务收费偏低、发展资金不足的问题，对民政对象实行价格优惠；对社区一般居民，除国家有特殊规定的以外，价格和收费标准完全放开，实行市场调节。这是一个发展趋势。1999年9月22日，《北京晚报》第25版刊登了北京市部分社区服务的最新报价。

服务项目	服务内容	价　格
护理婴幼儿	以护理3周岁以内婴幼儿为主，兼做一般家务	480元/月
护理老人	以护理老人为主，兼做一般家务	480元/月
家庭护理病人	以在家庭护理生活不能自理的病人为主	680元/月
医院护理病人	以在医院护理病人为主	780元/月

（注：如客户不提供食宿，则每月还要加收200元，包食不包宿，每月加收120元。）

下表则是钟点工服务最新报价：

服务项目	小时	价格	附注
各科家教	1小时	20—60元	退休或在职教师
搞卫生做饭	1小时	5.00元	每周3次以上
搞卫生做饭	1小时	6.00元	每周3次以下
用抹布擦地板	1小时	8.00元	1小时起价
接送小孩	1小时	7.00元	1小时起价
临时及非家庭用工	1小时	10.00元	2小时起价
休闲服务	1小时	30.00元	1小时起价
装修后卫生	1小时	15.00元	2小时起价

下表是部分养老院的收费标准和其他条件：

设施名称	床位数	收费标准（元/月）	住宿条件
八大处老年公寓	150	500—800	楼房　2人间
常青老年公寓	200	550—1000	楼房2－3人间
福寿园养老院	80	530—900	平房2人间
大兴社区中心老人服务中心	30	500—1000	平房2人间
双柳巷社区中心老年服务中心	80	550—1500	楼房1－3人间
怡园老年公寓	75	600—1200	楼房1－2人间
马驹桥敬老院	100	400—850	平房双人间
梨园敬老院	56	450—700	平房双人间
台胡敬老院	64	500—700	平房双人间

但是，笼统地提社区服务产业化也是不对的，对于便民利民服务和街企的双向服务可以实现产业化，对于民政对象的福利服务还是应该以无偿或者低偿的服务为主，所以我们说，无论在哪个地区，我国社区服务的运行机制不是单一的，而是双重的，都要包括面对社区居民和企事业单位的产业化服务和包括特殊困难群体的社会化服务这两种运行机制。

·第三节·

中国的社区服务与国外社区照顾和社区服务的比较

中国的社区服务从1986年算起到现在，也不过14年的时间，它还在发展，不过，就这十几年发展的情况来看，也已经形成了具有自己特色的运行机制和管理机制，所以我们试图把中国的社区服务和国外的，尤其是英国的社区照顾作一个比较，从中找出相同点和不同点及其原因，为的是借鉴国外社区服务发展的先进经验，洋为中用，以促进我国社区服务业的发展。

（一）
相似点

1. 目的有相似点

无论是社区照顾还是社区服务，目的都是为了为老年人、残疾人和儿童等需要社会照顾的群体提供服务与支持，使他们能像正常人一样生活在自己的家庭或家庭所在的社区，使他们能像正常人一样过上正常生活。1990 年，英国颁布了《国家健康服务与社区照顾法令》，该法令指出："社区照顾是对老年人和残疾人所提供的服务和供养，以便使他们尽可能过上独立的生活。其目标是在他们自己的家或'像家似的'环境中供养人们。"在美国，社区服务组织的最初兴起是与振兴衰败的社区、救济穷人密切相连的。比如美国纽约 1967 年成立的"市长志愿者行动中心"，它的一个重要职能就是为老弱病残孤服务。我国社区服务的目的也有这方面的内容。1994 年 12 月 25 日，民政部长多吉才让"在全国社区服务经验交流会上的总结讲话"中也明确指出了"社区服务业的发展目标是：逐步实现社区老有所养、幼有所托、孤有所抚、残有所助、贫有所济、难有所帮。同时，通过开展社区服务，要达到解决社会问题，调节社会关系，缓解社会矛盾，促进社会公平，维护和保障人民群众基本生活权益的目的"。

2. 兴起的背景上有相似之处

无论西方国家还是中国，发展社区服务都有重建社区的目的。现代城市的兴起和现代社区的发展打破了过去那种由血缘关系为纽带和基础的自然的社区的联系，在自然社区里面，人与人充满了亲情，人们世代居住在一起，守望相助。而现代城市社区则打破了居住在一起的人们的血缘关系，居住在一起的人没有或很少有血缘关系，甚至没有工作关系，很少产生联系，人与人几乎视同路人；现代人居住环境不断变动，居住在社区里的人由于职务升迁、工作变动、子女入学等等原因而不固定，他们对社区只负有限责任，使现代人由于缺乏相互联系、相互帮助而变得更加脆弱，现代人对社区的归属感和社会团结感在减弱。为了改变这种状况，为了使人际和谐、人际之间的亲情和互助不至于因现代城市的发展而丧失，为了增强现代社区的吸引力、凝聚力，西方的社区照顾和我国的社区服务也就发展起来了。在社区内的照顾可以使被照顾者提高自己的生活质量。院舍的远离社区的照顾往往使老年人感到孤独和被社会抛弃。美国的研究表明，那些居住在由政府资助的 NORC 里的老年人往往更衰老、更孤独，也更具依赖性，他们常常经历由于年老造成的恐慌，而在社区内照顾则可以使这些老年人过上正常的生活。还有一点，现代家庭老年人增多，子女家庭照顾负担太重，成年子女面对照顾较多老年人的压力和紧张，社区服务是减轻子女压力的必要的补充。

3. 政府发挥作用方面有相似性

无论在社区服务方面的法规政策的制定，还是社区服务的倡导组织方面，英国和在中国一样，政府都起主导作用。

英国在实行福利制度时期，政府的作用是十分明显的。在政府改革福利制度、推行社区服务的过程中，政府的作用仍然是十分明显的。这首先表现在政府制定的一系列的法令和政策上。1989 年，英国政府就发表了《公众照顾》白皮书。1990 年，英国健康部颁布了《照顾白皮书》和《国家健康服务与社区照顾法令》，该法令规定了社区照顾的主要目的、运行机制，规定了健康照顾和社区照顾的区别与联系，明确了住宅与社区照顾的关系，以及社区照顾的财政安排、监督和评估等一系列问题，在1993年正式实施。在英国，政府的主导作用还表现在社区照顾的运行基本上是由政府提供资金的。而且，在社区照顾的具体运行过程中，也离不开政府的支持，社区照顾的监督主要就是由政府实施的。在美国，提供大量社区服务的社区发展合作组织（CDC）在卡特执政时期，每年得到政府26亿美元的支持。他们也认为，如果没有政府在财政上的支持，CDC肯定会陷入失败的泥潭，因为这些社区发展合作组织是不以营利为目的的。

在我国，社区服务也是由政府倡导的，并得到了政府在政策、财政上等各个方面的支持。我国的社区服务最初就是由民政部在1986年提出，然后在全国各地由各级政府部门逐级落实的。之后几年，民政部和其他部委一起也颁布过有关社区服务的法规，进一步规范社区服务的发展。各个省市一直到各个街道也都制定了促进社区服务发展的具体政策。没有政府的主导、倡导和引导，我国的社区服务不可能这样快的发展起来。在我国，政府的主导作用还表现在各级政府为社区服务的场地、为硬件设施的建设提供了一定的资金，鼓励有关部门为社区服务的发展发行彩券，为社区服务制定减免税的优惠的政策。此外，各个街道还成立了社区服务办公室，指导、监督、扶持、规范社区服务的发展。

4. 对象有相似点

在英国，社区照顾的对象基本上是那些老弱病残，也就是那些年长的、有精神疾病的、智力残障的、有身体或感官障碍的人，儿童也包括在内。英国1989年颁布的《儿童法》规定，国家支持对儿童的家庭照顾，地方管理者要为有孩子的家庭在社会和经济资源方面提供照顾支持，包括对16岁以下的儿童提供免费教育。德国也和英国一样，主张对儿童提供社会照顾，帮助有孩子的家庭抚养孩子。德国法律还规定，为所有3—6岁的儿童提供幼儿园、课后照顾和儿童指导。对于必须在家里接受照顾的，法律规定提供的社会和教育支持应达到20小时/周。我国香港地区的社区照顾基本上也是针对老弱病残者、针对释囚的感化改造而实施的。在我国，社区服务最初就是由民政部门对老年人、残疾人和优抚对象的福利服务发展而来的，在新时期的社区服务中，尽管服务的内容已经大为扩展，但为这部分人的服务仍是社区服务的重要内容。

5. 提供者有相似点

无论是英国的社区照顾，还是我国的社区服务，都强调利用社区资源在社区内提供照顾和服务。英国是把受照顾者由院舍回归社区，利用社区内的人际关系网为受照顾者提供顾和服务。在我国，主要的是由过去的家庭照顾，变为在新形式下利用社区资源，包括社区内的硬件设施、人际关系网络为受助者服务，变过去单纯的家庭照顾为家庭和社区共同照顾。社区服务的提供者都包括专业人士和社会志愿者、家人和邻舍，以及亲朋好友。

6. 内容有相似之处

英国的社区照顾和中国的社区服务在服务内容上有相似点，都既包括物质的、吃穿住行方面的服务，也包括医疗卫生、文化教育、体育和康复方面的服务。基本上是受助者需要什么服务，就提供什么服务。

7. 运行机制方面有相似点

无论是西方国家还是中国，都强调社区服务的多元经济成分，为的是让社区服务充满竞争，充满生机活力，为的是在公共福利和系统效率之间寻求一种平衡。在英国，“社区照顾计划的实施要求卫生部制定出健康和社会照顾的政策：从供给导向的政策向需求导向的政策转变；从机构性的服务向社区服务转变；从单一的政府全保型向综合经济型照顾转变；从全国性的照顾向地区性照顾转变。”（《国外社区发展的理论与实践》第175页）在荷兰，社会服务也将向市场化迈进，“和其他国家一样，这个进程的结果导致社会服务体系中的多元经济成分，也就是说，营利的与非营利的服务机构同时存在，社会的和私人的保险公司、政府补贴、服务收费和慈善事业将同时支撑这个体系。”（《国外社区发展的理论与实践》第175页）在我国，同样鼓励社会各方面对社区服务的投资，拓宽融资渠道，提倡多元经济成分存在。1994年12月25日，民政部长多吉才让“在全国社区服务经验交流会上的总结讲话”中就指出：要坚持社区服务社会办，“要建立起以社会筹资集资为主、政府辅助为辅的，多层次、多途径、多种经济成分并存的社区服务业投资体制。在政府主管部门的统一规划和具体指导下，鼓励民间组织、个人和海外人士，兴办各类社区服务实体；积极探索民办公助、民办民助和法人投资法人管理等新途径；鼓励社会非经营性的内部福利设施向社会开放，提供各类福利服务。”阎明复同志“在全国社区服务经验交流会上的报告”中也指出：必须“建立起以社会筹集为主，政府资助为辅的多层次、多途径、多种经济成分并存的社区服务投资体制”，具体做法是，各级政府要随着经济发展增加对社区服务业的财政支持；要广泛吸收社会资金和引进国外资金用于发展社区服务业；各级民政部门要增加社会福利有奖募捐对社区服务业的投入，鼓励国有企事业单位、城镇集体经济、民办企业及个人以资金、房产、设备、技术、信息、劳务等形式投入社区服务业；鼓励港澳台同胞、海外侨胞和国外人士、团体、企业在中国兴办档次较高的社区服务设施。建立这样的多元经济成分的社区服务运行体制，为的是引入市场竞争，提高社区服务的效率，使受助者达到更满意的服务。

（二）
相异点

1. 背景不同

在英国，社区照顾是作为福利制度和院舍照顾改革的产物出现的。由于长期实行福利制度，导致国家财政危机，人变懒惰；在福利制度下，残疾人、老年人等受助对象都是国家负担的，而且通过特定的院舍为他们提供专门的服务。在欧洲，从事老年人、残疾人和儿童照顾的大型院舍兴建于19世纪，是家庭照顾削弱的结果。在大型院舍里，孤儿和贫困儿童，精神病患者、心理障碍者和老年人、残疾人几乎与世隔绝地被一起或分别照顾。他们不能像正常人一样生活，对他们，尤其是对儿童的成长发育造成严重影响，受助者在精神上感到孤独和脱离社会，而且有被虐待的现象，他们难以像正常人一样生活，为了使受助者和正常人一样有权利有资格正常生活，利用社区资源、在社区内照顾的社区照顾就应运而生。所以，在西方，社区照顾有使这些人的生活“正常化”的意图。社区照顾达到了两个结果，一是受助者回归社区，使社区容纳他们，他们在社区内享受到和正常人一样的正常的生活，政府可以利用社区内的硬件设施和人际网络资源——包括邻居和家人——为受助者提供照顾；二是摆脱了完全由政府负担的状况。在英国和西方其他国家都出现了社区照顾的多元经济成分。它既有地方管理部门提供的社会服务，也有由志愿者组织、非营利组织和私人组织提供的各项具体服务，具有多种经济成分的特征。

在我国，社区服务是改革开放的产物，是实行经济体制改革和社会主义市场经济的结果。在计划经济条件下，单位办社会，职工的工作和生活都与单位有关，职工所在的企事业单位承担了职工生老病死的一切，人是单位人，而残疾人和优抚对象基本上是由政府的民政部门负担的。经济体制改革使企事业单位办社会的状况得到了改变，人从单位人变为社会人，企事业单位办社会的功能逐步剥离出来回归社会，社区就成了这些职能的承担者，于是，社区服务应运而生。我国的社区服务承担的不仅是民政对象的服务，而且还包括全体居民的服务，是适应这两者的需要产生出来的。

2. 发展程度不同

西方的社区照顾作为西方福利制度的一部分，其发展较为成熟。不仅有关的法律法规比较完备，而且由于经济发展水平比较高，所以各方面的硬件设施比较齐全，软件服务也比较到位，基本上是受助者需要什么就提供什么样的服务。在我国，社区服务处于不成熟阶段，有关社区服务方面的法律法规不完备，硬件设施由于受经济发展水平的限制而相对较弱，各地的发展，甚至一个城区的不同的街道之间的差异比较大，发展很不平衡；在软件方面，基本上是被动服务，而不是主动服务。

3. 内容不同

西方一些国家的情况也不一样，尤其是英国和我国香港地区的社区照顾局限于残疾人、老年人、儿童等这些不能自己独立生活的社会群体，以及一些需要社区感化教育的群体，如释囚等。在英国和香港，他们用的是“社区照顾”（community-care）一词，在美国等国则用“社区服务”（districtservice，“district”这个单词在英语里有区域、地区、管区的意思，和英文的“community”这个单词是不一样的，所以，这里翻译成“地区服务”、“管区服务”可能更确切）一词，英文中的“care”一词就有关心、照料、照顾的意思，而“service”一词则有提供服务、满足顾客需求的意思，范围明显要比“care”一词宽泛，它面对的不是单纯的弱者，而是包括弱者在内的全体居民。不仅包括在社区内照顾和由社区照顾两种方式，也包括市政服务的内容。1990 年，英国健康部在其颁布的《国家健康服务与社区照顾法令》中明确了“社区照顾”的内涵是：“社区照顾是对老年人和残疾人所提供的服务和供养，以便使他们尽可能过上独立的生活。其目标是在他们自己的家或‘像家似的’环境中供养人们。”在美国，社区服务的范畴和英国的社区照顾不同，范围广，内容多，如居民的停车服务、娱乐服务、街道清洁和垃圾回收服务、住宅编码、高速路的维护、下水道的维护修理、警察巡逻服务、老年人的护理，以及社区开发、儿童服务、青年服务等。我国的社区服务类似于美国的社区服务，相异于英国的社区照顾，比英国的社区照顾内容和范围要广泛。我国社区服务的对象不仅包括残疾人、老年人和优抚对象等特困群体，而且包括一般社区居民和社区内的企事业单位，也包括目前由政府部门及其下属公司所提供的市政服务。社区服务对象广泛，社区服务的内容也就更多些和复杂些。

4. 政府所起的作用不同

在西方，政府在社区照顾中所起的作用是很大的。政府不仅制定社区照顾的法律法规，而且社区照顾也主要由政府拨款，具体实施社区照顾的工作人员的工资也由政府拨款，所以，西方的社区照顾可以叫作“官办民助”。在鼓励私营的社区服务上，早在 1980 年，伴随着私立休养院的迅速增长，英国政府就下拨足够的经费给经营者以补贴，使经营者有利可图。在我国的香港地区也是这样，对社区照顾的投资和监督，对社区照顾提供者的工资，都是由国家负责的。在我国，政府也制定一系列促进社区服务的政策法规，对社区服务的硬件设施也给予一定的拨款。但是，由于受经济发展水平落后的限制，政府鼓励多方面筹资兴建社区服务设施，政府的拨款只占少部分，大部分靠社会集资、发行彩券，至于具体的服务报酬则靠有偿的社区服务收入所得，政府一般不予以拨款，所以我国的社区服务可以叫作“民办官助、公助”。政府对社区服务的私营者基本上是给政策，如减免税等，而不给财政补贴。

5. 提供者不同

在西方，社区照顾的提供者都是经过专业培训的专业人员，他们有统一的编制及工资制度，这些人的工资也是由政府支付的，因此可以说，英国的社区照顾是官办的。在荷兰，“大部分家庭照顾的工作都是由受过专业训练的人进行的有偿服务。”（《国外社区照顾的理论与实践》第176页）在我国，社区服务工作者除了社区卫生人员是由专业培训的全科医生和护士外，大都没有或很少经过专业培训，也没有统一的编制，工资由个人提供的社区服务劳动所得，国家不支付工资。有的地方只是对街道的社区服务办公室下一些人员指标，但工资问题不解决，让街道自己解决，这就更不用说一般的社区服务人员的工资问题了。

·第四节·

我国社区服务的发展方向

通过我国的社区服务与国外的社区服务，尤其是与英国社区照顾的比较可以发现，由于历史文化传统和经济发展水平等等的不同，我国的社区服务和国外的社区服务，尤其是英国的社区照顾各有自己的特点，国外的经验有些是暂时不能借鉴的，只能随着经济发展逐步予以解决，有些则是可以借鉴为我国当前的社区服务的发展服务的。据此，结合我国的实际情况，我们提出我国社区服务发展的一些工作建议和对策。

(一)

建立健全社区服务的运行机制

1. 建立完善的社区服务投资融资机制

社区服务的发展资金问题亟待解决，资金问题不解决，社区服务的硬件设施无法建设和维护，社区服务队伍建设难以展开，社区服务水平也就无法提高。

在美国，社区发展的资金一般来源于以下几个部分：(1) 联邦政府的支持。在卡特执政的后期，有 26 亿美元的联邦基金通过各种渠道用于社区发展，1985 年有 16 亿美元，1987 年有 11 亿美元用于社区发展；随着联邦政府的财政紧缩，随着一些州和地方政府开始认识到社区发展在促进当地经济发展和和反贫穷斗争的重要性，州政府和地方政府对社区发展的支持日益重要，如果你是一位社区活动的积极分子，并且付出艰苦的努力，那么，你就一定会得到地方政府的资金支持，一些城市还专门任命了与社区发展组织进行协作的办事人员。(2) 基金会的支持。早在 70 年代早期，福特基金会就对早期的九个社区发展合作组织企业提供了资金支持。(3) 教会支持。许多的社区发展合作组织就是从教堂开始发展的，“上千个地方教会组织，包括郊外一些富裕的基督教堂和犹太教堂为 CDC 活动和事业提供了人员服务、志愿者、集会场所和设备，并动员他们的教民募集资金。” (4) 私人公司和银行。美国的许多公司和银行已经成为 CDC 事业的合作伙伴，比如著名的南岸银行，就是一家致力于社区服务和社区发展的银行，它对贫困人口、贫困社区提供支援，帮助穷人建房，维修住房，发展社区经济，帮助穷人就业，振兴衰败的社区。1975 年至 1986 年，私人公司对社区发展的投入增加了一倍。在丹麦，政府重视社区服务工作。它制定了专门的老年人住房法案。各级政府负责建造老年人住房，如养老院、小型疗养院、提供伙食和服务的老年公寓、老年人收容院等，并由政府负责管理。政府近来也鼓励开展对老年人的家庭服务，在家里接受服务的老年人不像我国那样基本上是自己支付费用，而是由政府支付费用。各地政府为了提高老年人的生活质量，还对老年人提供各种文化服务，这些经费也是由政府支付的。这就是说，在丹麦，老人接受的服务是免费的。这样高的福利待遇与丹麦一直实行高税收、高积累的政策是分不开的。

在英国，社区发展的资金基本上也是由政府提供的。政府兴建社区活动中心，政府给社区服务工作人员统一发工资和津贴。在英国，社区服务的资金基本上来自各级政府的财政拨款，他们的社区照顾基本上是官办的，硬件设施如社区活动中心、老人公寓、暂托处、老人院等都是国家出资兴建的，社区服务者的工资也是由国家支付的，就是那些从事社区服务的民间团体中的专业、专职人员，其工资也是由政府拨款维持的，那些在政府办的社会福利机构中的工作人员的工资更是由政府支付的。社区、家庭在资金上支出很少，所以英国有福利国家的美誉，这是与英国是一个发展比较早、经济发达的国家不无关系。在日本东京，生活福利的资金来源也是分为三部分，即“国库支出金”、向福利设施提供无息或低息贷款的日本社会福利振兴会和退休金福利事业团，共同募集到的社会募捐、福利事业的创收也可以全额用于福利事业的运营。

在澳大利亚和新西兰，政府每年都要拨出专款用于社区服务。奥克兰市政府每年就拨出1600万新元用于社区服务的固定设施的建设，以及老年人服务、残疾人安置、移民服务、房屋补贴等。和新西兰一样，在澳大利亚，白马市华人社区服务中心每年获得政府30万澳元的资助；在悉尼的安老之家的全部费用中，政府拨款占60%。

在我国香港，政府为几乎所有的社区服务提供经费(80%—100%)，所有接受政府资助的服务的人员编制、人员的学历要求和社区服务的硬件设施要求都是统一的。它沿袭了英国社区照顾的办法。

在我国，社区服务的资金是多渠道的。在我国目前经济发展还比较落后的情况下，政府最多提供一些硬件设施的建设资金和地皮，提供一些减免税的优惠政策。资金来源主要是社会福利有奖募捐、各个方面（单位、政府、居民等）的捐助、社区服务业的经营收入，社区服务业的收费是主要的资金来源，这是一种民办公助的模式。在市场经济条件下，以便民利民服务为宗旨的社区服务业要发展，没有政府的政策支持是不行的。这些政策就包括利税返还政策、某些部门的减免税政策、政府资金支持政策等，我们由于经济发展水平的限制，还不能像西方一些福利国家如英国、瑞典等那样主要由政府投资搞社区服务，但是，对这项事业政府也不能完全放任不管，不予以资金支持是不行的。另外，要发展社区服务，我们还要争取银行的支持和各种基金会的支持，还要走以服务养服务的路子。

案例分析：力迈社区服务网络中心。力迈集团是一家股份制民营企业，它既办教育产业，如位于首都机场附近的力迈学校，又投资房地产和科技通讯等，近来又投资社区服务业，提出了“力迈服务，千家万户”的口号。它把社区服务网络化，目前已经在北京建立了数十个网站，计划创建100—200个网站，提供包括文化教育、家庭护理、洗衣、烹饮、保洁、旅游、定票、搬家、房屋中介、医疗保健、汽车租赁等方面的服务。他们力图办成社区服务产业，不要国家一分钱，甚至还要给街居干部发工资。在我国，大部分的社区服务依赖政府，并且没有政府的支持也的确不行，但也要提倡社区服务的产业化，提倡投资实体的多元化，以提高社区服务质量，并且减轻国家的负担。在美国，有 CDC（社区发展合作组织）这样为社区发展、社区服务争取各种基金、承办各种社区服务实体的组织，它能同时扮演慈善家、资产拥有者和社区组织者的角色，同时还能够取得政府、公司、慈善机关和宗教界的支持与合作，热心于社区服务，尤其是热心为贫穷社区服务。在我国，为了促进社区服务的发展，我们也应该鼓励更多的像力迈集团这样的民营企业转向社区服务业，以提高社区服务业的发展水平，让更多的社区居民从中受益。

2. 发挥政府的主导作用

在社区服务方面，政府应该发挥什么样的作用，这是一个有争论的问题。有的认为社区建设的目的就是实行居民自治，构筑“小政府、大社会”的模式。所以，应该充分发挥居民的积极性和民主精神，政府应当少管，最好的政府就是无为的政府。所以有的提出了不同意“政府主导”的提法，而认为应该提“政府倡导”或“政府引导”。有的认为，在社区建设方面，政府不能放手不管，相反，应加强政府的管理职能。到底哪一种观点对呢？

我们认为，在我国，强调政府的主导作用原因在于：我国是个发展中国家，居民的文化素质、民主素质、文明程度相对较低，他们没有政府的主导还难以充分发挥自助互助的社区服务，这是其一；其二，无组织的社区居民不可能自发地搞好社区服务，如果政府在社区服务伊始就撒手不管，而社会中介组织由于各种原因又没有发育起来，那么社区服务是无法展开的。在我国，社会中介组织的不发展，是我们强调政府主导的第二个原因。所以，在社区建设、社区服务的开始阶段，政府的作用不但不能削弱，而且还要加强。当然，社区建设将来的发展目标要向“小政府、大社会”方向过渡，从政府主导向政府倡导和政府引导过渡。但是，就目前我国的实际来说，社区建设、社区服务方面的进步却离不开政府的积极参与和支持、培育、扶持。在我国一些地区，政府在动员居民参与社区服务活动方面的作用是不可忽视的。街道工作人员主动到社区调查居民所拥有的服务技能和意向，提供服务的时间，以及居民本身所需要别人提供的服务，在此基础上组建社区服务队，形成社区服务支持网络，取得了很好的效果。事实说明，哪里的社区服务搞得好，哪里的政府肯定是重视的。在上海，市委书记黄菊在1996年曾经亲自到各街道调查三个多月的社区建设问题。在河北省石家庄市，市委办公室就下设社区办公室，理顺社区建设中的各种关系，大大促进了社区服务业的发展。青岛市四方区的社区服务在全国也是闻名的，原因是多方面的，但首要的一条就是领导重视，首先是这个区的主要领导的重视。这个区的区级领导每人都联系了两个居（家）委会，区机关各个部门则实行了包点制度，并把一百名年轻干部充实到社区中去。大连市也是社区服务的模范城市，这与这个市的市长亲自抓、重点抓不无关系。在我国，政府主导、领导重视是我国社区服务发展的主要推动力，所谓的“老大难，老大难，老大去抓就不难”。当然，我们在这里也绝对没有忽视群众参与的意思，政府主导和群众参与是不矛盾的，而且是相辅相成的。

要达到“小政府、大社会”的目标，先要充分发挥政府在扶持、培育社区服务业中的作用，先要培育社会中介组织，让其在社区建设和社区服务中发挥应有的作用，这样政府在社区建设和社区服务中的职能才能逐步弱化，也就是说，居民先要被组织，才能达到自组织，这个辩证关系必须认识清楚，这个过程是逐步的、渐进的，拔苗不能助长。

3. 建立健全社区服务的评价和监督机制

西方国家一般都注意对社区服务的评估和监督。一些国家在政府购买非政府组织提供的社区服务时，都要签订一定的合同，规定要达到的标准，接受政府的监督。达不到标准，就算违约，是要承担法律责任的。在我国，社区卫生是有明确的监督机制的。比如北京市月坛街道的社区卫生，是由北京医科大学、首都医科大学和国家卫生部有关专家组成的顾问团，每半年对社区卫生服务的工作运行情况进行评估，以指导社区卫生的发展。此外，由于大多数社区服务不是由政府购买的，而是自负盈亏的，所以，政府缺乏对社区服务的质量监督，而是通过定期或者不定期的评比，鼓励和表彰先进。虽然有关规定要求不分地区按人口建设相应的硬件设施，但在实际的操作中，重视提高、不重视普及的现象比较严重，这种工作方式，人们通常称之为“捞饺子”，熟的捞上来了，不熟的又沉下去了，导致先进的更先进，而落后的也缺乏激励和制裁措施。为了促进社区服务的发展，避免出现“盲区”和空白点，我们也应该学习西方的一些做法，制定严格的行业标准，先普及，后提高，对社区服务要采取严格的制裁和监督措施，避免出现两极分化现象，以促进我国社区服务的共同发展。同时，把知情权和监督权交给社区居民群众，倾听他们的呼声和监督，一切以人民群众满意不满意为最高准则，这也是发扬社会主义民主的一种重要形式。

4. 规范社区服务，健全政策法规

没有规矩不成方圆。社区服务要健康发展，就必须规范，也就是说必先健全法律法规。社区服务要健康发展，没有完善的政策法规是不行的。我国目前关于社区方面的法规、条例还很不健全，现有的政策法规不明确，操作起来比较困难。无论是新加坡还是日本，还是美国，它们的社区服务井井有条，一个重要的原因就是重视社区法规建设。日本、新加坡法规多如牛毛，涉及到社会生活的方方面面，人们的一切生活行为都有章可循，有法可依。新加坡的精神文明搞得好，一个重要原因就是管理严格。各种法规详尽而具体，应该做什么，不应该做什么，合法与非法，罪与非罪，都规定得一目了然，易于操作。不仅如此，法规执行得也很好，这不仅是人们的文明程度高，而且也是执法者素质高的一种表现。社区服务的法规建设是社区服务发展的一个重要的界标。我们应该借鉴国外一些好的经验，以便使我国的社区管理更加规范化，同时要加强执法，做到有法可依，有法必依，执法必严。这尽管是老生常谈，却是我国一直没有很好地解决的老问题。为了规范社区服务业的发展，不仅需要完善发展社区服务业的有关条例和办法，而且要加强行业管理，制定行业管理办法和行业章程，促进社区服务业本身的自律。管理出文明，社区文明的建设、社区服务的完善也同样离不开详尽的规章制度，离不开严格的有条不紊的管理。

（二）
重视社区服务队伍建设

1. 对社区志愿者服务给予足够的重视

开展社区服务，一方面要加强理论教育，一方面要加强实践教育。通过理论教育，可以使人们增强参与社区服务的自觉性、积极性和主动性，可以使社区成员认识社区服务的重要性、必要性，使社区志愿者由自在状态进入自为、自觉状态。实践教育则在于培养他们的工作习惯和锻炼它们的服务技能。在英国，特别强调社区工作者要掌握组织志愿者服务的本领，注意发挥不同社会成员的志愿者服务，参加志愿者的有退休人员、失业者、有犯罪前科的人员、一般社区居民、残疾人、老年人和精神障碍者——受助者也成为志愿者。志愿者的广泛性既为受助者提供了所需的社区照顾，也改造和锻炼了志愿者自己，改善了人际关系，使社区充满了温情。在英国，为了更好地发挥志愿者的专长，志愿者本身也要接受培训。

目前，我国的社区服务志愿者人数偏少，参与度不高，主要限于青年学生，而且，志愿者占人口的比例也是比较低的，在北京市西城区这个国家社会发展综合试验区，参加志愿者的人数只占区常住人口的5.5%，全区党政机关、群众团体、企事业单位、居民群众参加志愿者的总共为25000人；天津市和平区新兴街道是全国社区服务的先进街道，它的志愿者参加人数达到了7—8%，但这比起发达国家的志愿者队伍来说是少多了。所以，扩大志愿者服务队伍对于提高我国的社区服务水平至关重要。为此，我们建议：

第一，要充分提高社区服务办公室的职能，提高社区服务工作者的素质，使他们充分掌握动员、组织社区服务志愿者的本领，不拘一格，动员社会所有成员参加社区志愿者服务；同时，社区社会工作者要采取切实措施，制定实施细则和奖励办法，使社区的志愿者服务制度化、规范化和长期化。街道的社区工作者应把本社区的居民需求情况和志愿者所能提供的志愿服务情况输入微机，并根据志愿者的特长和所能提供的志愿服务的时间及时安排志愿者的志愿服务。政府部门也要把倡导社区志愿者服务当成自己的重要职责，对经常参加社区志愿者服务的志愿者要给予奖励，也要在新闻媒体大力宣传，要在社会上形成一种参加志愿者服务光荣的社会风尚。同时，鼓励下岗、失业人员从事志愿者服务，这样，可以使这些人员从孤独、沮丧的阴影中摆脱出来，在志愿者服务中找到自己的价值，我们的就业中介部门、用人单位也要把参加志愿者服务的情况当成招聘人才的标准之一，鼓励人们从事不计报酬的志愿者服务。

第二，在大学或中学中开设社区服务实践课程。据我们课题组1996年对北京市西城区进行的民意调查，94.7%的被调查者认为建立中学生定期参加社会公益服务劳动的制度是很有必要的。大中学生参加社会公益劳动是一件受到学生、老师、家长和学校欢迎的大好事，它是一种思想意识的培养、社会公德的培养、良好社会风气的发扬，并且有利于学生的素质教育，对他成人之后继续从事社区志愿者服务影响颇大。

第三，鼓励人们从事无偿的不计报酬的志愿者服务活动，但也应当学习国外的一些好的做法，也就是说，不能使志愿者在经济上受到损失，必须使他们的消费得到补偿，对于下岗、失业者更应该给予一定的生活补助。志愿者在从事志愿服务时的各种差旅费、电话费、误餐费都应给予报销，同时也要发给生活津贴。所以，要改变那种志愿者服务就是绝对的无偿劳动的观点。因为判断志愿者服务有两个标准，一个是受助者满意不满意，另一个就是有无生命力。志愿者服务若纯粹是无偿的，受助者肯定是满意的，但不会长久，缺乏生命力，长此以往，还是要把有偿和无偿服务结合起来。

2. 加强社区服务的人才队伍建设

我们在北京市西城区调查时发现，社区服务的发展人才奇缺。月坛街道办事处给了 30 个事业单位的编制指标，但就是落实不了，原因是只给指标，不给钱。给指标，就得相应有财政拨款，办公费、工资等经费就得解决，面对拮据的街道经济，他们难以拿出那么多的钱解决人员编制问题。所以，要解决社区服务的人员编制问题，上级政府应实行相应地财政拨款。在西方，社区服务工作人员是专职的、专业的，他们的工资是由政府拨给的。社区服务工作人员对社区服务的工作成效影响甚大，没有专职的社区服务工作人员，社区服务的发展指标就无法落实，发展社区服务就只能是一句空话。再者，社区服务的工作人员也不应是滥竽充数者，社区服务是利国利民的大事，而如今对社区工作者的选拔和培养都还没有走上正轨，负责社区服务重要任务的居民委员会干部更是一些离退休人员，他们有的起了一定的作用，也有的人凡事不管，只忙于自己挣钱，这样的队伍如何搞好社区服务。社区服务队伍也应该实行革命化、年轻化、知识化和专业化、职业化。为了提高社区服务的质量，必须加强专业队伍建设，提高志愿者的思想道德素质和业务素质。

社区服务也是一种工作，一种专业。在国外许多国家，社会工作者是一种职业。为了搞好我国的社区工作，不树立这样一种观点，不造就一大批学有专长的社区工作者是不行的。

社区服务质量和服务水平的提高有赖于社区服务参加者的专业技术水平和自己所具备的工作伦理、社会价值观，认为社区服务是没有专业的，随便什么人都可以干的，怎么干都可以的观点是错误的。在日本东京，搞社区服务的人员一般都经过培训和持有社区服务的资格证书。在英国，从事社区服务的人员专业水平高，他们大都受过工作伦理和专业技巧的训练。十分明显的是，对老年人、儿童和残疾人以及所有社区居民提供卫生服务，你就得有医疗卫生知识，你就得是全科医生或在医术上有专长的人；你要是在托老所或者敬老院工作，那你就得掌握老年心理学，甘于吃苦，不怕脏累和麻烦；你要是在幼儿园工作，那你就得有一颗童心，要有爱护儿童的爱心，还要掌握儿童心理学以及儿童教学的一些专门知识；至于为残疾人服务、家务劳动、便民服务，如洗衣、理发、修车、家电维修、服装剪裁、修鞋等都需要一定的专门知识和一定的熟练的技术技巧，也需要爱岗敬业的精神和高尚的工作伦理，这是社区服务质量和水平得以提高的关键所在。为此，除了在社区服务的招聘工作中需要加强专业人员（尤其是那些下岗的和退休的专业技术人员）的比例外，还有一点，就是要建立社区服务人员的培训学校。可以在大学里面设立社区服务专业、护理专业，也可以在民政部门的干部学校里面设立相关的专业培训社区服务工作者。在这里不仅进行专业技术的培训，也要进行社会价值观和高尚的工作伦理的教育、爱岗敬业的教育，考试合格者才有资格参加社区服务业。这支专业队伍建设好了，社区服务的质量才会提高。在志愿者服务方面，尽管我们的志愿者服务取得了一定的成绩，但也存在这样那样的不足，志愿者服务不情愿、半途而废的情形时有发生。在调查中我们得知，北京市前几年在召开远南运动会期间，有部分志愿者负责为残疾人服务，报名时还有八个人，可到第二天居然一个也找不到了。就这种素质，志愿者服务如何搞好？志愿者服务也只能是徒有虚名而已。规范志愿者服务，提高服务者的思想道德素质，加强志愿者服务组织的机构建设是十分必要的。

3. 扶持和培育社会中介组织和民间组织的发展

如今在全球范围内出现了大量的民间组织，或者叫非政府组织，他们正在对全球各个方面的管理发挥着重要的作用。如绿色和平组织、妇女组织、海洋组织、劳工组织、卫生组织、社区发展与合作组织等，他们分别代表和维护着某一方面的利益，发挥着民主管理的作用。我国的社区发展也要顺应这一趋势，扶持和培育各种中介组织和民间组织的发展。

社区建设和社区服务的发展本身就是一个向“小政府、大社会”过渡的过程。民间组织代表的是市民社会。随着市场经济的发展，经济本身的自律在加强，各种行业协会组织规范着经济的发展，它成了国家法制管理和行政管理的助手，同时行政管理的职能相对弱化，法制管理和行业协会的管理相对强化。扶持和培育社会中介组织的过程和这个过程是一致的，它的目的就是为了健全社会肌体，使国家和社会的关系合理化，改变计划经济条件下国家无所不管、行政命令无所不在的状况，充分发挥社会中介组织在社区发展和社区服务中政府所不能起的作用。

个案分析：业主委员会

业主委员会应该看成中国的社区中介组织。随着住房商品化，在一些地区，由房屋产权人组成了业主委员会，以维护产权人的合法权益，对物业管理公司依法实施监督。在广东等地方，就出现了业主委员会炒物业管理公司的鱿鱼的事件，充分发挥了社区中介组织在维护自身权益方面的作用。这是在市场经济中买卖双方的平等交换关系。

随着市场经济的发展和政府职能的转变，社会中介组织将会得到迅猛发展。除了发展上述的中介组织外，我们还应该发展和培育居民自我服务的组织，即民间组织的发展，像日本的公民馆之类的组织，可以在社区内建立老年人协会、残疾人之家、志愿者协会、心理障碍者协会、同病相怜者协会等各种居民需要的自治组织，遇到困难时发挥协会的互助作用，以维护居民的自身权益，满足居民的不同的需求。平时则可以通过收取会费的方式维持协会的正常运作。这类民间组织应该得到政府部门尤其是民政部门的大力扶持和培育，在初建时可以提供一定的启动经费。同时，政府部门应对其加强管理和监督，使民间组织和政府部门互相协调、互相促进，共同维护社会稳定，保障人民生活和福利，促进社会经济全面发展。政府部门的过度任性和无所不在的干预会阻碍社会经济的发展，民间组织的任性和个性太强势必也会影响社会安定，不利于整个社会经济的发展，它的任性实际上也就是在破坏自己的发展。两者的和谐才能促进发展进步。所以，一方面政府要扶持、培育社会民间组织的发展，另一方面，政府也要制定相应的管理办法，加强对民间组织的管理。在我国，实行注册登记制度就是对其进行普遍性的认证，它也就取得了在国家的政策法律范围内活动的资格，一旦它违反国家的政策法律，那国家就必须对其予以取缔，取消其活动的资格。这在世界上任何国家都是一样的，尽管注册登记制度不是每个国家都实行的。

（三）
建立社会支持和服务网络

1. 挖掘社区资源，形成社区资源共享机制

在英国，政府之所以把院舍照顾改为社区照顾，一个重要的原因就是挖掘、利用社区资源。

要实现社区资源共享，目前有两条途径：一是政府制定明确的法规和条例，明文规定社区内的各个机关、团体、学校、医院和社区实行共建，资源共享，违反者给以制裁；二是通过政府倡导，不制定法规，由社区工作者动员社区内单位实行资源对外开放，达到资源共享，实行自愿互利的原则。实际上，这两个原则是不矛盾的。可以先实现后一个原则，在行不通的情况下，可以考虑实行前一个原则，通过政府的律令推行社区资源的共享。

要健全社区建设的运行机制，我们特别强调的是健全利益机制、需求机制，增强共建单位的社区意识，找到共建的结合点和切入点，动员、吸引社区内的企事业单位、社会团体和广大居民群众共建文明社区的积极性、主动性。

利益机制是推动社区建设的推动力。马克思说过："人们奋斗所争取的一切，都与他们的利益有关。" "没有共同的利益，也就不会有统一的目的，更谈不上统一的行动了。"（《马克思恩格斯选集》第1卷第508页）在社区建设中，社区居民、企事业单位利益实现的程度直接决定其参与社区建设的态度和行为，在参与社区建设中实现的利益越多，他们的态度就越积极，社区资源就越开放，社区建设就越向前发展。反之，他们的利益在社区建设中得不到实现，他们的态度就是消极

的，社区建设就难以发展。所谓健全运行机制，就是要使参与社区建设的各方利益得到最大限度的实现，达到利益共享、互惠互利。

需求机制把社区内的各方紧密地联系在一起，互相依赖，荣辱与共。社区内的各方本来就是相互需要的，并且在社区这一定的区域内相互之间也更好地满足对方的需要，都把对方物质的、文化的、信息的资源当成满足自己需要的手段，通过相互需要的满足，把社区内各个不同的分子组成利益攸关的共同体，从而形成对社区的认同感、归属感和共建社区的社区意识。文明社区的共建是对社区内的单位和居民互利互惠和互相满足需要的事情，社区为企事业单位提供良好的外部服务，承担一些环卫、绿化工作，帮助解决子女入托、入学等，企事业单位则开放社区资源，达到资源共享，提高资源的利用率。这就是利益相关机制和需求驱动机制。同时，还要注意把社区资源共享和社区资源的保护结合起来，通过社区资源的有偿或低偿使用建立社区资源共享和和开发利用的良性循环机制。

案例分析：北京市西城区裕中西里小区实现资源共享、发展社区服务

1995年9月，裕中西里小区内的裕中中学率先把学校操场向社会开放。每天早5：00—7：00，每周六、日早5：00—12：00学校向小区居民开放，篮球场、羽毛球场、乒乓球台、300平方米的操场无偿供小区居民使用。学校还在每周六晚上为小区居民免费放映百部爱国主义教育影片。这种资源的共享最初是由街道牵头和筹划的，由居委会、学校、派出所共同协商解决的。为了支持资源共享，街道赞助学校3000元人民币，还组织北京出版社向学校捐书助学。这些做法都体现了资源共享、互帮互助的社区精神。裕中西里中学的做法对于充分挖掘社区的有限的资源为社区居民服务，无疑是一个很好的例子和

榜样，因此得到了各级领导、多家新闻媒体的支持和肯定。不过，这只是一个实验，社区资源的共享不是短期行为，应该探讨社区资源共享的运行机制，这种无偿使用是一种做法，也可以探讨一些无偿使用和有偿使用并举的做法，或者是有偿使用的做法，形成资源拥有者和资源使用者的利益共享，这就需要物价部门、社区服务部门、工商部门、税务部门等的协调和努力。

在健全运行机制的过程中，街道党工委和街道办事处起引导、组织和协调的作用，应积极引导辖区单位充分发挥自己的资源和优势，各个社区企事业单位应积极配合和支持，促进资源共享，同创共建，形成街道搭台、各方唱戏、优势互补、大家受益的社区效应。

为了达到社区服务资源的共享，还应注意正确处理好共建单位之间的合作关系。这需要一系列技巧和方法，需要磨合，需要一个过程。比如协同制定计划，在共建中也需要共建各方的妥协和退让，需要建立合作伙伴的互信，消除彼此的猜忌，并做到责权利的一致。这样，合作各方的合作就会是愉快的和持久的，合作计划的落实就会是顺利的和有成效的。否则，要实现社区服务资源的共享和社区共建，不过是纸上谈兵而已。

2. 积蓄“社会资本”，拓展社区服务

根据美国哈佛大学博士瑞杰明的解释，所谓“社会资本”，就是社会网络，通过这种网络可以得到信息、信任和规范。他认为，如果社会上的群体存在网络的话，那么，处在这个网络中的人就会得到许多没有处在这个网络中的人得不到的东西。这就是网络资源或“社会资本”。美国的一些社会学家在分析意大利的社区时，更进一步把“社会资本”量化，根据社区里居民的参与率、投票率和对平等的看法，做出了“社会资本”指数，又做出了“政府效率”指数，这两个指数的相关性很强，成正比例关系。“社会资本”积蓄在不同的社区是不一样的，在不同的社会制度下也是不一样的，它甚至还会受到诸如民族、语言、种族、风俗习惯、职业、文化程度、年龄、性别等等的影响。比如在楼房区就和平房区不同，楼房区使人隔离，平房区使人亲近，也就是说，平房区“社会资本”丰富，而楼房区“社会资本”相对匮乏。还有如市场经济淡化了人际关系，金钱关系强化的是社会理性和计算，人与人之间的情感日益弱化，所以说，市场经济与“社会资本”的积蓄是相矛盾的。在美国，就有学者指出，“社区意识”淡化了，说这是与个人主义、独立性的发展有关系，认为自由主义、市场经济与社区意识是相抵触的。这个社会学新理论，可以说是我们在这里提出强调构建社会支持和服务网络的理论视野。

社区资源不单指社区内的硬件设施，不仅指学校的操场、学校、企事业单位的医院、文化娱乐设施等，也包括人际关系网络，包括家人、亲戚、朋友、同事、同学、邻居、街坊、企事业单位，甚至包括受助者自己，受助者自己有时也会成为帮助别人的社区资源。

在我国古代就有保甲制度，它就是居民的自治组织，起到了相互支持和制约的作用。在现代社会中，人们的社会支持网络或强或弱地存在着，如家人、亲戚、朋友、同事、同学、同病相怜者、企事业单位、社会团体等。在这些关系网中，家人、亲戚应该属于首属关系网络，其他的则属于次属关系网络。人们在遇到困难，需要别人帮助时往往会首先想到的是首属关系网络，然后才是次属关系网络和社会正规的服务机构。在这里我们强调的是加强社区内次属关系网络的建设，形成社区内稳固的人际关系网络和支持网络，如邻居关系、街坊关系、同病相怜者的网络支持关系、军警民关系等。这种网络由于社会交往的增多而增多，通常是受到个人和环境的因素的影响，在社区内织成这种人际关系网络和社会支持网络，对于社区内受助者需要的满足和形成良好的守望相助的社会风尚，是十分必要的，这也就是我们通常所提倡的“一人为大家，大家为一人”，和“自己的事自己干，别人的事热心干，大家的事大家干”的社会风气。在这里，我们要强调的是充分发挥社会工作者的作用，在社区内织成这种人际关系网络和社会支持网络的问题。实际上，每个人都有接受别人帮助的意愿，也都有帮助他人的潜能，就看社区工作者能否发掘。社区内共同生活着的人，如果没有相互联系，人与人就像一袋马铃薯那样缺乏有机联系，那么，这些人就不是社区资源，形不成“社会资本”，就不能起到守望相助和互利互惠的作用，也就不可能充分发扬社会主义民主，这些人际关系资源也就不是现实的社区支持和服务资源，而是潜在的。

要把这些分散的个人联合起来，形成互相帮助的有机整体，形成人际关系网络，就应该像英国的社区照顾那样，充分发挥社会工作者的发掘、联系、动员、中介等的作用。这就是说，我国的社区服务要进一步发展，不仅需要专业的社区工作者队伍的建设，也需要建立广泛的社区支持网络，这种社区支持网络的建立可以弥补正规社区服务的不足受助者首先得到帮助的往往不是正规的社区服务，而是非正规的社区服务网络的支持。在我国发展至今的社区服务中还是一个弱项，还没有得到足够的重视，而这些非正规社会支持网络的建设一般是不需要投入大笔资金的，需要的是能说会道的社区服务工作者的动员、倡导、中介和组织。所以，就我国这个发展中的社会主义大国来说，发展非正规的社区服务网络是合适的和有前途的。为此，我们建议，在社区工作者的培训中，要加强对他们社会活动能力的培养，培养和造就他们编织社会关系网络、组织社会支持网络的能力，充分发挥非正规的社区服务的作用，发挥邻舍、朋友、亲戚、同病相怜者等关系在社区服务中的作用，使受助者尽可能享受到全面的满意的服务。必须树立社区一盘棋的思想，让亲朋好友、邻舍、同病相怜者、社区志愿者、社区内的单位和组织在社区网络中，就像棋子在棋盘网络中的作用一样，互相支持和服务，把社区建设成关怀的社区、文明的社区。这就是我们一再强调建立社会关系网络和社会支持网络的目的所在。

要发挥居民自治组织的互助功能，除了社区工作者的组织协调力量外，还必须形成社区内的民主、平等、自主、公平的意识，发挥社区的网络式管理的功能，消除科层组织所特有的那种上下级关系和压抑感觉，这样，居民潜在的那种互助的潜能才能发挥出来了，这才符合社区原则、民主原则、自治原则。

要发挥社区服务的互助功能，还必须注重"感情储蓄"，我国的传统文化儒家文化重视"己之所欲，必施于人"，"己所不欲，勿施于人"，讲究回报意识，重视人人为我，我为人人，一个人为社区、为别人做出了贡献，他对社区和别人来说就有了"感情储蓄"，这种"感情储蓄"就成为社区互助的基础，成为"社会资本"的组成部分。"感情投资"丰富、社区资本雄厚的社区必定是一个人际关系和谐的社区，也就是社会问题比较少的社区，也就是一个易于管理的社区。当然，这种社会关系网络和社会支持网络必须是遵纪守法的，不得与非法结社相联系，这是我们不得不提及的。

案例分析：

1. 北京市西城区裕中西里小区开展"党员连心户"活动

裕中西里小区从 1997 年就开始了"党员连心户"活动。"连心户"带头构建社区支持和社区服务网络。"党员连心户"不仅自家和睦和清洁、文明，同时带动邻舍和楼院和睦文明。

“连心户”要带头扶贫济困，要带头邻里互助。通过党员的模范带头作用，构建社区支持和社区服务网络，使社区成为互助的社区和关怀的社区。当然，在初期需要社区领导机构的组织和倡导，裕中西里小区的“党员连心户”活动就离不开德外街道社区服务工作领导小组的组织领导。

2. 北京市西城区厂桥街道构筑对孤寡老人的社区支持和服务网络

针对孤寡老人患病多、自助能力弱的特点，厂桥街道社区办急老人所急，办老人所需，从1995年开始就着手构筑为身边无子女的老人和孤寡老人服务的社区支持和服务网络。通过为这些特困群体安装求助门铃，把这些特困群体和邻舍联系起来，使助人者和受助者结成对子，形成社区支持和服务网络。这项工作激发了社区居民的参与意识，改善了邻里关系，减轻了孤寡老人的心理负担，提高了他们的生活质量，并且及时防止了一些意外的发生，使孤寡老人再次体会到了社会主义大家庭的温暖。

第五章
构筑社区经济新格局

社区经济是社区建设的重要内容之一，是构成社区建设的物质基础。它既是实现社区建设目标的前提条件，又是社区建设深入、持久进行的重要保证，因此，繁荣和发展社区经济在社区建设过程中，具有十分重要的意义。

·第一节·
关于社区经济的理论探讨

（一）
社区经济的客观性

经济活动包括物质资料的生产、分配、交换和消费等活动。经济活动是社会存在的基本条件，是人类赖以生存、发展、延续的主要内容和重要手段。人类要生存，首先要解决穿衣吃饭问题，这离不开经济的发展；在满足了基本生存需求之后，人类要提高生存质量，同样依靠经济的发展；人类要生生不息的繁衍和延续，就要不断地发展经济，创造出足够的物质条件。经济的高度发展是人类不断走向美好生活的重要途径。经济生活构成人类社会生活的重要内容。当然，人类社会生活不仅是经济生活，还有政治生活、文化生活等，但经济生活却是人类全部社会生活的基本内容和基本条件。

人们总是生活在一定的地理空间。在农牧业社会，人们的生产和生活是以家庭或家族为基本单元。进入工业社会，随着科学技术水平的提高，生产日益社会化，以及城市化的到来，人们生产和生活交往的范围扩大了，冲破家庭或家族的狭小领地，以社区的地域空间为基本单元。全社会是由一个个或大或小的社区构成的，每一个社区都是一个微缩的社会，社区是社会的基本单元，是一个具有一定地理空间的社会体系。人们都工作和生活在一个个具体的社区当中，人们的一切社会活动都是在具体的社区中进行的，都会反映和体现在社区中。经济活动是全部社会活动的基础，人们要生活、消费就必然发生大量的经济行为，人们的经济活动也必然反映和体现在社区中。因此，社区经济是社会生活中的一种客观存在。

在自本世纪50年代初开始的社区发展运动过程中，世界各国无一不是把谋求社会发展来促进经济增长作为社区发展运动的目标。这是世界许多国家在不断总结经验教训后，寻找到的一条持续、稳定的社会发展道路。

第二次世界大战以后，许多发展中国家为了迅速发展生产，增强国力，消除贫困，普遍采用了以单纯经济增长为目标的发展战略。他们认为，随着经济的增长，自然会带来人民生活水平的提高和社会的进步。然而，事与愿违，这种把单纯经济增长作为惟一目标的发展战略，产生了一系列弊端。资源浪费、环境污染、贫富分化等现象日益突出，由此引发的政治动荡、社会冲突时有发生，严重阻碍了经济的发展和社会的进步。针对这种状况，联合国于50年代初开始在全球范围内推行社区发展运动。社区发展运动起初主要是在发展中国家进行，而后，欧美等发达国家为了解决经济与社会的协调发展问题，也加入到社区发展运动的行列。为了进一步促进社区发展运动，联合国于1954年正式建立了社区发展组织，并提出了社区发展的目的和目标。社区发展的终极目标是：(1) 经济发展。提高社区的经济发展水平和经济收入水平。(2) 社会发展。建立良好的社区内部人际关系和合理的社区结构。(3) 政治发展。发展社区居民的民间团体和组织，培养居民的民主意识和自治、互助能力。(4) 文化发展。提倡有利于社会进步的伦理、道德，发展科学、教育、文化事业。社区发展运动的目的，是通过政府机构与社区组织和社区成员的通力合作和社会互助，解决经济发展过程中产生的社会问题，达到经济与社会的全面发展。显然，社区发展运动强调以人为核心的社会的全面进步，并不排斥经济的发展，而是在经济发展的基础上，实现社会的全面进步。如果没有经济的发展，社会的全面进步将无从谈起，反之，不顾社会发展，片面追求经济增长，经济和社会只能在低水平徘徊。经济和社会是社区发展的两个轮子，缺一不可。在贫困社区，发展社区经济甚至是振兴社区的首要任务和前提条件。

我国从1986年以社区服务开始起步，到1991年提出"社区建设"的工作思路，进入了社区建设全面推进的阶段。十几年的社区工作实践，使政府有关部门、具体实践部门和理论界逐渐认识到发展社区经济对于实现社区建设目标的重要性。

随着经济体制改革和政府机构改革的深入，企业和政府剥离出来的社会职能将逐渐转归社区。而通过社区组织动员社区力量，挖掘社区资源，在社区层面解决因工业化和城市化进程加深而日益突现的一系列社会问题，也是最有效的途径。社区要进行包括社区政治、社区服务、社区文化、社区教育、社区卫生、社区治安等几乎囊括整个社会各个方面的建设，仅靠自愿从事社区工作人员的努力显然是不够的，还必须有财力和物力方面的保证。而社区物质基础的建立，必须采取"共同参与"的社区发展原则，依靠政府，调动社区组织、企事业单位及社区居民个人等多方面的资源进行整合，并不仅仅依靠政府。当今社会，即使在经济发达国家，政府对社区的财力支持也越来越感到力不从心，对社区发展逐渐采取财政紧缩政策。何况在我们这样一个发展中国家，政府在这方面的支出更是微不足道。同时，企业和政府转归于社区的社会职能，如果主要还是依靠政府提供财力支持，不过是将政府的支付“从一只罐子流入到另一只罐子”，其结果只能是进一步加剧政府支付成本的重负。因此，只有发展社区经济，即依靠社区自身的力量，利用社区资源，通过资源的合理配置，并按照市场运行法则实现增值，才是建立社区建设物质基础的一条现实而有效的重要渠道。

（二）
社区经济的含义和基本特征

社区经济这一概念，在我国是随着社区建设的全面推进而出现的新生事物。长期以来，由于我国实行的是行政体制和计划经济体制，人都从属于单位。每个单位都是“大而全”或“小而全”的复合组织，不仅具有行政或经济职能，而且具有生活福利及其他大量社会功能。单位已成为职能和设施相对完备，能满足单位内部成员各方面需要的社会实体。由于单位的多元化职能，严重阻碍和影响了城市社区的发育成长，城市内部没有形成相对完整、明晰的社区体系，社区经济也就无从谈起。随着体制转轨和社会转型，“单位体制”面临逐步解体的局面，城市居民的物质和精神服务需求将主要由社区提供，在这种情况下，社区经济便应运而生了。但是，由于社区经济刚刚起步，人们对社区经济在社区建设中的位置认识上还存在较大偏差。例如，有些地区明确将社区经济纳入社区建设之中，有些地区则认为社区经济不应纳入社区建设范畴。在社区建设研究上，大多比较重视社区概念、社区运行机制、社区组织、社区管理等问题的研究，对社区经济的研究则比较少见，以至于迄今为止对社区经济的含义还没有一个明确的定义，甚至概念混乱。例如，将街道经济简单等同于社区经济；把区域经济、地方经济与社区经济混为一谈；对社区服务与社区经济在概念上界定不清，等等。这些，都有待于在社区经济理论的不断完善过程中，逐步加以澄清。

那么什么是社区经济呢？可以做如下表述：社区经济是以社区为载体，依靠社区力量，发掘社区资源，通过社区资源的重新配置，为满足社区成员物质和文化生活需要，为社区建设提供物质基础的物质资料生产和商业与服务活动。

根据上述定义，社区经济应具有以下特征：

第一，社区经济是在社区一定的地理空间范围内进行的经济活动。发展社区经济要以社区为载体，利用社区自身的力量和资源进行生产经营活动，为社区成员和社区发展服务。但在市场经济日益成熟，生产日益社会化的条件下社区经济必然与整个社会市场经济和社会化大生产相融合，而与之发生密切联系，因此，社区经济具有向社区以外地区扩散和辐射的功能。

第二，社区经济主体呈现多元化。社区经济是以最大限度地动员社区各方面力量，发掘社区各种资源为手段的，由此决定了社区经济的多元化特征。社区经济的主体既有社区组织及各种非营利组织，又有社区内的企事业单位和社区成员个人。

第三，社区经济由多种经济成分构成。社区经济应包括：社区组织自办的直属企业、社区组织与企事业单位合办的股份制企业、社区企事业单位的独资企业、集体企业及社区成员个人自办的小型经济实体等多种形式。

第四，社区经济的基本目标是在兼顾社会效益的条件下，追求经济效益的最大化。发展社区经济的目的是为了解决社区成员的生活必需，改善社区的生活环境，提高社区的物质、文化生活质量，实现社区的全面发展。因此，社区经济必须是在保证社会效益的前提下，追求经济效益，达到社会效益、经济效益的共同提高。

从社区经济的上述定义和特点不难看出，社区经济与市场经济存在一定差异。在市场经济中，市场在社会经济资源配置中起主导作用，社会的经济活动主要遵循市场规律自发地进行调节。市场经济发展到今天，世界上几乎已经不存在“纯粹”的市场经济，即市场作出所有决策的经济；而是以市场机制为主导，同时政府又进行适当干预的混合经济，即政府决策和市场决策相互交织在一起，共同决定经济的运行，但是市场在社会经济资源配置中起主导作用。政府在社会经济资源配置中的作用在不同国家，以及同一国家不同行业领域，从程度到范围都不尽相同，并且在不同时期随时进行调整。在社区经济领域，政府的作用可能更大一些，它要通过制定相应的政策（如简化工商注册手续、税收优惠等）和法规，对社区经济发展加以引导，使之有利于满足社区成员社会生活需求和社区建设的需要。从这个意义上说，社区经济与我们通常所说的市场经济有所不同。主要表现在以下两点：第一，在市场经济条件下，支配经济主体生产经营活动的基本原则是利润最大化，强调个人和企业的自由生产和交换，强调个人和企业在追求自身利益的同时，也最大限度地促进社会效益；而社区经济从一建立就强调，在首先保证社会效益的前提下，实现经济的最大利益。第二，在市场经济条件下，经济当事人的生产和消费行为，可能会对其他人的利益造成影响，即产生消极外部效应；社区经济要求经济当事人的生产和消费行为，不会对其他人的利益造成影响，即产生积极的外部效应。

(三)
社区经济的重要作用

社区经济作为一种经济现象，对于调动包括人力、物力等多种资源，发展生产力，提高经济发展水平，推动社区建设，以至于整个社会的发展，都起着十分重要的作用。

第一，社区经济有利于发展社会生产力，促进国民经济发展。我国还处在社会主义初级阶段，社会生产力水平比较低，而且发展很不平衡，国民经济发展水平还不高，人民生活水平比较低，这就决定了我国经济需要进一步繁荣和发展。社区经济作为整个社会经济的有机构成，其发展必将推动整个国家经济的发展，促进国民经济的增长。发展社区经济可以动员和组织社区的人力资源、技术资源、社会资源、经济资源等方面的潜力，兴办第二、第三产业，发展社会生产力，从而推动国家经济建设。发展社区经济，不仅不需要国家投资，而且产生的经济效益，既可用于社区环境、社区卫生、社区服务等公益事业，以减轻政府负担，又可以为国家开辟新的税源，增加财政收入，支援国家建设。因此，社区经济是一种重要的经济力量。

第二，社区经济有利于缓解城市就业问题，促进社会稳定。我国由于人口众多，每年新生劳动力给城市就业造成很大压力，同时由于经济结构调整和政府机构改革，下岗待业人员不断增加。待业和下岗人员就业问题的解决，不仅是经济问题，而且是政治问题。就业问题如果解决不好势必导致部分社会成员生活水平下降，贫富分化加剧，产生社会动荡，因此必须认真加以解决。然而，全部由政府一个渠道解决所有就业人口的就业问题，目前确实难以办到。巨大的就业压力，只有依靠全社会的力量，通过多种渠道安置，才能缓解尖锐的就业矛盾。社区经济的发展不仅能够促进经济的繁荣，而且能够提供新的就业岗位，于国、于民、于社区都是有利的。

第三，社区经济有利于增强社区的服务功能。发展社区经济，能够为满足社区生产、生活的需要，提供多层次、全方位、系列化的服务，可以充分发挥社区的综合服务功能。这些服务包括商业服务、家庭劳动服务、社会福利服务、社会公益服务、社区文化服务等等。如果没有社区经济的发展，为广大社区居民提供各种生活服务以及为社区企事业单位后勤保障提供系列服务，都是很困难的。因此，社区经济是制约或发挥社区综合服务功能的关键因素。

第四，社区经济有利于增强社区组织的凝聚力。发展社区经济，能够有效地增强社区建设的实力，使社区组织有能力在物质条件的保证下，通过自己的努力工作，发动社区企事业单位和社区居民共同参与社区活动，从而调动各种资源，将社区建成环境优美、服务功能齐全、治安良好、文化气息浓厚、关系和谐的文明健康、高质量的生活家园。在良好的社区氛围中，社区成员会对所在社区产生强烈的认同感和归属感，充分显示了社区组织的强大凝聚作用。同时，在共建社区的过程中，社区成员的文明教养、精神面貌、道德水准不断得到提升，社区成员之间互助互爱蔚然成风，主动参与社区各项事业的责任感日益加强。社区成员的主动参与精神，对于社区的健康发展形成强大的推动作用，使社区发展进入良性循环。

（四）
社区经济与街道经济的异同

时至今日，我国城市社区体系都还没有真正建立起来，在社区建设过程中我们一般是把社区界定在街道、居委会的层面，但是，街道办事处是政府的派出机构，居委会是它的延伸，街道是一个行政区划的概念，并不是完全意义上的社区。街道经济是城市社区在特定体制下、特定阶段中的特殊产物，与社区经济存在很大差异。

我国街道经济始于50年代，其发展经历了一个充满矛盾的过程。50年代初期，在城市大规模发展手工业生产合作社的高潮中，街道原有的一些生产自救组织演变为合作社，街道经济从此开始形成。1958年，随着“大跃进”热潮的兴起，城市提出了“街街办工厂，户户搞生产，家家无闲人”的口号，街道办事处和居民委员会组织家庭妇女和社会闲散劳动力办起了一批生产加工厂、建筑队、食堂、托儿所、修理服务站等街道企业，极大地解放了生产力，形成了街道经济发展的第一次高潮。到1963年，根据国民经济贯彻“调整、巩固、充实、提高”的八字方针，一批基础较好、规模较大的企业划归市里，同时，一些效益不佳的街道企业相继关停并转，使街道经济的发展陷入低潮。

从1967年开始，全国各城市又出现了一批“五七”工厂等经济组织，街道经济又有了一次比较大的发展。70年代末期，全国各城市再一次上收了一批规模、效益较好的企业，街道经济实力再一次遭到削弱。1979年，大批知青返城，给城市就业带来很大压力。街道办事处又办起了一大批生产、生活服务性经济组织，安置了大批回城知识青年。经过几年的发展，街道经济整体水平得到很大提高，出现了一批较为正规、有一定规模的生产企业。此后，虽然又有一些企业被市、区上收，但街道经济发展的势头依然强劲。

80年代中期，在党的以经济建设为中心的工作方针指导下，掀起了街道经济发展的又一次高潮。各城市街道多层次、多渠道、多形式地兴办街道经济。此后，随着全国社区服务、社区建设工作的全面展开、深化，街道经济发展方兴未艾。至今，街道经济已发展为以第三产业为主，加工及生产企业为辅，多行业并存的经济格局，并拥有了一些具有一定经济实力的企业。街道经济已成为国民经济的有机组成部分。

从街道经济发展的历程可以看出，街道经济是带有某些社区经济特征的经济形式，如：在解决城市居民就业和方便人民生活服务，以及为社会公益事业和改善人民生活等方面作出了一定贡献。但街道经济与社区经济仍存在着根本的不同。

第一，投资主体不同。街道经济的投资主体一般为街道办事处及居委会。而社区经济的核心是将社区闲置的存量资源调动起来，重新进行合理配置，实现增值。因此，社区经济的投资主体是多元化的，既包括各级社区组织、企事业单位，又包括社区成员个人。

第二，经济成分不同。街道经济以街道、居委会等集体经济形式为主。社区经济则由于其投资主体的多元化决定了经济形式的多元化。社区经济既有社区组织及企事业单位等自办的集体企业，也有社区组织与企事业单位和个人的股份制企业，以及社区居民个人自办的小型私营企业等多种形式。

第三，追求的目标不同。街道经济虽然在安置城市居民就业、方便人民生活等方面发挥了很大作用，但在其运营过程中是以营利最大化为基本目标的。社区经济由于是以提高社区居民生活，支持社区建设为宗旨，因此，其目标是在保证社会效益的前提下，追求经济效益的最大化。

第四，活动范围不同。街道经济由于是以营利最大化为目标，因此，其活动范围是不确定的，有些企业的经营场所及活动范围均已超出了街道范围。社区经济强调的是以社区为载体，解决本社区居民的生活需求，改善本社区的生活环境，提高本社区的生活质量，因此，社区经济的活动范围一般在本社区范围内。当然，社区经济有对外辐射的功能。

（五）

社区经济与社区服务业的关系

阐述社区经济与社区服务业的关系，首先应区分社区服务与社区服务业的概念。社区服务与社区服务业是两个既有联系又有区别的不同概念。

社区服务是社区服务业的起点，社区服务业是社区服务发展到一定阶段的产物。社区服务在初始阶段，主要内容是面向老年人、残疾人、优抚人员等民政对象的福利服务，以及后来逐步扩大到面向辖区内全体居民的便民利民的服务。这时的社区服务是以无偿、低偿相结合为主要形式的社会福利型和公益型服务。随着社区服务的不断发展，社区服务的范围进一步扩大，出现了旨在为保障居民生活质量，提高居民生活水平的更高层次的服务，并开始实行市场化经营，逐步形成社区服务产业。例如托老托幼服务、家政中介服务、物业管理服务、文化娱乐服务、社区医疗服务、法律服务等等。社区服务向社会化、产业化发展，是一种客观发展过程，是社区服务发展的必然趋势。这主要是缘于以下几个因素：第一，随着我国经济的快速增长，城市化进程的加快，人民生活水平不断提高，价值观念发生变化，人们的服务需求向多样化发展，需求层次提高。人们不仅需要基本的生活服务，而且要求提供精神文化服务。第二，由于市场经济的确立，竞争机制进入经济社会生活领域，人们的工作节奏和生活节奏明显加快，家务劳动社会化的要求不可避免地提了出来。第三，随着我国人口老龄化社会的到来，养老服务需求越来越迫切。人们不断增长的服务需求仅靠无偿、低偿服务，显然无法满足，同时没有物质基础做保障，社区服务也难以维持，因此，社区服务向社会化、产业化发展具有其客观必然性。当然，这并不是说社区服务向产业化发展，产业化的社区服务就将取代公益型、福利型的社区服务，由于人们需求的多样化和社会分层的客观存在，为了满足不同层次、不同对象的需求，公益、福利型社区服务和产业化社区服务将长期并存。

社区服务的产业化，给社会第三产业增加了新的经济增长点，构成社区经济的重要组成部分。社区服务业作为社区经济的重要组成部分与社区服务是紧密联系的，都是以社区为依托，为社区成员和社区建设服务，营造社区的繁荣与和谐。社区服务业作为社区经济的重要组成部分，与社区服务存在着明显区别。作为社区经济的社区服务业，在运行过程中受价值规律的支配，遵循市场经济的原则，在兼顾社会效益的基础上，追求利润的最大化；而社区服务的根本是服务，许多服务是无偿的，带有救助性质，一些有偿服务也不是以营利为目的，而是为了维持社区服务的持续发展。作为社区经济的社区服务业，是在社区服务的基础上发展起来的，社区服务业的发展又为社区服务提供经济条件。随着社区服务业的发展，社区服务将不断得到完善。

正确认识社区服务业与社区服务的关系，承认社区服务业的客观存在，并积极发展社区服务业，有利于社区建设的不断向前推进。

·第二节·

国内外社区经济实践

（一）

国外社区经济实践

欧美等国家的社区经济，其发展都经历了一个历史演变过程。

1. 美国

美国社区发展运动早期，主要强调社区照顾、社区居民自治和社区居民的政治参与，社区发展资金主要依靠联邦政府的援助。但是，面对许多落后社区经济衰败、生活设施缺乏、失业严重、人民生活贫困等现象，使社区组织者认识到简单的居民参与和居民自治以及联邦政府的帮助是远远不够的，必须创立新的经济组织，发展社区经济，解决居民失业和贫困问题，提高人民生活水平，才能振兴社区，达到社区发展。这样，60年代中期，社区发展合作组织应运而生，今天，这种组织已经遍及全美各个角落。

社区发展合作组织（Community Development Corporations，简称 CDC，有时又称“邻里发展组织”、“经济发展公司”等），遍及美国各地。这些组织几乎都是非营利的免税组织。CDC 的领导成员由社区居民组成，许多 CDC 还设有辅助机构和顾问团，其成员多由地方工商界和政界要人组成，CDC 的这种性质有助于争取政府和工商界及基金会的捐助。

CDC 主要致力于发展社区经济，每一个社区发展合作组织都制定经济增长计划，既包括房地产开发、开办企业等“硬指标”，也包括如儿童保育、老人照顾、职业培训、家庭企业咨询、夏令营、健康检查等直接针对人服务的“软指标”。CDC 工作的重点是那些低收入居民居住区和经济衰退社区。

CDC 成立伊始，就积极争取政府、大的工商企业、基金会及银行的资金援助或贷款，开办自己的企业，为当地居民提供就业机会。CDC 涉及的领域非常广泛，如为社区居民提供住房开发的房地产业，开办工业企业，办商店开超市，以及儿童保育、老人照顾、职业培训、健康诊所等社区服务设施。但是，经过一个时期的发展，由于经济来源减少、管理不善等问题，许多企业经营遇到困难，有些甚至难以为继。CDC及时调整工作方针，在新建企业时注意寻找准确的市场定位，如发展有线电视网、汽车租赁、汽车服务业务等等，同时特别强调社区自治，依靠社区居民的力量，扶植本地区私人企业的发展，从提供资金、贷款、技术、经济信息，到制定商业计划、做广告、选址、培训员工，甚至产品的出口等，为其提供全方位的服务。

社区发展合作组织的努力取得了很大成就，为解决居民就业，提高人民生活，振兴社区经济，作出了极大贡献。如匹兹堡的东自由发展公司通过资金支持和服务，从1979年成立以来到1987年，在社区内已经成立了120个企业，创造了1200个工作机会。阿拉斯加的社区发展合作组织，年度营业额在6000万美元以上。密西西比的代塔区是黑人居住区，社区发展合作组织从1986年就开始接二连三地开办分公司，其产品多种多样，从牛仔服到铁路工人用的钉鞋、家用地毯及食用米饼等。社区发展合作组织还用自己的资金，支撑起无数由黑人独立经营的小企业，包括律师事务所、私人诊所等。

在社区经济发展过程中，工商企业、各类基金会、银行等提供了大量资金援助和贷款。政府不仅提供资金支持，而且制定优惠政策，特别是向经济不发达社区倾斜的政策，支持社区经济发展。例如，将收缴的违税房屋和被取消了赎买权的抵押品房，以低于成本的价格转让给社区发展合作组织，以支持社区发展房地产，解决穷人的住房问题；为社区经济发展颁布《社区再投资法案》等等。社区发展合作组织与政府、企业、基金会、银行等结成亲密的伙伴关系，有力地推动了社区经济的发展。

2. 加拿大

加拿大的社区经济发展，经历了一个与美国大体相同的过程。加拿大社区发展资金以往都是依靠政府财政预算和工商企业捐助。但从90年代初，由于经济严重衰退，一方面，失业增加，居民生活下降，影响社区稳定；另一方面，政府开始削减用于社区服务的预算，社区发展遇到严重困难。在这种情况下，社区需要寻找一种新的发展模式——社区组织与企业合作，发展社区经济。社区成立了社区经济发展机构，改变以往伸手要钱的形象，调动本地资源，寻求外界支持，与企业合作发展社区经济。企业也改变了单纯捐款的做法，开始考虑帮助社区发展一些可长期坚持并有利于企业经营的项目。

企业与社区经济发展机构的合作方式多种多样，主要可以分为以下几种：(1) 企业在社区投资，建立小型公司或企业。如蒙特利尔技术转让公司与西南蒙特利尔社区经济发展机构合作，将原在西班牙的供应商迁至西南蒙特利尔，为当地社区的居民带来了就业机会并增加了收入。(2) 企业提供技术，帮助职工培训，输入专业力量，帮助社区发展小型企业。(3) 企业和社区经济发展机构合资创办企业。如在纽芬兰地区，一个叫任德兰的投资有限公司和当地的社区发展合作机构建立合资企业，使当地的锯木场和木材经营商能联合推销他们的产品，并开拓新的市场。

企业和社区经济发展机构合作的理想模式是，既有高的社会效益，又有高的经济效益，通过发展社区经济，实现双方效益的最大化。对于企业来说，通过参与社区经济而获得更多的收入，同时有利于企业在社区树立良好的公众形象，在政府、居民和管理者中获得较好的声誉，有利于企业的长期发展。对于社区来说，与企业合作发展社区经济，有利于充分利用社区各种资源，提高居民就业率和居民生活水平，有利于促进社区的经济增长，提高包括环保在内的其他社会效益。

3. 英国

英国经历了一个以政府为主体的社会福利服务向以社区为载体的福利服务市场化的演变过程。第二次世界大战结束后，英国着手建立以政府为主体的“从摇篮到坟墓”无所不包的社会福利体系，到1948年，工党政府宣布：英国已建成福利国家。但是，70年代以来，由于社会福利支出的大幅度增加，不仅使政府财政背上了沉重的包袱，而且也带来了诸多新的社会问题。1979年英国政府开始对福利制度进行调整和改革。改革的总目标是：在社会福利领域，逐步削弱政府的责任，强调个人和社会的责任，推行社会福利市场化。90年代，英国政府又颁布了新的《国家健康服务和社区服务法》，提出了服务多元化经济发展的原则，并强调了地方政府推行服务的义务。这次改革导致了四个方面的变化：(1) 从传统的以政府为主导的服务模式向社区服务转型。(2) 社区服务由以供给为主导转向以需求为导向。(3) 资源配置的权力从中央政府下放到地方政府，在服务资金上，中央政府和地方政府的负担更加趋于平衡。(4) 更多的营利组织、非营利组织和志愿者投身于社区服务，社区服务的经济效益得到保护和提高，多种经济成分的社区服务迅速发展。

英国形成了一个多元化的社会福利服务体系，这一体系主要由四个部分组成：(1) 公共服务。包括地方政府所属的服务机构、医院、社区服务组织和其他社会保障机构提供的服务，但是政府对这些机构直接提供的资金正在减少。(2) 志愿服务。主要指经过登记注册的非营利组织提供的服务。这部分服务具有鲜明的慈善特征，政府给予一定的税收优惠，使之收支相抵，略有盈余，但是服务所得的利润只能用于服务本身，不能用于分配。(3) 私营服务。主要指以营利为目的的私营机构和个人提供的服务。近几年，私营服务发展很快，在提供的社会服务上，特别是为老年人提供的入户照料服务是公共服务的最大竞争者，也是社会服务新的增长点。(4) 互助服务。主要指社区成员、家庭成员及其他邻居提供的服务。政府特别倡导和支持社区发掘自身的资源开展贴近居民需要的多样化服务。推动非营利组织开展社区服务，已经成为英国社会服务发展的主流。其中以社区为基础的服务市场化，构成社区经济的组成部分。

4. 比利时

作为社区经济主要构成的社区服务业在比利时十分发达。社区服务业的领域非常广泛，包括房地产出租、物业管理、水暖维修公司，以及报刊、鲜花零售摊点，业余舞蹈、健美、烹饪、语言学校、体育俱乐部、家庭帮佣、地毯清洗等等。据统计，仅布鲁塞尔市就有各类社区服务业公司2000多家，其中大都是民营的中小型公司，而且很大比例是“夫妻店”、“父子公司”或“家庭式企业”。目前比利时社区服务业的就业比例大约已占到19%。

比利时政府为了鼓励社区服务业的发展制定了三条措施：第一，对符合条件创办企业的申请，在批准注册和管理制度上尽量简化手续，注意减轻中小企业的负担。政府的主要职能是向企业宣传依法纳税和守法经营的知识，并且通过各种行业和地区的企业联合会组织，了解中小企业的需要，通过完善政策和法规来解决他们遇到的困难和问题。第二，大力支持再就业的培训工作。政府在社区中建立科目齐全的培训学校，选派具有实际经验的教师，帮助中小企业的经营者拿到进入市场的资格证书。第三，为中小企业提供一个适合生存的空间。中小企业的规模小，资金少，规避风险的能力差，政府通过相关的经济咨询机构帮助中小企业及时获得必要的经济信息，了解行业动态和技术发展状况，避免中小企业盲目发展或落后于市场需求。

5. 关于第三领域经济

国外把社区又称为社区块、第三块、独立块以及第三领域等。把以社区为载体，以非营利的志愿组织为主要力量的公共利益服务，称为第三领域经济。社区或第三领域是政府和企业都难以顾及的一个空间，第三领域经济是社区经济的重要组成部分。近几年，第三领域经济在许多国家急剧发展。目前美国在第三领域的非营利组织年总收入约为6950亿美元，占整个国民收入的11%，就业人数占总就业人数的8%。英国目前有35万个志愿组织，总收入超过170亿美元，占国民生产总值的4%。法国在第三领域中就业的人数不断增加，在传统经济部门工作的人则在日益减少，目前已有占就业总数6%以上的人在第三领域就业，与全国整个消费产品工业的就业人数相当。德国在80年代末已有占全国就业人数4.3%的人员就业于第三领域，多于农业部门，收入占整个国民生产总值的近2%。第三领域在发展中国家近几年也开始繁荣起来。智利建有几百个城市志愿组织称为“大众经济组织”，以解决长期被政府和市场所忽视的公众需求。他们建立了消费者和住宅合作社，建立了社区学校和社区食堂，制定了健康和教育计划等等。哥伦比亚有700多个非营利社区住宅团体，为无家可归者建造住房。

以社区为基础的第三领域经济项目，许多是靠非营利组织向中央政府承包工程。政府将公共工程计划交给非营利组织，并支付相应的经费，非营利组织具体执行运作。中央政府可以不必再自己搞代价高昂的公共工程计划，节省不少成本，同时又为社区创造了大量新的就业岗位。如法国搞的“集体公用事业工程”项目，政府为35万人支付月薪，使其在第三领域或公共部门工作。

（二）
国内社区经济实践

1. 社区经济开始形成

我国从1986年开展社区服务工作，1991年开始社区的全方位建设，十余年的社区实践使我们逐步认识了发展社区经济对于社区建设的重要意义，许多地区已经把社区经济纳入社区建设的总体目标之中。

石家庄市将社区经济列入社区建设诸项内容的首位，认为社区经济是抓好社区建设其他工作的基础，只有社区经济抓好了，社区建设的其他工作才能搞好。为此，他们出台了一系列政策，在税收、工商管理、土地使用等方面给予优惠照顾，扶持社区经济的发展。近几年，石家庄社区经济蓬勃发展，不仅上交税利增加，为国家作出了更大贡献，而且增加了社区建设的实力。

南京市鼓楼区把社区建设的工作思路用两句话概括为："税源经济是全区事业的生命线，社区建设是城区工作永恒主题。"他们将街道办事处的职能从办企业搞经济，回归到管理服务和综合协调上来。街道办事处不再直接办经济实体，而是通过创造良好的投资环境，吸引企事业单位到社区投资，开辟税源，增强实力。在实际运作中，他们通过对社区资源的同类合并，规划配置，壮大老税源；通过对社区资源的结构调整，要素重组，规划改造培植新税源。例如，他们与南京汽车制造厂、七二零厂职工医院共同创办老年康复中心和老人公寓；与自动化研究院合作尝试高层、多层物业管理新途径；在南京化工大学建立了地区性的家教服务基地。在共同开发利用社区企事业单位内部资源的过程中，各方都取得了较好的经济效益和社会效益。

上海开始将街道经济向社区经济转变，把原来由街道直接办的经济实体，按政企分开的原则和产权制度改革的要求，成立专门的经营公司经营。政府成员不在经营性组织中担任职务，政府对经济的管理由直接管理转为间接管理。

北京市在1998年12月的政府工作会议上，决定街道办事处停止经商办企业，所办企业和市场全部移交区联社或其他经济组织。街道经费全部由财政拨款解决。同时要建立社区经济新格局，促进便民利民的社区服务型经济的发展，如家政服务、托幼养老、医疗保健、安装维修、房屋中介、文化娱乐等。鼓励和支持符合城市规划、有利于加强基础管理的城市管理型经济的发展，如绿化养护、环卫保洁、车辆管理等。

通过一系列措施的实施，各地社区经济已经有了很大发展，出现了多种行业和多种经济形式的经济实体。如利用驻区企事业单位的闲置厂房和场地开办超市、市场等。开放企事业单位内部资源建立生活服务、托幼养老、文化娱乐、医疗保健等设施，既解决了大批下岗待业人员的就业问题，方便了社区居民生活，又取得了较好的经济效益。这些社区经济项目包括集体、合作、股份、私营等各种经济形式。

2. 社区服务产业化促进了社区经济发展

随着人民生活水平的不断提高，随着城市人口的日益老龄化，随着生活节奏日益加快，家务劳动的日渐社会化，社区服务的需求快速增长。在社区服务内容不断扩展的情况下，出现社区服务实体化、产业化的发展趋势。社区服务已经开始从行政化经营向市场化经营，从事业化管理向企业化管理，从非经济实体向经济实体转化，进入产业化轨道，构成社区经济的主要内容，推动着社区经济的发展。目前，中央有关部门已经把社区服务业列为第三产业领域重点发展的产业，市区政府也把社区服务业作为着力培育的新的经济增长点。社区服务业发展十分迅速，到1994年全国共建有社区服务实体2584个，从1984年到1994年共创造产值81.7亿元，实现利税9.3亿元。北京市西城区社区服务实体，1991年收入为50万元，1997年1—10月已经达到350万元，为社区建设提供了资金，实现了高的经济效益，也实现了高的社会效益。南京市玄武区先后投资2亿多元，到1998年底已建成2000多个社区服务实体，年产值达到6700万元，实现利润520多万元，安置下岗职工3400多人。玄武区社区服务中心设有婚礼服务部、便民利民服务部、客房服务部等经济实体，提供一个人从小到老所需的许多服务项目，开张第一年就创收40多万元。由民政局和3个社区居民共同投资建成的夕阳红保健修养中心是全市首家股份制公寓。他们还利用外资建成了占地2.4万平方米的钟山国际老年公寓。新建的玄武区社区大学生公寓，以及流动人口公寓都已投入使用。社区服务产业在全国许多地方已经蓬蓬勃勃发展起来，并取得了很好的经济效益和社会效益。

在社区服务产业化的过程中，一些具有远见的企业首先进入社区服务业领域。如有的企业与社区合作，在居住小区中建立加工或销售网点等，既方便了社区居民，又产生了经济效益，深受人们的欢迎。近年在北京又出现了社区服务专业化公司，如力迈集团所属的力迈社区服务网络中心、北京市鑫丹妮科技发展中心、雅洁特家务服务有限公司等等。以力迈集团为例，力迈集团是一家股份制民营企业，主要投资于教育、科技、文化传播、通信技术、房地产和对外贸易等业务领域，近年又看准了社区服务业市场，投巨资组建了力迈社区服务网络中心。力迈社区服务网络中心的经营理念是把社区服务网络化，计划创建100—200个网站，目前已在北京建立了数十个网站。“力迈”提供的服务范围除了传统的家政服务外，还提供教育培训、文化艺术、娱乐票务、医疗保健、书报杂志订阅、房屋中介、旅游服务、汽车租赁、驾照年审等服务。最近又推出了家政助理服务，聘用一批经过专业培训的服务员，为有特殊需要的家庭提供集参谋、日常生活、医疗保健等一体化的服务。

企业进入社区服务业领域，并以市场化的方式经营和运作，一方面刺激了服务需求的增长，另一方面又将推动社区经济的发展。

·第三节·

国内外社区经济比较

综观美国、加拿大等国家社区经济发展的实践，以及我国当前社区经济发展的现状，不难发现我国与国外在社区经济发展上具有共同之处。具体表现为：都是以社区为依托，以解决社区成员的就业及生活水平的提高为目的，通过社区资源，包括人力、土地、房产、资本、技术、信息等资源的优化配置的方法，实现较高的经济效益和较好的社会效益，推动社区的发展。同时，我国与国外在社区经济发展上的差异也是显而易见的，具体体现在以下几个方面：

（一）

国内外社区经济的差异

第一，社区经济组织、管理主体不同。国外社区大都设有社区经济发展机构，如美国的社区发展合作组织（CDC），具体负责社区经济的组织和管理，这类机构属于民间非营利性质。我国目前社区经济组织和管理主体仍然主要是政府派出机构——街道办事处和居委会，以及民政局、文化局等政府职能部门。

第二，社区经济组织、管理机构的运作方式不同。国外社区经济发展机构是以企业的方式进行运作，它们和企业是一种合作伙伴的关系。我国社区经济组织、管理机构目前仍然是以行政的方式进行运作，虽然与企业有合作关系，但更多的是组织与被组织、管理与被管理的关系。

第三，社区经济的经济构成不同。国外社区经济的经济构成主要以私营经济为主，兼有一些股份和合作企业。我国社区经济的经济构成则以集体企业为主，辅以少量股份、合作和私营企业。

第四，社区经济发展资金的来源不同。发展社区经济需要大量的资金支持，国外社区经济发展的资金主要是依靠社区发展合作组织争取到的工商企业、各种基金会的捐助以及银行优惠贷款。我国则主要还是靠街道办事处，政府各职能部门出资，企业注入的资金很少。

第五，社区经济涉及的领域不同。国外社区经济涉及的领域非常宽泛，包括房地产业、小型加工业、商业以及学校、私人诊所、律师事务所和为满足社区居民基本生活需要的其他社区服务业。我国社区经济目前涉及的领域则比较单一、狭小，主要是以满足社区居民生活的社区服务业为主，社区经济在其他行业的发展还很薄弱。

（二）

国内外社区经济产生差异的原因

我国社区经济与国外社区经济发展之所以存在着上述诸多差异，从深层次分析既有体制的原因，也有经济发展水平、传统观念不同等原因。

第一，社区管理体制不同。由于我国长期形成的计划经济体制，在社会主义单一公有制基础上，政府作为国家利益的代表拥有几乎所有的社会资源，成为社会生产和社会生活的直接组织者和领导者，与社区有关的工作被纳入政府工作轨道，成为党和政府的地区工作，因而长期以来我国社会管理体制中没有“社区”的概念。随着市场经济体制的建立和深化，社会管理体制也发生着变革，向着“小政府，大社会”的目标转化，“社区”的概念被重新纳入社会管理体制之中，目前我国已经从社区服务进入到社区的全方位建设阶段。但是我国的社区体制尚未建立，社区建设还是由政府推动，政府仍是社区建设的主体。在国外已经进行了四十多年的社区发展实践，社区作为城市的基层社会单位体制比较健全，各类民间性社会组织在社区中发挥着十分重要的作用。这是造成我国和国外社区经济组织、管理机构主体和运行机制存在差异的主要原因。

第二，所有制基础不同。在计划经济体制下，我国的所有制基础是单一的社会主义公有制，微观经济基础的建构是国有企业和集体企业。随着计划经济体制向市场经济体制转变，出现了国有、集体、股份、“三资”、私营企业等所有制形式多元化的格局。但是，在我国所有制基础中公有制的主体地位没有改变，仍然是以公有制为主、多种经济形式并存的局面。国外许多国家的所有制基础是以私有制占主导地位，微观经济基础的建构是以私营企业为主。由此构成了我国与国外社区经济在经济构成方面的差别。

第三，市场发育程度不同。我国仍然处在从计划经济向市场经济转轨的过程中，市场发育很不成熟，无论是市场运作的规范化还是市场涉及的范围程度都不高。美国、加拿大等发达国家的市场经济已经运行了几十年甚至几百年时间，市场发育水平极高，市场的影响力渗透到社会的各个角落。因此，我国与国外发达国家相比，社区经济进入的领域存在较大差距，特别是在我国社区经济刚刚开始建构时期更是如此。比如在社区服务领域我国许多处在便民利民福利型服务阶段的项目，在发达国家早已进入市场经济的范畴。

第四，经济发展水平不同。人的服务需求是多方面的，除了基本生活的服务需求外，人们还需要教育、文化、娱乐、保健等等更高层次的需求。但是，在经济发展水平比较低、人民生活水平不高的情况下，只能首先满足基本生活服务需求，而且这时候的许多需求是靠自我提供服务来满足的。比如家庭餐饮、保洁、修修补补等，自己能做的就不会去找别人，一般都是自己动手。至于更高层次的服务需求，受经济能力的限制根本无法实现。这时候社区居民的服务需求不旺，服务市场很不发达。只有在经济发展水平和人民生活水平都比较高的情况下，人们除了要求社会提供基本生活服务外，还要求社会提供更高层次的服务。这时候社区居民的服务需求旺盛，才会刺激服务市场的发展。我国与美国、加拿大等发达国家相比，经济发展水平还较低，人民生活水平不高，社区居民服务需求的实现受到一定限制，影响了社区服务业的形成和发展，社区服务业涉及的范围比发达国家小得多。

第五，价值观念不同。我国与西方国家的传统文化有很大差别，因此在价值观念上存在较大差异。(1) 我国几百年甚至上千年来都是以家庭为基本单位，人们的家庭观念很强，事实上家庭在社会中的作用也是很强的。家庭成员有什么需要，一般都是在家庭内部互相帮助解决，无需求助于社会。西方国家一般是以个人为基本单位，人的需求直接走向社会。(2) 受儒家文化影响，孝敬父母、赡养老人是天经地义的，也是我们的传统美德。一般来说老人在丧失了劳动能力后都是由家庭成员进行照顾，不会送到敬老院或托老所，惟恐受人耻笑。(3) 中国人崇尚节俭，消费观念比较保守、谨慎，在满足了一般生活需要后，把多余的钱存起来，或为了养老或留给儿孙，抑制了当前消费。据1990年的统计数字表明，我国当年总储蓄占国民生产总值的43%，而美国只有15%，英国为17%，日本也只有34%。西方人的消费观念则不同，讲究花明天的钱，刺激了当前消费。当然，随着我国经济的高速发展，城市化进程的加快，人民生活水平的不断提高，中国人的价值观念产生了很大变化，但是与西方国家的差别仍然存在。上述观念上的差异对社区经济的影响显然是不同的。

对国内外社区经济发展进行比较，并找出其中的不同及产生的深层次原因，目的是为了借鉴国外社区经济发展的正反两方面经验，避免重复他们所走过的弯路，根据我国的国情制定科学可行的社区经济发展战略。

·第四节·

社区经济的发展趋势及对策

（一）

社区经济的未来发展趋势

从50年代开始的社区发展运动，迅速席卷了世界各个国家。从发达国家到发展中国家，从欧洲、北美到拉丁美洲，到亚洲甚至非洲，社区发展运动的大潮一波接着一波蓬勃发展。可以断言，社区发展运动在即将到来的新世纪中依然不会停止前进的步伐。社区经济作为社区发展的重要内容，是社区发展的基石，是社区各项事业协调发展必不可少的条件，社区发展客观上要求社区经济的大力发展。因此，社区经济持续、稳定增长是一种必然趋势。

1. 国外社区经济发展的社会环境

国外社区经济发展近几年呈现逐步增强的趋势，有些经济分析家认为，今后社区经济发展在社会生活中的作用将越来越重要，有进一步增长的趋势。其主要依据是社区经济具有进一步增长的社会环境。

第一，发达国家的社会保障项目长期以来主要由国家承担，70年代中期以后，受资本主义世界经济滞胀危机的影响，各国经济发展滞缓，而社会保障支出依然有增无减，各主要资本主义国家深感财力负担沉重，纷纷采取一些改革对策，提出社会养老、医疗以及其他一些福利享受，应由国家、雇主和雇员三方共同承担，将社会保障项目逐步转向社会，将一些保障对象转移到社区，通过社区的社会化服务即依靠社区自身的潜能兴办各种经济服务实体取得收入，来解决低收入家庭的全面补贴、医疗补助、住房补助、能源补助等。政府则对社区服务经济实体给予工商免税政策，扶持其发展。上述对策的设施，一方面促进了社区经济实体的产生和发展，另一方面又为社区经济实体提供了有利的发展环境。

第二，随着工业化和都市化的发展，人们在生活等各个方面对社会的依赖程度越来越高。例如快节奏、高效率的工作，迫使人们在时间观念上的紧迫感日益增强，而家务劳动、购物、照料老人、扶养小孩等等，既是生活中不可避免的负担和责任，又是在操作化过程中需要从简和尽量免除的事情，于是雇保姆、代洗衣物、代购物品、代照料老人、代帮助照管和教育小孩的劳动，自然要求转向社会。服务需求的增长，要求社区服务市场的形成和发展。

第三，世界经济全球化的浪潮冲击着世界各个角落，各国经济结构都面临着调整的局面，工业自动化和知识经济、新兴产业的迅速兴起日益取代传统工业，大批工人瞬间失去工作，沦落为生活窘迫的失业者。社区经济的开拓和发展创造了大量的就业机会，能够吸纳众多的就业者，因此，发展社区经济，将是解决就业问题的途径，也是最好的选择。

2. 我国发展社区经济的社会环境已经形成

随着社区建设工作的深入，无论理论界还是社区建设实践部门，对于发展社区经济在社区建设工作中的重要意义已经产生共识。社区建设发展到今天，发展社区经济既是社区建设的客观要求，也是推动社区建设的重要条件。

第一，进行社区建设需要物质投入，社区资金是推动或制约社区建设至关重要的因素。现阶段，社区资金不足已成为我国社区建设的瓶颈因素。由于我国经济基础还比较薄弱，政府财力有限，不可能对社区建设进行长期、大量的投入，因此，发展社区经济成为解决社区资金来源的重要途径。社区建设需要社区经济为其提供基础，呼唤社区经济的发展。

第二，随着我国经济的飞速发展，以及城市化进程的加快，人民生活水平大幅度提高，社区服务需求增长促使社区服务进入社会化和产业化发展轨道。社区服务产业的形成，推动了社区经济的发展，同时又为社区经济发展创造着条件。

第三，全球经济一体化和我国改革开放政策的实施，使我国经济已经融入世界经济发展的大潮之中。受世界经济发展的影响，我国也面临着经济结构调整的问题，传统工业让位于新兴产业。在经济结构调整过程中，大量工人下岗待业，加之为适应市场经济发展，政府职能发生转变，政府机构改革分流出来的一部分职工也处于待业状态，政府就业压力很大。为了引导下岗职工和分流人员向社区经济领域转移，政府制定了包括对于录用单位和职工个人的一系列优惠政策，鼓励他们在社区中重新就业。这在客观上也促进了社区经济的发展。

第四，经济体制改革，使我国经济结构呈现出国营、集体、股份、私营等多种经济成分共存的多元化发展格局。这种格局有利于社区经济打破所有制和级次隶属的封锁，推动不同所有制和隶属关系的经济成分相互融合，改变资源配置方式，实现社区资源的优化组合，为社区经济发展提供了宽松的体制环境。

当前，社区经济发展已经成为一种必然趋势，并且具备了社区经济发展的良好社会环境，社区经济的繁荣发展将指日可待。

（二）

我国社区经济发展的对策

社区经济是社区建设发展到一定阶段的必然产物，在已经具备了必要的社会发展环境后，如果由其自然发展将是一个比较缓慢的过程，也容易产生偏差，因此，创造更为有利的条件，从资金、政策等各个方面加以引导，将有助于社区经济在一个比较理想的状态下规范化发展，有利于建立社区经济新格局。根据国际社会的经验，结合我国当前社区发展的实际，对社区经济发展提出以下几点对策性建议。

第一，组建社区经济发展公司，并以企业化方式进行运作。目前，我国有些地区已经成立了社区服务或社区经济等实体，在运行过程中虽然注入了一些市场经济因素，但行政化色彩依然很浓厚，是一种行政和市场混合性的实体，很不规范，与社区经济的发展原则存在很大差距。社区经济发展公司的模式应是以企业化方式进行运作的规范化的经济组织，由社区组织聘请既懂经济又热爱和熟悉社区工作的经理人员，实行经理人员负责制。社区经济发展公司可以独立组织企业进行经营，也可以股份、合作等方式参与社区企业的经营。社区经济组织更重要的作用，是与政府、企业、银行保持紧密联系，筹措资金，组织低息贷款，帮助和扶植集体、股份、私营等多元化经济成分的社区企业发展。社区经济组织应了解和掌握本社区包括人力、技术、场地、资金等方面的资源情况，在有利于各方经济、社会利益的条件下进行合理调配。社区经济组织还应根据本社区的实际情况，负责制定社区经济发展规划，组织本社区的经济发展。

第二，发挥政府在社区经济发展中的作用。(1) 政府应通过资金支持和制定社区经济发展的各项优惠政策来鼓励和支持社区经济发展，如简化社区企业工商注册登记手续，对社区企业给予减免税照顾等。(2) 把原来由政府职能部门执行的一些公共实施、公共利益等社区发展项目，交由社区经济发展公司执行，因为按照经济学的观点，由公司按企业化方式运作比政府按行政化方式运作可以大大减少成本。社区经济发展公司承接政府社区项目，既有利于社区经济的发展，又可使政府节约成本，并符合“小政府，大社会”的政府工作改革思路。(3) 明确社区经济的产业定位，制定行业标准、收费标准等，进行行业化管理。

第三，发展社区经济应遵循社区发展原则。社区经济既依托于社区，又服务于社区，因此，社区经济发展也应遵循社区发展的原则进行。首先，社区经济发展应以有利于社区建设，有利于社区居民生活为原则，鼓励和扶植那些为社区建设和社区居民生活服务的企业和经营项目；限制和取消那些不利于社区建设和社区居民生活的企业和项目，如经济利益增长以损害社区公共利益为代价，有害于社区环境、社区公共安全，与国家经济、社会进步相矛盾的项目等等。其次，遵循社区成员参与原则。社区经济主体应是社区组织、社区企业、社区居民个人。应挖掘各方面资源，鼓励和引导各方积极参与社区经济建设。

第四，制定社区长、中、短期经济发展规划。规划的制定应紧密联系社区建设和社区居民需求的当前实际，避免产生超越现阶段的客观实际，与社区全面发展不协调的问题。社区经济发展规划应经社区组织、企业、居民代表共同审议通过，方可实施。

第五，社区经济领域应成为吸纳下岗职工的有效途径。社区经济的一个重要作用就是创造新的就业岗位，吸纳安置下岗职工，减缓社会的就业压力。应制定优惠政策，鼓励和引导下岗职工和政府机关分流人员到社区经济领域重新就业，以改善和提高他们的生活质量。目前，我国许多省、市政府都已制定了诸如对企业发放就业补贴基金，鼓励企业吸纳下岗人员，以及完善下岗职工养老、医疗保险等措施，引导下岗职工到社区从事社区服务等工作。但是，由于无论从范围和力度上都不够，效果并不显著。因此，应进一步加大力度，制定具体可操作性的措施，使社区经济领域成为下岗职工重新就业的现实选择。

第六，实现街道经济向社区经济的转轨。不可否认，街道经济在历史上确实发挥了重大作用。但是，随着形势的发展街道经济也暴露出了诸多弊端，与政府体制改革、城市管理体制改革和社区建设相矛盾。因此，街道经济向社区经济转轨已经成为历史发展的必然。街道经济向社区经济转轨应分类进行：(1) 随着城市化进程的加快，城市管理力度的加大，一部分街道、居委会原有的路边经济、违章建筑将被逐步拆除和取缔而自然消失。随着产业结构的不断提升，新兴产业迅速崛起，制造业的技术含量和加工程度日益提高，街道经济很难适应这种形势的发展，在激烈的市场竞争中，一部分企业将面临被淘汰的命运。一部分经济效益不好，长期靠街道办事处输血的企业，按照市场经济的法则应进行结业或破产处理。(2) 一些经济效益较好，但与社区服务和社区建设联系不紧密的企业，应纳入市场经济的轨道，并不再以街道所属的形式存在。在这方面北京市已经进行了实践，1998年12月召开的城市管理工作会议决定“街道投资开办的企业和市场，一律上交区联社和其他经济组织，不再由街道直接管理”。“今后，各区不再向街道下达街属经济指标，街道干部不再兼任企业的领导职务”。同时决定“建立社区经济新格局，发展社区经济，重点发展与居民群众生活密切相关的社区服务型经济，如家政服务、托幼养老、医疗保健、安装维修、房屋中介、文化娱乐等。……还要发展有利于加强基础管理的城市管理型经济，如绿化养护、环卫保洁、车辆管理等。社区经济要逐渐实现产业化、规范化、系列化”。目前，北京市正在分步实施上述规划，多数街道已完成了企业上交工作，其他改革措施也正在探索之中。（3）一些与社区服务和社区建设密切相关的企业，经过重组纳入社区经济的轨道，成为社区经济的组成部分。

第六章
社区文化的理论与实践

社区文化是精神文明建设的重要组成部分，是社区建设的重要内容。江泽民同志在党的十四大报告中，把文化建设作为一个重点问题加以论述，他说："搞好社区文化、村镇文化、企业文化、校园文化的建设，进一步开展军民共建、警民共建文明单位活动，把精神文明建设落实到城乡基层。"江泽民同志所讲的社区文化，指的是城市基层社区的群众文化。加强城市社区文化建设，对于城市居民文化素质的提高和城市的精神文明建设具有极其重要的意义。

·第一节·
社区文化理论探讨

(一)
社区文化的基本概念

1. 社区文化的定义

如果把人类文化比作一棵大树，各国各民族文化就是它的枝干，而社区文化就是它的叶子。顾名思义，社区文化的本质是文化，社区只是属性，要讨论社区文化首先需要讨论文化。宋原放同志主编的《简明社会科学词典》对文化的解释是：文化是人类在社会发展过程中所创造的物质财富和精神财富的总和。有时也特指社会意识形态以及与之相适应的制度和组织结构。文化是一种社会现象，它以物质为基础；每一个社会都有同它相适应的文化，并随社会物质生产的发展而发展，随新社会制度的产生而改变，有它自身的客观规律，不以人的意志为转移。文化的发展具有历史连续性，并以社会物质生产的发展为基础。英国杰出的人类学家、文化人类学的创始人泰勒说："文化是一个复杂的总体，包括知识、信仰、艺术、道德、法律、风俗，以及人类在社会里所形成一切的能力和习惯。"我国著名学者陈筠泉、刘奔主认为，"文化的最高价值就在于实现真、善、美高度统一的自由境界"，"就在于人的自由全面的发展"。

社区是文化的发祥地，是文化特色保持、传承和创新的根据地。社区文化交融构成社会文化，社区文化的同化在社会文化中形成，社会文化的变异在社区文化中产生。社区文化是社会文化区域性的小气候，社会文化是社区文化的大环境，小气候是大环境中的独特景色，大环境又不断对小气候形成新的影响。

美国学者帕克和伯吉斯认为，文化作为人群的一种社会遗产，既包括文化的具体发祥地，又包括文化的比较恒久的社会环境。芝加哥市同其他大城市一样，也有不同的文化社区，像波希米亚村庄、菲力斯群落、贫民窟、黄金海岸，等等。由于不同社区的宗教信仰、风俗习惯、生活方式各不相同，这些社区所表现的文化特点自然也就不同。我国社区研究学者奚从清教授认为："社区文化与社会文化一样亦应有广义和狭义之分。广义的社区文化，是指社区居民在特定区域内长期实践中创造出来的物质文化、观念文化和制度文化的总和。狭义的社区文化，是指社区居民在特定区域内长期活动过程中形成起来的，具有鲜明个性的群体意识、价值观念、行为模式、生活方式等文化现象的总和。”美国学者凯西·布斯认为，文化应该是开放的供人们分享的东西，而不应仅仅是供人们欣赏的东西。社区文化活动的开展与许多文化机构有关，例如，图书馆、艺术博物馆、科学博物馆、剧院、公园和娱乐场所、社区艺术中心、少数民族聚居中心、动物园、植物园，等等。人们能够在社区生活的各个角落中发现文化，如在社区的壁画、音乐、节日中，在风景秀丽的社区公园中，在某个庆祝地区传统习俗的场所中。社区文化活动主要有艺术活动、课堂学习、剧院演出、节日庆典、反种族主义和宽容教育、挽救失足青少年教育、环境美化、文物保护和旅游等。显而易见，布斯先生是把社区文化按照广义文化来对待的。

综上所述，笔者尝试给社区文化作这样一个狭义的定义：社区文化是精神活动、生活方式和社会规范的总和。社区文化包括意识形态、思维方式、价值观念、精神状态、风俗习惯等文化现象以及学习、交往、审美、娱乐、健身、休闲等一切活动。换句话说，社区文化是在一定区域内不同民族的社会群体在特定时期所从事的民俗传承、知识学习、职业技能培训、科学探索和普及、法律宣传教育、文学艺术实践、大众健身竞技等以精神生活为主的活动，这一切活动的根本目的都是促进文明的不断发展。

2. 社区文化的功能

社区文化涉及到人类所创造的信仰、风俗、制度、法律、科技、文学、艺术、休闲等一切自然科学和社会科学。在现代都市中，市民的生活方式日趋现代化和多样化。随着人们物质生活水平的不断提高，人们对精神生活更加重视，各种精神需求越来越多，层次也越来越高。人们不仅需要欣赏、消遣、休闲和娱乐，而且需要创作、展示、表演和交际，以此来发展自己的个性，展现自己的才华，实现人生的价值。同时，人们还希望密切邻里关系，守望相助，祥和友爱，营造良好的社区氛围，使共同的家园充满快乐和幸福。市民的这些需求在很大程度上都要通过社区文化建设来为之生产供给，都要通过社区文化的繁荣来使之得到满足。社区文化融民俗、文艺、体育、教育和精神文明建设为一体，其功能是非常多的。

社区文化具有娱乐和健身功能。游戏是动物的天性，更是人类喜爱的事情。娱乐活动是人们生活不可或缺的内容，是习俗传统的重要组成部分，是文化和文明发展的重要途径。人们在工作之余需要休息，需要消遣，而娱乐活动则是积极的休息消遣方式。娱乐和健身是社区居民从事社区文化活动的重要目的。人们在唱歌、跳舞、绘画、跑步、打球、下棋等休闲活动中放松神经、消除疲劳、调剂精神、愉悦身心。在经济生活不宽裕时，人们主要是为了生存而奔忙，很少有精力和财力从事娱乐健身活动。而当生产发展了，经济宽裕了，生活轻松了，人们就会产生闲情逸致来进行这样的活动，充分享受生活的乐趣。社会的发展水平越高，生活越富裕，获得的闲暇时间越多，人们对精神生活和身体健康的重视程度也就越高。在现代社会中，娱乐和健身不但是一种保障身体健康的生理需要，也是交际、审美、娱乐等精神心理需要，娱乐和健身已经成为一种社会时尚，人们在娱乐和健身方面所用的时间，在闲暇时间总量中所占的比例越来越大，而且娱乐和健身形式也越来越多。在娱乐健身活动中，人们可以尽情欢乐。尤其是赶上喜庆节日，如我国的春节、泼水节，巴西的狂欢节，德国的啤酒节，美国的感恩节，英国的祝捷节，法国的愚人节等，人们被欢乐的气氛所感染，忘掉一切忧愁和烦恼，尽情地歌唱、舞蹈、欢呼，开怀畅饮，放声大笑，使劳累和压抑等消极情绪得到释解，使精神得到愉悦和振奋。在娱乐健身活动中，人们还可以敞开心扉，倾吐心声，沟通思想，交流情感，使人际关系更加和谐。一个好的社区应该建置比较充足的娱乐和体育场地、设施和设备，应该经常举行多种多样的娱乐和体育活动。社区组织的娱乐和体育活动应该尽可能地贴近百姓，贴近生活，使群众的身心受益，只有这样，群众参与率才会高，活动效果才会好。

社区文化具有认知和育智功能。通过文化实践，可以认知自然，发现科学规律，发明新的技术，利用自然，又保护自然，生产出更多供人类享用的物质财富；可以认知人类自己，充分发挥人的潜能，提高人们的文明素质和精神生活的质量；可以认知社会，探索符合社会发展规律的观念、方法和制度，使经济、社会和文化协调发展，使社会文明程度不断提高。人们要进步要发展，就需要不断地认识事物，积累经验，学习知识，增长才干。知识是人们谋生的资本，竞争的砝码。在现代社会中，知识创新非常迅速，要跟上时代的发展，就必须不断地学习。人们要发展自己，完善自己，既需要受益于社会，又应该贡献于社会。而要实现自己人生的价值，实现社会的共同理想，就需要学习学习再学习。开展社区文化，要创造各种条件来满足人们增长才智的需求。例如，通过开办阅览室、知识技能学习班、计算机和外语学习、各种职业培训、知识技能竞赛等活动，可以使居民增加知识，培养技能，开发智力，增长才干，促进社会生产力的快速发展。

社区文化具有传承和整合功能。文化传承是社区的一项自然功能。社区的基本要素归纳起来有“四同”，即共同的地域、同质人口、共同的价值取向和共同的利益关系。我国现在的城市社区大多是在计划经济时期由单位及其居民区组建而成的。严格地说，这些社区并不是自然形成的社区，除了共同的地域外，并不一定具备“同质人口、共同的价值取向和共同的利益关系”这些社区本应具备的特征。因此，社区精神建设和维系的任务就显得更加艰巨。现代社会科技的发展使生产的自动化速度加快，就业机会则逐步减少，这使得竞争不断加剧，对人们造成很大的心理压力；现代居住方式和便捷的通讯条件，使人们的交往减少，很多人都有孤独苦闷的感觉，甚至产生心理变态。这些都是现代社会，尤其是现代城市社会非常严重的文化病症。人是情感动物，群体交往和公众评价都是非常重要的心理需要。社区组织的娱乐、健身、竞技、节庆等活动，可以为人们提供交流思想、联系情感、建立友谊和塑造个人形象的机会。交往活动对于行为规范的建立和邻里关系的改善，对于增强居民的社区认同感、归属感和责任感都是大有好处的。社区文化活动是社区成员进行交往，沟通思想，改善关系，促进团结，增进友谊，建立情感的主要方式；是提高社区成员文化素质，形成共同的价值观，提高精神文明水平的重要途径。社区要努力创造自己的文化特色，并将特色保持下去，形成民俗，形成传统，真正实现社区成员对社区的认同感、归属感和责任感。整合是指用正确的伦理道德来规范人的行为，用合理的制度和法律来制约人的行为，以此来保障社会的稳定有序。要用文化的手段不断改革完善生产关系，建立更加合理的政治制度、分配制度和法规政策，充分调动人民群众参与经济活动和政治活动的积极性，促进生产力的发展和社会的进步。社区文化有育德和普法功能。我国现在正处于社会转型时期，人们的思想观念和行为规范也在随着社会的变化而变化。市场经济对人们传统的道德观念和价值观念产生前所未有的巨大而又深刻的影响，这些影响既有正面的，也有负面的。社会在使人们获得更大自由度和更多活动空间的同时，也增加了使人们产生思想变态，甚至行为越轨的可能性。因此，道德自律和法律约束就变得比以往更加重要。社区文化有一项重要内容，就是培育伦理道德和普及法律知识，通过各种学习、宣传和寓教于乐的活动，使社区成员提高崇尚道德和遵守法纪的意识，增强社区和社会的稳定性。

社区文化具有审美和创造功能。社区居民的审美需求包括的内容很多，比如说，环境审美、文艺审美、服饰审美、体育审美等等。审美需求是高尚的精神需求，满足人们的审美需求对于提高人们的文化素质、思想品质、修养情操具有极其重要的意义。适合社区开展的审美活动有很多，文学、绘画、书法、音乐、舞蹈、曲艺、园艺、厨艺、茶艺等都是人们喜闻乐见的形式。人们在这些欣赏、创作等活动中，可以培养认识美、欣赏美、赞颂美和创造美的能力，增加审美情趣和艺术修养。在审美鉴赏过程中，人们的精神得到愉悦，心灵和行为会潜移默化地得到美化，而得到美化的心灵和行为又会以美的理念来美化环境、美化社会。审美鉴赏的过程，虽然以形象和感情方面的活动为主，但也符合一般的认识规律，也是一种从感性到理性不断反复的过程，这对于思维能力的培养大有益处。创造是人区别于动物的一种本质特征。创造使人智慧，使人发展，使人荣耀，使人快乐。创造活动包括知识创新、科学发明、技术革新和文艺创作等。这些活动对于推动社会发展有着极其重要的意义，对于个人成就感、荣誉感的获得也是至关重要的。当然，成年人大部分的创造活动可能不是在本社区内完成的，但是，社区是创造思维的摇篮，因为人们的儿童时代都是从社区开始的，而社区开展的科学知识普及和各种文艺活动为人们儿时的兴趣、好奇、幻想、小制作、小创作等提供了便利条件和展现的机会，为人们以后的技术革新、科学发明和文艺创作打下了一定的基础。

社区文化具有经济和环保功能。城市社区经济是我国实行社会主义市场经济体制前后出现的新生事物。发展社区经济的意义十分重大，它关系到每个市民的物质生活和文化生活的质量，关系到整个社会的稳定和进步，关系到城市经济的可持续发展，关系到城市两个文明建设的发展速度。随着人们生活水平的逐步提高，人们对文化生活更加重视，娱乐、健身、文化学习的消费需求迅速增长。城市社区是城市居民进行文艺、体育、教育等文化消费的主要场所，因此，社区文化产业也是社区经济的重要组成部分。经济发展的目的是为了提高人们的生活质量，而环境质量是生活质量中一个非常重要的因素，如果发展经济以牺牲生态环境和社会环境为代价，尽管人们的生活质量在物质方面会有所提高，但是其综合水平反而会下降。人类的文化活动在创造大量的物质财富和精神财富的同时，也会造成对自然环境的物质污染和对人类自身的精神污染。人类文化在近代和现代创造的物质和精神财富最多，但造成的污染也最严重。一切不文明的现象，都是那些垃圾文化造成的污染。生态的污染，有生产方式的问题，有废物处理的问题，也有人们环保意识淡薄、不良生活习惯、缺乏审美情趣、缺乏对社区和城市的热爱等文化方面的问题。社会环境的污染则完全产生于文化方面，物欲过重、恶性竞争、奢侈腐化、生活糜烂都是错误的思想观念造成的。要想净化生态环境和社会环境，首先需要净化文化本身，尤其是要改变那些不正确的世界观、人生观、价值观等文化观念，使人的思想得到净化美化，社会得到合理的整合，文明程度不断提高。社区文化的环保功能既是生态性的，又是社会性的。

3. 社区文化的特点

社区文化是社会发展状态的具体表现形式，是社会文化在社区中的综合反映。社区文化与社会文化之间既有相同性又有差异性，相同性表现在文化的时代性和相融性方面，差异性则表现在文化的地域性和传统性方面。在现代社会中，城市的社区都是比较开放的，社会的各种文化潮流通过现代化传播媒体很快就融入社区之中，文化时尚在社区文化所占的比重越来越高，社区文化对社会文化共性的反映越来越多。然而，文化要发展，就必须不断创新，社区文化建设的一项重要任务，就是根据地域、人口、民俗的特点，发扬自己的传统特色，为社会文化培育出更多诱人的奇花异草。

社区文化是地域性文化。社区的地理、生态、气候等自然环境，人口构成、风俗习惯、经济模式、建筑风格、园林绿化等人文环境，都对社区文化的内容、形式、质量、特色产生直接或间接的影响。社区文化是社区地域内所有成员，所有组织和所有企事业单位共同的事情，驻区内政府各职能部门，工会、共青团、妇联、残联、科协和老龄委等群众组织，以及所有的企业不但自己组织各具特色的文化活动，还为社区综合性文化活动出谋划策，出人出力，大家齐心协力，共创社区文化乐园。

社区文化是群众性文化，它的主体和客体都是社区成员本身。社区文化很多活动都是社区成员自己创意、自己组织的。因为大都是群众喜闻乐见的活动，所以参与的人很多，面很广，可谓是千家万户，男女老少，各种行业，各个阶层。社区文化中有许多活动实际上就是人们日常生活的内容，有些是历史传统、风俗习惯，有些是流行趋势、现代时尚。读书看报、唱歌跳舞、下棋弹琴、跑步打拳都是人们生活的爱好，都是人们生活的乐趣。这些活动多半都是自为的，不用发动，不用组织，天天如此，年年如此。这些百姓消遣休闲、自娱自乐的活动，是社会精品文化的基础。

社区文化是综合性文化。社区是个小社会，根据实际工作的需要，社区文化应该确定为大文化。社区大文化是融精神文明、民俗、教育、文艺、体育五个部门为一体的，因为这些部门虽然是相对独立的，但又是你中有我、我中有你、相互交叉、难以截然分开的。例如，文明需要民俗的传承，民俗需要文明的指引；民俗中有许多艺术的形式，艺术中有许多民俗的内涵；教育需要艺术作为载体，艺术需要教育得以延续；体育源于民俗，既需要科学的指导，又需要教育的培养和艺术的展现，等等。这些部门工作的共同目标都是为了提高社区成员的综合素质，使整个社区呈现出民俗多采、教育发达、科学进步、文艺繁荣、体育兴旺、环境优美、欢乐祥和、文明进步的景象。所以，社区文化应该是一个整体，是精神文明、民俗、教育、文艺和体育的五位一体。以前人们谈文化一般都是狭义文化的概念，主要是指文化知识和文艺活动，而对于社区来说，有很多情况都涉及几个方面的工作，如果按狭义文化的概念则难以归类，甚至造成矛盾。例如，艺术培训班是艺术，属于文化，可是培训班要在学校中办，又应该属于教育；群众舞蹈活动既是文化活动又是健身活动；台球、保龄球既属于文化娱乐又属于健身、竞技体育；园艺和街边雕塑是环境也是艺术，等等。而要把这些都归入社区大文化之中，把原来单一的文艺活动变为以文为主，与科技、教育、卫生、体育、环境等相结合，拓宽了文化活动的阵地，获得了各方面的支持和协作，从此分歧减少了，矛盾也减少了。把社区文化作为大文化来对待，便于制定发展计划和具体实施。

中国是文化古国，文化传统非常悠久，世界上有许多文化都发源于中国。中国文化种类十分丰富，例如评书、相声、京剧、剪纸，国画、书法、对联、秧歌、旱船、高跷、风筝、舞狮、舞龙、武术、气功、象棋、围棋，等等，数不胜数，文化种类之多在世界上是极其罕见的。除此之外，国外的许多文化形式也传入我国，如油画、话剧、桥牌、台球、篮球、乒乓球、保龄球、卡拉OK，等等。我们列举的这些文化活动类型，都是比较适合社区开展的。

(二)
社区文化建设的内容

1. 社区精神文明是社区文化建设的统领

精神文明是人们在社会发展进程中形成的一种高层次的较为稳定的心理状态。由于精神文明是由最先进、最正确的意识和思维所构成的一种高级心理状态，这就决定了精神文明具有静止和发展两种表现形式。所谓静止，是指意识形成以后的相对稳定性；所谓发展，是指思维的持续变化性。因此说，精神文明建设必须常抓不懈，使其不断巩固提高。

社区精神文明建设的意义十分重大。在现代社会中，由于工作竞争压力的增大，住房地点和形式的变化，城市生态和治安环境的恶化，不少人的社会交往减少而且更加功利化，人情味淡薄，因而变得精神孤独低迷，产生心理失衡或者变态。正如江泽民总书记在党的十四届五中全会闭幕词中所说："改革开放以来，政治经济形势很好，精神文明建设也取得了很大进展。但是还存在一些亟待解决的问题，思想政治工作薄弱、拜金主义、享乐主义抬头，一些地方社会治安情况也不好，一些腐败丑恶现象又重新滋生蔓延。这些问题应引起我们高度重视，采取切实有利措施加以解决。""要积极探索在社会主义市场经济条件下，搞好精神文明建设的新思路、新办法，逐步形成有利于社会主义现代化建设的舆论力量、价值观念、道德规范和文化条件。"搞好社区精神文明建设，就是要把精神文明建设落到实处，为社会主义现代化建设培养高素质的人才和营造良好的社会环境。

社区精神文明建设的目标是在社区内努力创造有利于社会主义现代化建设的舆论力量、价值观念、道德规范和文化条件，使广大社区成员逐步达到思想健康、精神充实、热情礼貌、人际和谐、关爱社区、热心公益、帮困扶贫、维护法制的文明程度，快乐幸福地生活在共同的家园之中。

社区精神文明建设的内容包括社区成员综合文化素质的培养，法律、民主、教育、科技、生态和审美等意识的加强，家庭美德、职业道德和社会公德水平的提高，社会福利、社会保障和社会救济的实施，美化居住环境以及人际关系的改善，等等。

文化与文明相互包容，密不可分。文化是文明的条件、途径和表现形式，文明是文化的动力、目标和结果。提高城市文明程度的关键是要大力搞好社区文化。社区文化构成社区居民的共同心理，能够使居民产生社区认同感、归属感和责任感，而这些情感作用所产生的吸引力、亲和力和凝聚力恰恰是社区小社会构建和发展的根本动力。重视社区文化建设，努力提高社区文化的水平，可以使社区成员生活丰富多彩，关系融洽，增加知识，发展才能，陶冶情操，使他们的精神生活更有质量，使他们的思想、道德、心理、身体等基本素质不断提高。城市社区是城市的细胞，文化是城市的灵魂，城市社区文化是城市灵魂的诞生地和附存地。任何文化都有好与坏，优秀与低劣，先进与落后，精华与糟粕的两面性。文化中有利于身心健康，有利于培养情操，有利于文明进步和追求真善美的部分，就是好的，就是优秀的，就是先进的，就是精华的；反之，有损身心健康，有碍道德风化，有悖文明进步和假恶丑的东西则是坏的，低劣的，落后的，糟粕的。

弘扬真善美是社区精神文明建设的根本任务。真善美是人类永恒的追求，是生活的根本目的，是文明进步的动力，是高尚精神的表现。求真是自然科学探索，是认识自然事物的本质和规律，是揭示生命奥秘和宇宙奥秘的动机和过程。人是具有高级思维的动物，求真使人智慧，使人进化。求真是社会科学研究，是对社会的认知，是探寻社会的发展规律和两个文明建设的方法途径。人是情感动物，求真使人相互理解，使人相互友爱，使生活更加美好，使社会更加进步。求善是道德准则的探究，是对人自身的认知，即对人的欲望、心理、性格、品质等内在规律性的认知。求善是对行为规范的探识，是对交往方式、相处条件、婚姻家庭组织等关系的探知。人是理性动物，建立文明的行为规范使人自然亲切，人际和睦，关系友善，生活和工作顺通。求美是精神愉悦的探觅，是对自然的观察理解和感悟，是自我心灵的表现和情感的抒发。人是浪漫的动物，求美使人情趣丰富，情操高尚，情怀伟大。人的物质生活和精神生活的全部应该说就是求真、求善、求美的全过程，人们的社区文化需求就是求真、求善、求美的需求，我们开展社区文化活动就是要努力为人们创造求真、求善、求美的条件和机会。

防止丑恶滋生是社区精神文明建设的重要内容。我们中华民族有社区文化的优良传统，民众社区文化的实践大都是健康的，积极向上的，文明进步的。然而，文化中的垃圾也是存在的，假恶丑的东西是会长期存在的，有时会销声匿迹，有时又会沉渣泛起。我们每一个社区成员，尤其是政府官员和社区文化工作者，都有义务、有责任宣传倡导，并亲身参加健康有益的文化活动，批评抵制低级有害的文化活动。文化工具是无罪的，麻将、象棋、围棋、台球等器具，可以用来游戏、竞技、健脑、健身，也可以用来进行赌博，从而败坏风气，造成恶果。游戏是人类的天性，黄赌毒行为也是出于人类的部分本性，社区文化的重要任务之一就是要用正确的导向、巧妙的方式、健康的情调和高雅的趣味来吸引人们的兴趣，表扬奖励有良性爱好的人们，以达到对人的劣质本性一面的抑制，激发人的良好本性一面的展现，促进社会风气的净化美化。

社区精神文明建设需要把精神文明建设和物质文明建设结合起来，走一条人口、文化、经济和环境协调发展的道路，具体的方法是以民间组织为主要力量，积极开展文化学习、民主参与、文体活动、科学普及、志愿服务、五好家庭、环境美化、双拥共建等活动。

2. 社区民俗是社区文化建设的特色传承

所谓民俗，指的是民众群体的风俗和习惯，包括饮食衣着、待人接物、节日庆典、婚丧嫁娶、宗教信仰，等等。民俗的起源是文化，本质是文化，形式是文化，功能还是文化。民俗是人类群体历史传统的因袭、传承和演变，是特定地域自然环境的产物，是民众物质生活方式和精神寄托、追求和享乐的方式。民俗是习惯使然，自然而然。约定俗成的生活习惯和文化心态一旦形成，就产生较为稳定的心理定式，可以在群体内部起到同化作用，对外部起到异化作用，形成自己的特色。俗话说“一方水土养一方人”，“千里不同风，百里不同俗”，就是指民俗文化的地域特点。例如，少数民族文化、北京的胡同文化和四合院文化、江南的水乡文化和园林文化、西北的黄土文化、东北的黑土文化，等等。从某种意义来说，民俗就是民族文化传统和特色的具体表现。

社区民俗的内容大致可以分成五类，即生产型民俗、生活型民俗、社会型民俗、信仰型民俗和愉悦型民俗。生产型民俗是指当地所特有的农业和手工业的劳动方法、技巧和经验，劳动工具的发明制造和改进，等等。生活型民俗包括饮食、婚恋、服饰、居住、医术等风俗习惯。社会型民俗有交际、结社、道德、礼节、贸易、节庆、家规、族规等。信仰型民俗包括图腾、祭祀、宗教、迷信等形式。愉悦型民俗涉及文艺、游艺、手工艺、杂艺等活动。

民俗文化有三个基本要素，即环境、种族和时代。这三个要素恰恰就是民俗文化的三个基本特点，即地域性、民族性和时代性。在现代社会，环境不仅仅指自然地理环境，还包括人文地理生态环境、社会环境、建筑环境等因素。这些因素合在一起构成整体的社区地域性特征，对社区成员生活产生影响，对社区民俗文化产生影响。由于环境对人产生潜移默化的巨大而又持久的影响，认识社区民俗的地域性特征非常重要。应该努力保护当地的地理、生态和自然环境，还应该努力改善当地的人文环境。在现代社会中，人文环境对人的影响越来越大。民族性是一个民族的整体特性，包括民族信仰、民族精神、民族智慧、民族性格、民族心理等等。每个民族的民俗文化都带有本民族的特色，诸如思想观念、思维方式、道德原则、行为准则、文艺形式、生活习惯等等。重视社区民俗的民族性特征，有利于民族团结、社会稳定，有利于保持特色、发展特色，有利于发扬民族精神、发展民族经济。民俗本来是属于历史的，它是约定俗成，习惯使然。然而，民俗的静止却是相对的，发展变化则是绝对的。民俗总是把历史与现代紧紧连接在一起，所以说，民俗既具有历史性，也具有时代性。历史上每一个时代都会给民俗打上烙印，而当代社会也必然对民俗产生影响。当今社会已经进入知识化、信息化时代，人们的思想越来越开放，新事物和外来文化传播得越来越快，有些时尚现在已经是在国际流行，像时装、流行歌曲、现代体育等，这些都是当代青年人共同的爱好，这些爱好也必将融入到社区民俗之中。

社会整合是由交往、调节、教化和融合四个要素组成的。民俗的社会整合不同于政治法律和教育等整合形式，它没有明确的目的，不分主客体，其整合的过程是潜隐的、柔和的、自然的，是在聊天、餐饮、游戏等活动中不知不觉进行的，参加活动的人员、形式、内容和环境本身都是影响源，所产生的影响是潜移默化的，而且影响一般是双向的或者是多向的。健康雅致、形式活泼有趣的民俗游戏和文艺活动，具有调整心态、和谐关系、丰富情趣、美化情操和愉悦身心的作用。民俗中祛病健身的实践，既涉及心理、生理、物理、化学等许多科学的范畴，也包含一定程度的迷信色彩，可谓是良莠混杂，精华与糟粕并存。对于这方面的民俗活动，不可轻言真伪好坏，不可随意倡导禁止，判断要斟酌再三，举措要慎之又慎。许多民间艺术和工艺制作都可带来良好的经济效益，如年画、春联、戏曲、民歌、风车、风筝、泥塑、编织、刺绣、蜡染、玩具、风味小吃、饰物和器皿，等等。在生活达到温饱以后，人们对于艺术欣赏和工艺品收藏的需求会大量增加，民俗文化产业的发展大有前途。传承是民俗文化的一个本质特性，没有传承就无所谓风俗习惯。民俗传承主要表现在语言传承、信仰传承、风俗传承和艺术传承四个方面。民俗文化的传承过程是一种文化进化、文明演变的过程，是良者昌盛、莠者衰亡、不断优化、大浪淘沙的过程。

3. 社区教育是社 区文化建设的基础工程

社区教育的探索在国际上是从50年代中后期开始的。第二次世界大战以后，城市建设和经济生产迅速发展，科学技术的重要性更加突出，教育受到更广泛的重视。一些国家认识到，学龄前教育和学校后教育与学校教育同等重要，继续教育、终身教育、成人教育和回归教育等新的教育观点和形式相继出现，并迅速传播。而作为城市基本单位的城市社区，由于具有地域的优势、社团组织的优势和联系百姓和政府的桥梁纽带优势，自然就义不容辞地承担起社会教育载体的职能。大力发展社区教育，是提高人口素质、增强社区综合实力的需要，是经济和社会发展的需要，是加强精神文明建设的需要，是城市现代化建设的需要。

社区教育不等于校外教育，不等于成人教育，也不等于社会教育，尽管这些内容都是社区教育所包括的。社区教育是广义教育的概念，泛指一切影响人的思想品德、增进人的知识和技能的活动。社区教育是特定社会区域的大教育，是社区内各种教育需求、教育主体、教育类别、教育对象、教育内容、教育形式、教育条件等所有教育因素，根据人才培养的规律和社会发展的需要，而积极主动相互联系、相互交融、相互合作，提高社区成员的综合素质，促进两个文明协调发展的全过程。

社区教育的目标是教育的社会化和社会的教育化。社区教育的任务是，根据我国精神文明和物质文明建设的需要，培养有理想、有道德、有文化、有纪律的公民，提高社区成员的道德法律素质、科学文化素质和艺术审美素质，等等。

从多种角度分析，我们可以发现，社区教育具有多元性、多样性、特殊性、丰富性、灵活性、差异性和复杂性的特点。从教育主体来说，社区教育包括学校教育、家庭教育、职业教育和社会教育等，这就是社区教育主体的多元性。认识这一特征，有利于发挥各种教育主体参与社区教育的积极性。从教育类别来说，社区教育包括基础教育、职业教育、继续教育、终身教育，这就是社区教育属性的多样性。重视这一特征，可以照顾到社区教育的全面性和系统性。从教育对象来说，社区教育包括幼儿教育、青少年教育、成人教育、老年人教育、残疾人教育、失业人员教育、妇女教育、家长教育、流动人口教育，这就是社区教育对象的特殊性。特殊对象需要特殊对待，需要研究性别、年龄、职业等心理特点和文化差异等等，注意教学的侧重点和方式方法，努力探索教育的规律性。从教育内容说，社区教育包括基础知识教育、常用技能教育、科普教育、道德法律教育、环境教育、卫生保健教育，以及婚育、育婴、助老、助残、问题儿童和两劳人员帮教等特殊教育。社区教育内容丰富性的特点要求社区充分利用社区内外的教育资源，不断挖掘潜力，使教育的内容更加充实，手段更加先进。从教育形式来说，社区教育包括校内教育、校外教育、脱产教育、业余教育、课堂教育、函授教育、自学教育，等等。注意社区教育形式的灵活性，可以使教育更具适应性，更具实效性。此外，认识社区教育条件的差异性，对于发挥主观能动性，调动一切积极因素，争取教育的最佳效果和条件的不断改善具有重要的意义。而积极研究社区教育需求的复杂性，可以理清头绪，想出办法，创造条件，尽可能满足社区成员的各种各样的教育需求。

社区教育主要包括五个方面的内容。一是培养才智。社区教育通过多种形式和多种方法，为社区和社会培养德智体美全面发展的各种各样的人才，既满足人们对教育的需求，又满足社会对人才的需求。二是训练技艺。人们要提高生产效率和生活质量，需要学习劳动技能和艺术技巧。社区开办的各种培训班，可以使在职职工和失业人员得到职业训练，增强竞争能力，适应现代社会的需要。而各种艺术培训班则可以提高人们的审美欣赏能力和创作表演的才能，使生活变得更有情趣，更加美好。三是普及科学。人类社会现在已经进入知识经济的时代，科学知识以18个月翻一番的速度增长，人们要跟上时代的发展，需要了解各种科学信息，需要学习高科技的知识以及科学生活及身体保健等知识，社区是科学普及工作的主要场所。四是宣传道德和法律。社区教育是宣传法律和道德的重要途径。有了道德和法律的维系，社区和社会才能稳定，才能文明。五是发展经济。教育需求的供给有一部分要靠政府提供，另一部分则要靠市场提供。社区教育的产业化正在逐渐形成，并有望发展成为社区经济的一个支柱型产业。

4．社区文艺是社区文化建设的精华展示

社区文艺是指社区成员所从事的业余文学艺术活动。社区文艺有全民参与、自娱自乐、丰富多彩、雅俗共赏的特点。社区文艺有娱乐、审美、教育、宣传、装饰、交际、经济等功能。社区文艺是形成社区认同感和归属感的主要途径，是形成社区吸引力、感化力、凝聚力和创造力的重要方法，是社区艺术风格、民俗特色和经济活力的直接或间接的展现。社区文艺包括娱乐、欣赏、创作和表演等活动。

娱乐在大多数情况下，是一种以某种形式为依托的活动。按照娱乐活动的时间、内容、形式，可以分成节庆型、竞赛型、自娱型三种类型。节庆型是在节日庆典中为营造喜庆欢乐的气氛而开展的活动，这类活动大都带有民族性、民俗性、传统性、奔放性等特点，如花会、庙会、灯会、歌会、舞会等活动，以及踩高跷、扭秧歌、跑旱船等节目。竞赛型活动有对歌、对诗、对对联、对酒令等。自娱型包括讲故事、说笑话、猜谜语、书法、绘画、唱歌等等。

文艺欣赏是指文学品读和艺术观赏。文学方面的有小说、诗歌、散文、剧本、回忆录、报告文学等形式；艺术方面的有音乐、舞蹈、戏剧、曲艺、美术、书法、雕塑、篆刻、插花、奇石、电影、电视剧等形式。

人是具有高级智慧和情感的动物，从某种意义来说，人生的过程就是对自然和社会进行观察、欣赏、感受、理解、领悟、表现的过程，而文艺恰恰是实现这一过程的最佳方式。城市社区是城市和国家文艺人才培养的摇篮，很多大艺术家的创作和表演实践都是通过参加社区文艺活动开始的。文艺创作和表演是人的高级精神需求，是社区文艺繁荣和可持续发展的关键，而娱乐和欣赏则是创作的基础和直接目的。

5．社区体育是社区文化建设的一个重点

健康是人类的基本需求，长寿是人类的永恒愿望，体育是人们在闲暇时间所从事的一项重要活动。中国是文明古国，我们的不少体育项目都有很深的文化内涵，如围棋、太极拳、气功等等。体育不仅有健身的功能，还有审美享受、智力开发、性格培养和促进环境建设的功能。社区体育包括大众健身和竞技比赛两个部分。

在现代社会中，人们越来越重视健身活动，因为锻炼身体与身体素质、生活质量、工作效率、精神面貌、体型健美、智力水平、反应速度、文化底蕴、心理素质都有直接的关系。现代体育健身活动已经从单一的健康需要，变成了娱乐、休闲、交际等多种目的融为一体的复合需要，并且已经成为一种新的社会时尚。大众健身的形式多种多样，我国传统的健身项目，如太极拳、太极剑、秧歌、气功、武术、象棋、围棋等，一直得到继承和发展，影响越来越大；外国引进的体育项目，如乒乓球、篮球、排球、台球、网球、保龄球、滑板、轮滑、桥牌、国际象棋等，很受人们欢迎，传播速度非常迅速。

社区竞技比赛是检验大众健身结果的一种方式，是为城市和国家培养选拔体育后备人才的主要途径。竞技比赛可以激发人们的进取心，增强竞争意识、法规意识和集体意识，培养不畏艰辛、不怕失败、公平竞争、不骄不躁、文明礼貌的品质。竞技比赛的观赏性很强，人们可以欣赏运动员的体型美、动作美、力量美、气质美、战术美，可以被运动员不怕困难顽强拼搏的精神所感动，为自己喜爱的队员或队伍的胜利而陶醉，为他们的失败而悲痛，也可以为运气、天气等偶然因素引起的胜败局势突变、悬念重重而津津乐道，回味无穷。高水平的竞技比赛可以带来很好的经济效益，还可以带动与体育相关的产业快速发展。

·第二节·

国内外社区文化发展状况

（一）

国外社区文化的理论与实践

1. 重视社区文化在社区发展中的作用

美国政府和社会科学研究机构非常重视社区文化在社区发展中的作用，并在社会整合、经济发展、素质教育和环境建设四个方面进行了重点实验。

社区文化是社区整合的调和剂，有利于社区共同意识的形成，有利于社区认同感和归属感的形成，使居民关系更加友善。社区文化通过开展各种活动，加强社区组织的合作和社区成员之间的联系，逐渐克服社会偏见和不公，增强社区的凝聚力。社区成员亲身参与的讲述社区历史、跳集体舞、壁画创作、社区花园建设、节日庆典文艺表演和展览等活动，可以创造强烈的吸引力和感染力，淡化种族偏见，缓解邻里矛盾，增加社区主人公意识和社区责任感，关心社区，爱护社区，建设社区，使社区变得更加安全、美丽、舒适、友善。在靠近芝加哥市中心的地方有一个贫困社区，环境较差，住在这里的大多是黑人失业者，单亲家庭很多，犯罪率很高。芝加哥市规划局为这个社区制定了一个复兴计划。计划中除了建造新的住房和商店、整修道路、植树栽花种草等内容，为了吸引各种收入和各种文化层次的人到这里买房，以打破高低收入家庭各自居住在不同社区的社会隔离现象，还计划在社区内新建图书馆、中小学和社区学院，改扩建两个公园，为居民提供舒适的、高雅的文化环境。这也是他们为打破社区隔离而进行的社会实验，因而他们把自己称为“社会工程师”。他们希望这个社区复兴计划的实施能够促进整个城市的经济发展和社会稳定产生积极的作用。

社区文化能够通过家庭艺术品制作、文物及遗址的保护和公展、民俗节日庆祝等方法直接吸引资金，加快商业发展，刺激文化消费，创造税收和提供就业机会，使社区对居民和商家产生更大的吸引力。纽约住房服务中心在几个社区实施它的这一战略，努力利用社区中的小块空地，将其变为小型公园，通过在这些小公园里建筑戏台，使各种聚会成为可能，如艺术品展、手工艺品小市场、音乐会及各种花展，这些活动一方面增强了社区的活力，另一方面也使社区变得更有吸引力，成为一个人们乐于在此集会的场所。伦敦、巴黎、东京等城市，在社区公园中建设了很多小型运动场地，如篮球场、羽毛球场、网球场、排球场、小足球场等等，其中一些比较高级的场地是收费的，活动者可以买电子卡计时使用，既满足了人们健身的需求，又使社区获得非常可观的经济收入。

社区组织各种文学艺术活动，吸引青少年参加，培养他们的文艺兴趣，提高他们的艺术造诣和综合文化素养，对他们的思想意识、行为规范、劳动就业都极有好处。写作、绘画、音乐、戏剧等创造性的活动能够培养一个人的理解能力、鉴赏能力和创造能力，能够使人在轻松愉快的环境里获得成功的经验和快乐，能够增强人的自信心和进取心。康涅狄格的哈佛艺术博览中心，利用艺术和文化手段，研究人类健康发展所需要的最基本的技能，通过古典舞蹈、击鼓、音乐、戏剧、影视艺术和造型艺术，鼓励北部贫困地区的孩子们去上大学读书深造，使他们戒毒；树立模范家庭，给保留着浓厚的非洲、加勒比海地区遗风的社区注入新的文化因素；训练年轻人形成自我意识，自我价值观和良好的思考习惯。

社会文化生态学家认为，人与人、人与环境的相互作用产生文化。每一个城市社区都应该为居民创造良好的生活和工作环境，包括生态环境和文化环境，西方学者把这叫作“生活质地”(texture of life)。英国环境设计家、田园城市的倡导者 E. 霍华德说：“一个为健康的生活和经常的工作设计的城市，其规模足以满足社会生活各方面的需要，但不比这更大，周围是一个田园带，全部土地为公共所有或由社区代为掌管。”霍华德的田园城市主要是考虑人类生活需要良好的生态环境，这既是生理的需要，也是心理的需要。西方规划师沙理宁也曾说过：“根据你的房子就能知道你这个人，那么根据城市的面貌也就能知道这里居民的文化追求。”他的话也强调了文化环境素质。有计划的环境优美的社区这种概念于 20 世纪中期开始在美国等地流行，许多新兴城市都受到霍华德田园城市理论的影响。这些城市在新社区的设计上明显地要防止一些城市弊病，即拥挤、压力、犯罪、单调乏味和缺少个性。这些城市弊病是第二次世界大战以后，城市郊区社区无计划发展的后果，即散乱、服务设施差、社区缺乏凝聚力、学校和娱乐设施不足等。马里兰州的哥伦比亚社区在居民区的设计中，有一个明显的价值观，这就是保护自然环境。虽然居民区中心是从事各种活动的人来人往的地方，但结构设计仍然和自然环境结合在一起。建筑物都比较低，中心的周围栽植灌木丛，居民区的绿地用花卉、树木和灌木加以美化。此外，不管什么地方都不许设广告牌和高大的招牌。甚至煤气站的招牌也是立在地面上，周围栽植灌木，疏水道也加以美化。社区的娱乐设施也很充足：三个湖、一片狩猎禁地、1990 英亩的公园、运动场和自然开阔绿地、28 英里长的散步和自行车锻炼甬道、中央运动馆、溜冰场、旱冰场、网球场和高尔夫球场。居民区中还有棒球、篮球、足球、滚球等活动场地，以及健身房和全年可使用的游泳池。该社区的创意者和开发者詹姆斯·劳斯表述的社区价值观念是："我相信对文明的最后检验是它（社区）是否有利于人类的发展和进步，它是否最大限度地振奋、鼓舞和促进人的发展。除了为人类的发展提供更好的环境和机会以外，社区实际上没有什么其他正确的目的。最成功的社区应该是通过其具体形式、它的机构和它的工作最大限度地促进人的发展的社区。"马里兰州的哥伦比亚社区的中心就是它的居民——每一位普通的公民和他们的家庭。实际上，它的开发者把它称作"人民城"。这一价值观以位于社区中心的"人民树"的雕塑为象征。这是一座抽象雕塑，看上去像一棵树，它的叶子是小人面像，象征着这个社区存在的主要理由。

2．重视社区资源的开发和利用

文化资源是综合实力。积极扩大文化资源的储备，充分发挥文化资源的作用，可以使社区在经济、社会、文化几个方面协调发展，可以使社区增强凝聚力和吸引力。社区文化资源包括人才、组织、设施和文物四个方面。社区文化人才是社区文化建设的核心力量，他们是社区灵魂塑造的工程师。社区文化人才积极帮助人们完善价值观念和行为规范，提高自信心和生活的兴趣，增强知识和技能，培养友善的情感，加深对社区的认同感、归属感和责任感，使他们在社区经济、社区民主、社区服务、社区环境等方面发挥更大的作用。美国社会学家约翰.P. 克瑞兹曼认为，艺术家等文化人才为社区建设所做的贡献主要有：保持优良的传统，并使其发扬光大，适应新的社会需要；综合社会各种文化知识，创立新的文化模式，并维持其结构的稳定性；传播正式与非正式技术，使它们以新的方式实现自身的价值和社会价值；通过朗诵、演出、导演、教学等活动贡献才华。巴黎是世界艺术之都，在 80 个社区中各类艺术人才应有尽有，数量可观。巴黎的体育人才也非常多，光是体育俱乐部的会员就有47.9万人。在社区教育人才中，仅中小学教师和各种管理人员的数量就达到3.1万人。社区文化组织是社区文化资源的重要组成部分，也是协调社区事务的重要力量。如巴黎的社区文化组织在娱乐健身、社区教育、民主参与和文物保护几个方面开展活动，为居民提供各种文化服务，对提高居民的文化素质和文化品位起了很好的作用。巴黎老城区面积为105.397平方公里，分成20个区，每个区又分成4个社区，一共80个社区，人口215万，选民115.5万人。巴黎有各种文化组织2400多个，社区中有很多文艺体育组织。仅以体育组织为例，巴黎有社区体育组织618个（其中250个是青少年组织），俱乐部3559个，会员47.9万人。巴黎第3区是巴黎老城区一个普通的区，区里有文学、艺术、音乐、体育等40多个协会。区政府每年组织协会节，庆祝活动持续两天，所有的协会都表演节目，与公众共庆节日。除此之外，区政府和节日委员会常年组织文艺体育活动，有传统艺术表演、画展、音乐会、民俗节、中国春节、消夏音乐节、电影节、摄影月、儿童圣诞联欢、厨艺表演品尝，以及武术、太极拳、柔道和各种体育比赛等等。在这些丰富多彩的活动中，人民获得了快乐，增强了体质，融洽了关系，提高了文化素养。巴黎是艺术之都，艺术气氛非常浓厚，人们在艺术环境中受到熏陶浸染，培养出良好的兴趣爱好和高雅的风度气质。

在美国的城市社区中，人们成立各种各样的兴趣爱好组织。这些组织经常开展活动，让会员们有机会互相交流，互相切磋，互相学习。那些与艺术相关的娱乐活动组织，如摄影、绘画、集邮等组织，常常举办展览会，让人们在欣赏品评中得到艺术魅力的享受和集体交往的欢畅愉悦。

美国国家艺术基金会主席简·亚历山大说："如果使孩子们拿起一枝油画笔或一枝钢笔、一枝单簧管或一把粘土，那么他们就较少可能去舞枪弄棒，因为有更好的事情需要他们去做。"美国的青少年犯罪和酗酒、吸毒、少女怀孕等问题非常严重，社区通过文艺体育活动来促进这些问题的解决，取得了很好的效果。文艺体育活动具有转变价值观念、培养人格和创造性的功能，可以使青少年提高生活兴趣，选择积极的生活方式，改变不好的性格，戒除不良的习惯，增强社会责任感。科罗拉多州朗蒙特区的青年艺术团，全部由那些有犯法记录的年轻人组成，他们经常在学校、避难所、市民服务俱乐部，以及其他公共场所演出自编自导的剧目，并向青少年传播很多有用的信息和知识，诸如如何应付家庭暴力、环境污染、低龄怀孕等问题。青年艺术剧团由青年权益网络组织所创立，这个网络组织是一个合作组织，成员有政府有关部门、中小学、婴儿领养服务机构、教堂、残疾人和妇女问题咨询中心等。青年艺术团致力于解决朗蒙特地区的青少年问题。这个计划得到城市青少年服务部门、地方艺术委员会和其他文化团体的信息和资金支持，还得到一些社会的赞助。艺术团成员在节目创作、排练、演出和演出后的讨论评价等活动中，培养了平等参与的精神、对观众和社会负责的精神。艺术团实行成员民主式的管理，委员会委员由成员担任，并定期选举更换。领导者的角色使他们更具有责任感，也更加注意自己的公众形象。南卡罗来纳州艺术委员会在州教育部的支持下，与教育者咨询委员会、艺术家协会、城市立法会、文化教育研究所三个单位一起，共同设计了"艺术基础课程设计"和"艺术发烧友"等项目计划，主要目的是通过指导孩子们学习舞蹈、歌剧、音乐及影视艺术，培养学生艺术方面的兴趣、技能和纪律观念。基础性艺术课程本身具有相互影响的作用，因而有助于培养学生的判断思考能力、组织能力和运用知识处理问题的能力，促进学生的全面发展。艺术课程还可以弥补传统教育模式中动脑多动手少的缺陷，增强学生的实际操作能力。

社区居民的需求是多方面的。由于发达国家社会化服务的水平比较高，社区在物质生活方面所要做的工作并不太多，而在文化服务方面则有大量的工作要做，居民们在这方面的需求很大。在社区中，人们接受文化服务的场所大多是文化公共设施，如公园、图书馆、文化中心、体育场馆等等。利用这些社区文化资源为社区居民服务，尤其是吸引青少年，引导他们关心社区，并为建设社区出力，这是"美国市长会议"和"国际城市与州县管理者协会"采纳的社区文化发展战略中的一项具体方案。此外，城市的各种文化机构也在社区文化工作中发挥非常重要的作用。亚利桑那州菲尼克斯市的"南部菲尼克斯青年中心"是一个由公园、娱乐和图书馆三位一体工作部的一个文化服务机构，主要提供三项服务：娱乐、就业和安全防范。1980 年以来，该青年中心一直致力于一项重要工作，那就是积极引导那些处于危险年龄段的青少年参加社区文化活动，减少他们走向犯罪道路的可能性。青年中心采用的方法是，用游泳晚会、联欢会等活动把年轻人吸引到中心来，以中心的轻松感、亲切感、快乐感和安全感来感染他们，使他们很自然地投身于社区的就业、治安和环境实施计划中，如青少年培训计划、青少年教育网络计划等。青年中心还在夜晚或周末组织一些小型灵活的项目，作为项目之一的"城市社区活动"引导年轻人参与读书、听音乐、踢足球、打乒乓球，以及用计算机学习数学和其他科学技术等活动，使他们在活动中增长知识，身体和心理健康发展。1990年，“城市社区活动”受到卡耐基委员会青少年发展部的嘉奖，成为全国十佳青少年发展项目之一。现在，“城市社区活动”已经扩展到全市各个社区。

在发达国家，文物保护既是政府的工作，又是公民自觉自愿的事情。政府在法规、资金方面提供有力的支持，民间文化组织在发掘、保护、利用和提高文物知名度方面与政府合作，积极发挥作用，是文物保护的一支骨干力量。文物保护是社区文化的一项重要工作，文物保护组织在政府和社会的支持帮助下，对社区的古代建筑和历史遗址能够很好地宣传、保护、开发。在法国首都巴黎，文物保护组织有2000多个，“历史巴黎协会”就是其中很有代表性的一个。“历史巴黎协会”是一个民间的非营利组织，是根据法国1901年7月1日的文物保护法的条款，于1963年注册成立的。该协会有80个执行委员，有4个常设机构，即古建筑保护委员会、历史遗址保护委员会、文物保护演讲寻访委员会和信息中心，还有众多志愿者。协会的宗旨是爱护、保护和宣传巴黎的古老街区，维护它们的建筑特色和与社会的和谐，并且确保它们能够融入明天的城市。具体的做法是：（1）通过活动宣传，形成有利于建筑遗产保护的公众舆论，唤起公众注意，说服各种权力部门、开发商和群众，来阻止盲目拆除旧的建筑和建设与周围环境不协调的新建筑；（2）修缮那些古老的或者是有历史意义的建筑，因为这些建筑具有典范价值或参考价值。由于工作非常出色，该协会已经获得的表彰有：1964年，“濒危杰作”保护一等奖；1967年，“青年工地”奖，授奖单位是历史建筑遗址国家基金会。该协会的文物开发收入和工作性开支情况对我们可能有一定启发意义。（见下表）

历史巴黎协会 1996 年、1997 年收入情况（法郎）

开发收入	1996	1997
文物书籍销售	156801.63	181701.60
相关活动	2327.00	24775.80
募捐	88209.49	131957.70
有偿服务	30794.60	22854.20
国际集资	332660.94	316010.82
参观、讲座	103593.37	117513.091
文物场所食品等销售	3147.00	3380.00
金融证券销售	13165.44	12596.44
存款利息	38900.00	47681.23
礼品价值	56853.20	34283.55
总收入	828448.67	894751.43

历史巴黎协会 1996 年、1997 年支出情况（法郎）

工作支出	1996	1997
购买物品	63593.63	67110.82
其他需要	166606.20	190497.72
对外服务	136126.29	151415.05
其他对外服务	167476.56	202073.38
上税	29890.13	26662.90
人员补助	114241.64	106831.67
工资和各种活动	8200.00	7800.00
日常管理	598.00	2434.40
金融活动	472.64	7787.24
维修和宣传资料	130309.01	123562.64
其他	4955.00	
总支出	824464.92	888176.82

（资料来源：历史巴黎协会。）

社区文化设施是社区文化发展的载体。社区文化设施是社区文化发展的载体。巴黎是一座文化城市，在社区中到处都可以看到博物馆、图书馆、影剧院、体育场馆，以及精心养护、景色迷人的公园和绿地。

巴黎社区文化、体育设施及园林情况

设施名称	数　量
文化：	
博物馆	134
表演厅（包括剧院 141）	170
电影厅	350
公共图书馆（市属）	64
雕像（18－19 世纪）	120
体育：	
体育场（市属）	37
游泳池	33
健身厅	209
网球场	142
园林：	
国家公园	7
市属公园	397
市属开放绿地（万平方米）	2199
其他绿地（万平方米）＊	179
人均绿地（平方米）＊＊	11.06

（注：其他绿地指国家和议会不对公众开放的绿地，以及体育场周围、单位院内和公共墓地中的绿地，这些绿地不包括在“市属开放绿地”之中。资料来源：巴黎市政府《巴黎的统计数字》，1996 年出版。）

巴黎的社区中有很多的文化中心、艺术中心、体育中心、娱乐中心、阅览中心、资料中心和信息中心。娱乐中心原来叫青年中心，中心的活动包括文艺、娱乐和体育，活动的种类有大约240种之多。

巴黎社区文化、艺术、体育和活力中心

中心类别	数量
文化中心	56
艺术中心	64
体育初学中心	23
体育深造中心	15
多功能体育中心	124
专项体育中心	43
活力中心	39
总计	364

（资料来源：巴黎市政府《巴黎的统计数字》，1996年出版。）

社区文物是社区文化的宝贵财产。巴黎是一座文化古城，有很多古建筑由于保护修缮，至今仍然非常完好，秀美多姿，熠熠生辉。走进巴黎城市的各个社区，就如同走进了建筑的历史，文化的圣殿，艺术的宝库。巴黎市政府、文化组织和普通市民非常重视文物保护工作，新建筑的规划和旧建筑的使用、维修和拆除都要严格执行法律规定。政府新的建筑规划必须事先公布方案，然后举行会议征求社区居民的意见，方能得以实施。这对于城市和社区历史风貌和特有风格的保持，对于城市和社区的民主实施以及经济的可持续发展都是非常重要的。截止到 1993 年 12 月 31 日，巴黎市政府确定的历史文物保护单位有 1654 个，而巴黎古城保护委员会制定的保护名录中则有 3115 项之多。

3．通过社区文化展现社区活力

文化活动是人民日常生活最重要的内容之一，人们在文化活动中得到精神享受、艺术熏陶、情操培养、情感交流、知识技能和身体锻炼。文化活动使社区增强精神凝聚力、经济活力、环境净化美化能力和安全防范能力。

在西方发达国家，城市社区文化活动都很活跃。例如，在巴黎的各个社区中，到处可以看到中小学生在小公园里踢足球、打篮球、练习乐器，在河边湖边和植物园中画画儿，校外生活丰富健康。笔者在学生家里，还看见他们排练合唱，庆祝生日，做游戏，形式文雅，文化艺术气氛很浓。在美国，每个社区都有很多文艺爱好者，他们画画儿、唱歌儿、跳舞、写作、讲故事、制作工艺品，等等。在纽约的法拉盛社区，我们看到老年人正在文化活动中心跳舞，中心每天都为他们提供午饭。在华盛顿，所有的文化、艺术、科学博物馆都是免费的，在参观的人中，少年儿童是最多的。在芝加哥，社区有时组织免费的交响乐音乐会，演出水平很高，气氛十分感人，为的是让人们感受艺术，提高文化品位。美国的社会组织、企业和普通市民经常为文化事业捐款。企业捐款可以免税，捐款单位和个人受到政府和社会舆论的表彰，名字还刻在文化建筑物的墙壁上作为纪念。1998 年，法国文化和信息部研究预测局对社区中 100 位 15 岁以上的法国人进行了问卷调查，统计结果为：人口中 18%的人会弹奏乐器，而参加业余文艺活动的人高达 32%，比 1989 年的 27%上升了 5%。

法国人的业余艺术实践

在最近12个月中	1989	1997
弹奏过一种乐器	18	13
与一个组织或朋友们一起唱歌或演奏乐器	8	10
除了音乐以外参加的业余文学艺术活动	27	32
阅读喜爱的刊物或文学作品	7	9
写作诗歌、中篇或长篇小说	6	6
绘画、雕刻或雕塑	6	10
制作手工艺品	3	4
舞台表演	2	2
设计	14	16
舞蹈	6	7
曾使用过照相机	66	66
曾使用过摄像机或摄影机	5	14

（资料来源：法国文化和信息部研究预测局。）

社区教育的主要基地是中小学。在一些发达国家，社区把学校当成社区发展的精神殿堂和动力本源，非常强调学校在社区的生产、生活、文化、公共事业和道德风尚等方面的引导和示范作用。发达国家的社区私立学校所占比例较大，这不但减轻了国家教育经费的负担，还使教育能够实现多元化发展，对于教育改革和质量的提高具有极其重要的意义。巴黎社区小学私立学校占15.2%，中学27.4%，分别比法国全国平均数高出3.1个和7.8个百分点。巴黎的社区成人教育也很发达，共有机构120个，教师900名，平均每周3900学时，在校生人数达到25000人。终身学习是目前日本教育中最重要的概念。1988年日本文部省设立终身学习局。为促进终身学习的进一步发展，这个局不仅负责自己主管的计划和措施，还负责协调文部省所有司局处室执行计划时的政策和措施。1990年，在教育改革运动和战略的总体框架范围内，议会通过了终身学习促进法，建立了终身学习审议会作为文部大臣的咨询机构。日本的实践证明，终身学习对于提高日本全体国民的素质产生了重要的作用。英国政府大力提倡加强高等学校与社会的联系，注意发挥教育促进科技和经济发展的作用。政府已经认识到，在科学技术日新月异、竞争日趋激烈的今天，如果不充分发挥高等学校在科研方面的优势，国家的经济发展会受到影响，在国际社会中的形象势必受到损害。英国政府通过实施政策已经营造了这样一个社会环境：高等学校如果不面向社会，不与工商企业和政府研究机构签订科研合同，提供科研咨询，进行联合办学，就不能获得足够的办学经费。英国政府在有关的教改文件中指出，高等教育应该做到“与工商界建立更加密切的联系，促进企业的发展”，“政府及中央拨款机构将竭尽全力，对高等教育机构与工商界联系的各种做法予以赞助和奖赏”。激励高等院校的科研活动，可以使教学内容不断更新，质量不断提高。政府还建立了“社区计划学习网”，使社区在社会教育中发挥更大的作用。

美国社区学院的发展起源于19世纪末叶的初级学院运动，迄今已有90年历史。一些大学为适应社会的实际需要，把全部学业分成一、二年级和三、四年级两个阶段，前一阶段进行普通高等教育的基础性学习，后一阶段进行高等专业化学习，前一阶段学制后来被称作初级学院，后来从初级学院中又演变出社区学院。现在的初级学院多半是由私人社团或教会创办主持，主要是培养各种中级人才，与社区的关系不很紧密。而社区学院是地方性的教育机构，学院不仅要完成大学基础课的学习，还要把社区发展作为学院的教学目标和任务，经常为所在社区的居民提供各种教育和文化服务，使学院成为社区的文化教育中心。在将近一个世纪的实践中，初级学院和社区学院不断发展壮大，显示了极强的生命力。两年制初级学院和社区学院的创建，使美国的高等教育发生了深刻的变化，使高校结构和层次更加合理，与社会结合更加密切，为社区发展提供强有力的支持。现在，美国两年制学院培养的专门人才已占高校毕业生总数的39.5%。在校生数量已占高校在校生总数的42%，初级学院和社区学院的发展使美国的人才结构更加合理，为国家经济、社会的发展作出了很大贡献，而社区学院对于社区发展的贡献更加显著。美国社区学院的职能与一般大学有区别，除了普通教育以外，还有社区教育、补习教育、职业教育和艺术教育等。

在西方国家的社区里，无论是在清晨，还是在傍晚，到处都可以看到很多健身者的身影。即使在上下午，健身的人也很多。健身是西方人生活中不可或缺的一项重要内容，他们在这方面投入大量时间和开支。西方社区体育的方式和我们大致相同，主要是跑步和球类，但业余练体操和健美的人也不少，和我们练气功和打太极拳的人数比例有些相仿。在美国的体育项目中，最受欢迎，也开展得最为广泛的是美国三大球，即美式足球（橄榄球）、棒球和篮球。美国人从小学到中学，从中学到大学，学生们都以不同方式，时间不等地接受这三项球类的训练。在平常空闲时间和周末假期，人们常常在操场上、草坪上、公园里和自己的院子里玩耍练习这些球类项目。在最近二十多年里，随着人们闲暇时间的增多和健身意识的增强，自行车越来越受到美国人的喜爱。目前，骑自行车郊游已经成为一种体育时尚，它是家庭、情侣、伙伴、同事等人群经常在周末和假期进行的一项快乐的健身活动。

巴黎的体育设施在世界的城市中是名列前茅的。在仅仅105平方公里的面积里，就有体育设施437座。（见下表）其中综合活力中心有39个，体育活动在综合活力中心的各项活动中占有很大的比例。仅以第17区的国际活力中心为例，那里的体育活动有攀登、柔道、空手道、网球、高尔夫球、体操、技巧、瑜伽和舞蹈等。在23座体育初学中心，每天都有1800-2000名儿童学习各种体育项目，乒乓球、游泳等都是学生必修的体育课程。多功能体育中心和专项体育中心每星期三和假期面向一万多名学生开放。在巴黎的各个社区中，人们可以在体育场地和设施中进行大约60种体育项目，这其中有一些是起源于法国的，如飞标、板球、回力球、贝宕克（一种铁球游戏）等等，还有不少是移民带来的，其中有我们中国的太极拳、气功、功夫（武术）等，还有日本的相扑，韩国的跆拳道，等等。巴黎的体育人口很多，体育俱乐部会员有将近48万人，参加体育锻炼的人占巴黎市总人口（215万）的29.7%，比全国的23.3%高出6.4个百分点。在社区中，到处都可以看到孩子们在踢足球，打篮球，而老年人玩贝宕克铁球游戏的人很多。

巴黎社区体育设施数量

体育设施名称	数量
正规体育场	38
体操馆	122
游泳池	33
体育初学中心	23
体育深造中心	15
多功能体育中心	124
专项体育中心	43
活力中心	39
总计：	437

（资料来源：巴黎市政府《巴黎的统计数字》，1996年出版。）

4. 依靠社区组织和群体的合作发展社区文化

在建设社区文化的过程中，不同社区组织和群体间的协调合作是十分重要的。合作可以防止资源的浪费，扩大资源的使用范围，使文化新观念在合作伙伴中相互传播渗透，达到多元文化交流融合的目的，以产生杂交变异的更有活力的文化新品种。合作伙伴应该襟怀坦白，相互理解，相互支持，尤其是在资源短缺和财力不足时更需如此。合作的实施过程包括以下一些内容：

一是拟定共同计划。纽约城市银行与“居民社区建设合作公司”合作，于1993年共同拟定了一项文化建设社区计划，目的是促进纽约各社区发展合作组织与文化组织之间的合作。在计划执行中，布鲁克林联络点与布朗克斯艺术协商会提供了小额规划赞助金，并举办一系列研讨会，使新伙伴们在组织发展与计划开发方面得到观念、经验、资金、技术和信息等方面的帮助，建立了共同合作的良好基础。由于城市银行的帮助，有三个组织，即斯塔滕艺术与人文委员会、社区老年人办公室和纽约社区联合会，建立了比较固定的长期合作关系。在实施文化建设社区计划的第一年中，这三个组织决定开发一个加强文化合作，促进斯塔滕北岸经济增长的项目。北岸的贫困人口很多，许多人失业，流落他乡，经济萧条，文化落后。然而，北岸的文化资源很丰富，斯塔滕岛许多19世纪晚期和20世纪初期的建筑物都在这里。三个组织建议开辟一条区间公共汽车路线，形成一条旅游线路，把商业区与历史建筑和文化机构都联系起来。一年后，区间公共汽车举行了通车典礼，三个组织的合作成功使斯塔滕岛的经济开始发展，文化活动增多，人口质量提高。

二是相互妥协调和。合作关系像其他关系一样，有时候也需要妥协。斯塔滕岛的合作伙伴们也需要经常协调他们所代表的三个社区的不同需求和各自的目标计划。成功的协作需要具备四个基本条件：确认共同的需求，得到各方面的支持，努力完成各自的任务，保证工作的高质量。当需求不太一致时，需要各方作出妥协；当需要大量时间和精力时，需要各方的耐心；当利益发生冲突时，需要各方的克制；当工作出现差错时，需要各方的谅解。经常的探讨与磋商，经常的妥协与协调是合作取得成功的保障。

三是建立相互信任。建立信任是合作过程中一个非常重要的问题。信任是建立在相互了解的基础上的，而了解则需要相互尊重、相互吸引、相互坦诚和相互交流。马里兰州巴尔的摩市的生活博物馆花了大约十年时间才与所在社区的居民建立起友好互助的关系。博物馆位于詹姆斯顿社区，这里原来是一个贫困的黑人社区，70%的妇女没有工作，80%的家庭是单亲家庭，90%的18岁以下少年儿童生活在贫困之中。当博物馆在1984年开始迁到这个社区时，由于没有事先同当地居民商量，居民们不了解这次搬迁的目的，以为是上流社会人士的主意。居民们用毁坏博物馆门窗的行为和制造骚乱来发泄不满情绪。对此，博物馆并没有采取加强安全措施或远避邻舍的办法，而是主动与社区居民交谈，沟通情感，了解他们为什么要破坏博物馆的动机。经过一年多的接触，双方达到了相互理解，终于建立了相互信任的友好关系。博物馆通过了解社区居民对博物馆的要求，制定出以社区发展为目标的居民共同参与的行动计划。他们帮助解决改善环境的资金，举办青年人就业培训，照顾老年人生活，开办居民生活画廊，举行各种文化活动，使博物馆成为社区的一部分，使居民们把博物馆看成是自己的邻居。

四是注意发展动态。在实施合作项目过程中，要特别注意各合作方的动态，要建立一种检查机制，以确保合作实施的进度。纽约牙买加社区文化合作组织由四个单位发起，他们是大牙买加开发公司、牙买加艺术中心、约克学院和王室庄园遗址馆。他们进行合作的兴趣在于改善社区居民的生活质量。在艺术进步基金的支持下，他们建立了一个社区网络，开发文化资源发展社区事业。他们策划了一个利用城市银行提供的文化建设社区计划专款举办“牙买加 1994 春季狂欢节”的项目。这个项目由十一个组织合作实施，包括一些影视和表演单位、一个农民市场、一个图书馆及一些历史文化研究和文物保护单位。经过一年多的努力，狂欢节取得极大成功。而成功的原因就在于，他们随时注意各合作单位的实施动态，通过评估给予表扬、提示或帮助，使得合作计划能够顺利地完成。

总结国外社区文化，我们不难发现其特点是：

第一，科学研究与社会实践紧密结合。由华盛顿大学社会学系教授组成的“社区合作者协会”，二十多年来一直在进行社区文化研究。该协会尝试通过开发和培训贫困社区居民的文化艺术潜力的方法，帮助他们寻求就业谋生之道，从根本上摆脱贫困，振兴社区。例如，有一个黑人，通过协会培训学会了烹调技艺，并在协会的帮助下获得资金开了一家餐馆，其结果，不仅提高了个人素质，脱贫致富，还解决了社区几十名失业者的就业问题。目前，社区合作者协会正在费城实施一个通过发展社区文化来振兴社区、帮助穷人摆脱贫困的计划，此计划得到一些著名基金会国际组织，如洛克菲勒基金会、鲁斯基金会、城市银行、联合国教科文组织城市事物局的支持。协会正在美国 10 个城市推行这个通过发展社区文化来振兴社区的计划，以此来促进社会的稳定和进步。

第二，社区文化重视少年儿童的培养。芝加哥市组织了一个“市长夫人艺术长廊”活动，在周末和假期把儿童组织起来学习艺术，不同种族的孩子们在一起学习艺术制作、艺术表演，在愉快的气氛中增加了了解，增进了友谊，消除了种族歧视。“长廊”还组织儿童家长参观孩子们的制作和表演，培养了儿童和家长的荣誉感、自豪感，也密切了家长们之间的关系和学校与家长的关系。此外，“长廊”还把儿童们制作的艺术品放到社区商店中展览销售，不但使孩子和社区都获得经济收益，而且对于增强孩子们的自信、提高文化修养和艺术造诣作用很大，为以后的就业也打下了基础。

第三，社区文化鼓励居民参与。西方国家对于民间文化团体，不是因害怕而加以限制，而是积极鼓励，大力支持，注册手续简单，批准速度极快，在维护法律的前提下给予充分的自由。各种文化组织和俱乐部星罗棋布，活动种类繁多，既满足了人们自娱自乐、自我表现的精神需要，又为社会、为政府做了许多事情。今后，我国政府应采取更积极的措施鼓励健康的文化社团的建立，以提高广大人民群众开展群体文化活动的积极性，增进群众和政府的关系。同时通过改革单位体制，减弱单位的工作和经济负担，把职工的业余生活和社在文化活动紧密结合在一起。

第四，重视社区学院的建设。美国有很多社区学院，其主要优点是：(1) 入学容易。80%的社区学院都是免试入学，只要是满 18 岁的公民即可，不必一定是高中毕业生。这使得高等教育得到普及，使得本地区的高校入学率大幅度提高，降低了地区之间人才培养和社会发展的不平衡性。(2) 适应学生的个体差异和个性发展。由于入学没有学历限制和年龄上限，学生的文化程度参差不齐，学习目的、理解能力和兴趣爱好差异很大。学院采取多类别、多层次、长短期分班办法，采用多种教学手段和授课方法，以适应学生的不同需要。(3) 课程设置合理。社区学院以社区发展为办学目标，课程设置与社区和社会的需要相适应，科目广泛，实用性强。毕业后既可以升学深造，又可以直接为社会服务。

（二）
我国社区文化的发展现状

人的文化需求总是随着经济和社会的进步而不断发展变化的。改革开发以后，随着人们生活水平的提高，社区文化需求不断增长。人们不仅要求社区提供宽敞舒适的住房，方便的生活设施，以及种类齐全质量上乘的交通、购物、房屋维修和托老托幼等服务，而且还要求有绿草茵茵、鲜花盛开的美丽而又整洁的环境，方便实用的娱乐健身场地和设施，以及教育、文艺、体育等高层次的文化服务，等等。不仅如此，由于人们民主参与意识和社会贡献意识的逐步增强，他们还希望参与社区的规划、管理、服务、安全、文化等方面的事务，为社区共同家园的发展繁荣贡献自己的一份力量。

满足人民群众的物质生活需求和精神文化需求是社会发展的根本目的，是政府的一项重要职责。随着我国经济的发展和人民物质文化生活水平的提高，群众对于文化生活的要求日益强烈，文化参与心理日益高涨，日益迫切，他们已不满足于被动接受欣赏，而且要求主动参与文化艺术的创造。党的十四届六中全会作出决定，全党全国人民在新时期的一项重要工作是，“要以提高市民素质和城市文明程度为目标，开展创建文明城市活动”。要把城市精神文明建设落到实处，抓出实效，就要探索搞好精神文明建设的新思路、新办法，而社区文化的实践就是一种积极的探索。

1985年，北京市政府和各区政府都成立了“群众文化工作委员会”，负责统一协调、指导全市和各区的群众文化工作，把社区文化工作纳入领导议事日程，定期研究，制定方案，部署工作，并相继出台了一些扶持政策和管理规定。其他一些城市也成立了区街社区文化工作委员会（有的叫“文体工作委员会”），统筹规划、协调、指导社区文化工作的开展。作为政府派出机构的街道办事处更是一马当先，把社区文化作为一项重要的任务认真研究，加以落实。在市、区政府的领导下，街道和居委会建立了社区文化站、文化中心、图书馆和阅览室等文化基础设施，各种文化节、艺术节、庙会、游园会、夏日广场、露天电影、歌咏比赛、全民健身、小型运动会搞得红红火火，热闹非凡。1995年，北京市已有90%的街道成立了街道教育委员会，东城、西城等八个区已经成立了区一级的社区教育委员会，社区教育的组织保证更加坚实。文物是开展社区文化的重要资源。北京市西城区在1994至1998的五年时间里，抢修文物建筑46处，总面积4000平方米，总投资2563万元，使一批珍贵文物建筑得到了及时抢救和有效保护。政府对社区文化的重视使群众受到鼓舞，也激发了参与社区文化的热情。

社区是所有社区成员和驻区单位共同的家园，社区内企事业单位在努力搞好自己单位文化工作的同时，还要参与社区整体文化工作的共同协商，共同谋划，共同实施，这是驻区单位理所当然、义不容辞的责任。在政府的大力倡导下，不少社区企事业单位把社区文化当成自己份内的事情，尽可能地出主意、出财力、出人力、出场地，使得社区文化工作扩展了空间，扩大了资源，扩充了实力。北京市西城区德外社区的裕中中学响应区委区政府的号召，于1995年9月在北京市率先将学校操场向社会开放。工作日每天早晨5:00—7:30，周末早晨5:00—中午12:00将操场无偿提供给居民作锻炼之用，几年来已接待居民锻炼十多万人次。现在，德外社区资源共享单位已经发展到39个，使社区文化资源得到了比较充分的利用，缓解了文体场地紧张的矛盾。社会的广泛参与使社区文化的条件得到改善，质量更高，影响更大，效果更好，也使社区文化工作者的工作积极性大大提高。

群众的巨大需求，政府的高度重视，社会的热情参与和社区文化工作者的积极努力，都为社区文化的开展创造了较好的条件。经过十几年的共同努力，社区文化已经取得了比较显著的成绩。这些成绩主要表现在五个方面：

一是观念的更新。社区文化能够蓬勃开展，有赖于群众、政府、社区工作者和驻区单位几个方面对于社区文化的深入理解。社区文化是大文化的观念已经被普遍接受，社区文化从原来狭义的文艺概念变成文艺、科技、教育、卫生、体育、环境等相结合的大文化概念，这样就拓宽了文化活动的阵地，获得了各方面的支持和协作，减少了分歧和矛盾。文化也是服务的观念不断增强。社区的中心工作是社区服务，文化是社区服务中的一项重要内容，而且是比一般性物质生活服务层次更高更深的服务。文化服务是政府、街道办事处和居委会应尽的职责，是社区志愿者应尽的义务。做好文化服务工作对于社区精神文明建设和其他工作的开展具有极其重要的意义。社会主义市场经济的实行，为社区文化的有偿服务提供了理论和政策的支持，使得社区文化市场出现生机勃勃的景象，文化产业观念开始形成。80年代以前，社区文化的资金主要来自政府，政府的经济负担很重，可社区的文化经费却仍然严重不足。改革开放以后，人们的生活水平有了较大提高，人们有了花钱买娱乐、花钱买健康的文化消费需求，社区也就自然出现了文化消费的供给，由过去单一的无偿服务向部分有偿服务或完全市场型服务转变，在重视社会效益的前提下，尽可能创造良好的经济效益。社区文化服务产业化是社区服务产业化的重要内容，是社区经济的重要组成部分，提供场地和设施设备、开办各种文化培训班是社区文化有偿服务的主要方式。社区文化有偿服务减轻了政府的经济负担，弥补了社区文化经费的不足，当产业化经营有了规模效益后，还可以上缴税收，增强城市和国家的经济实力。

二是社区单位积极参与社区文化活动。社区文化是社区内所有成员，所有组织和所有企事业单位共同的事情，驻区内政府各职能部门，工会、共青团、妇联、残联、科协和老龄委等群众组织，以及各企业单位，不但自己组织各具特色的文化活动，还为社区综合性文化活动出谋划策，出人出力，大家齐心协力，共创文化乐园。例如，北京市西城区德外街道群众文化工作委员会成立于1987年，一共吸收了67个会员单位，占本社区单位总数的2/3。委员会由街道办事处担任主任单位，十几个文化工作开展得比较好的单位担任副主任单位。委员会每年要召开一次年会，总结一年工作，研究制定下一年的工作计划。各会员单位不但积极参加社区文化活动，而且还各自根据自己的文化强项和经济实力，主动承办一些社区的大型文化活动，如华北电力设计院承办“华电杯桥牌赛”、石油天然气总公司承办“石油杯围棋赛”、国防科工委承办“国防杯群星百花文艺会演”等等。西城区的学校体育场地占全区体育场地的66.4%，且较为均匀的分布在10个社区。从1995年开始，区政府发出“学校体育资源与社会共享”的号召，希望学校能把体育场地和设施在空闲时间向社会开放。1995年9月，裕中中学率先将校内的篮球场、羽毛球场、乒乓球台无偿向周边居民开放。到1999年4月，已经有97所中小学和7个企事业单位以不同形式实行了体育场地向社会开放。西城区人均健身活动场地已达到0.5平方米。这在城市用地非常紧张的首都城市是很不容易的。资源共享大大弥补了社区公共文化场地的不足，对社区文化发展和城市可持续发展贡献颇大。现在，全国已有不少社区实现了社区文化的社会化，社区文化呈现出前所未有的生动活泼、丰富多彩的好局面。

三是重视文化工作队伍建设。天津市河西区把文化队伍建设作为推动社区文化建设的组织保证和内驱动力，舍得下气力，花本钱，提高文化队伍的整体素质。他们分期分批把有一定基础和培养前途的青年送到专业艺术院校深造，此种做法值得效仿。厦门思明区先后成立了书法协会、曲艺协会、灯谜协会，组建了一只业余文艺队伍，在舞蹈、曲艺、声乐等方面培养出一大批群众文艺骨干。北京市西城区阜外社区文化体育工作委员会有50多位来自民间的理事，其中很多都是文化艺术界名人，有著名演员、书法家、画家、体育明星和社会活动家，还有20几位驻区单位的工会主席、团委书记和文体活动骨干，形成了一只非常强大的议事协调专业指导工作队伍。社区中心有专职文化干部2人，聘用干事2人，均是大专以上文化程度。通过文体委员会社区文化干部的积极发动运作，社区成立了19个文艺体育团队。这些组织是：老年回春保健操队，老年迪斯科队，太极拳队和太极棍队，三个年龄组的乒乓球队，河北梆子剧团，少儿足球队，少儿艺术团，象棋队，少儿台球队，京剧队，老年门球队，时装表演队，篮球队，还有幼儿表演队、少儿书画队、群众演出队、艺术指导队和技术指导队等等，总人数大约有1800人左右。

四是群众文化活动丰富多彩。天津市和平区东兴市场街道于1993年成立了“社区教育中心”，为家长举办“教育讲座”，为学生开办“计算机培训班”和“国防教育班”，为老年人举办“老年讲座”等等，他们的社区教育活动很受老百姓的欢迎。北京市东城区为了使文化工作深入到社区和家庭，在1995年重点发掘培植100个特色“文化细胞”，也就是基层的文化兴趣小组，如杂技世家、风筝家庭、小小音乐会等。其中有一个“细胞”是梁园诗社，由13位老年人组成，平均年龄70岁，社长梁婉姗老人已是93岁高龄。每逢周二活动日，老人们就高兴地聚在一起，切磋诗画创作的技艺，交流艺术实践的感受，他们的诗画作品时常在报纸刊物上发表，诗社的活动成为老年精神生活的一种重要的精神慰藉方式。文化细胞活动使居民文化生活健康愉快，使邻里关系得到改善，文化素质得到提高。北京市西城区政府和各街道还在群众文化社团开展活动的基础上，组织了艺术节、运动会、音乐会、演唱会、歌咏比赛、书画笔会、舞会、庙会、民间花会、夏日广场、时装表演、收藏展览、居室美化设计和各种单项体育比赛，真可谓五光十色，异彩纷呈。

根据西城区文化局 1995 年 6 月所作的“社区文化活动情况调查”的数字统计，可以了解阜外社区和厂桥的“常年日常文化活动”和“大型集中文化活动”的情况。（见下表）1998 年，西城区有健身区 286 个，社区组织群众体育活动 482 次，基层活动 823 次，直接参加人数达 50 余万人次，经常参加体育锻炼的人口达到 51.2%，已经接近发达国家的数字。

西城区阜外社区文化活动情况（1995 年）

	活动内容	每月活动次数	大约参加人数
日常文化活动	时装表演	12	300
	大秧歌	16	800
	河北梆子	4	200
	书画、话剧、曲艺等	12	500
	活动内容	活动时间安排	大约参加人数
大型文化活动	歌舞、戏剧、曲艺、书画等	配合中心任务、节假日、艺术节、夏日广场等	每年大约 1—2 万人

（资料来源：北京西城区文化局。）

西城区厂桥社区文化活动情况（1995年）

	活动内容	每月活动次数	大约参加人数
日常文化活动	书画	12	300
	图书阅览	8	50
	游艺	4	600
	交谊舞	4	500
大型文化活动	活动内容	活动时间安排	大约参加人数
	迪斯科表演	每月1次	500
	艺术节	每年1次	2500
	文艺会演	每年4次	800
	地区文化活动	每年8次	1800

（资料来源：北京西城区文化局。）

五是重视文化设施建设。厦门市在1981年至1991年特区成立以后的十年间，投入了4141万元兴建文化设施，相当于80年代以前三十年文化建设总投资的138倍，建筑面积共达5.4万多平方米。如今，以鼓浪屿音乐厅、湖滨影剧院、莲花影剧院、湖里影剧院、群众艺术馆、华夏少儿文艺中心为代表的一大批崭新的文化建筑，为美丽的鹭岛厦门平添绚丽景色，显示出厦门特区文化建设的繁荣景象。社区文化站、俱乐部、歌舞厅、卡拉OK厅、放像厅、台球厅、电子游艺厅共有约300家，星罗棋布，遍及全市，为厦门群众文化活动的开展创造了良好的条件，为厦门的文化事业发展作出了巨大贡献。

北京市西城区非常重视社区文化设施的建设，在1985年至1995年的十年间，投入了大量资金，10个文化站的建筑总面积达到5700平方米，其中文化活动厅室使用面积3000多平方米，可同时容纳近2000人，社区文化需求场地设施不足的矛盾有了一定的缓解。现在，每年到文化站参加文化活动的人数高达20多万人。大量投资已经获得良好的社会效益，而经济效益也是非常显著的。社区文化的产业化已经初见端倪，每年创收73万元，其中23万多元又返回用于文化活动经费的补贴，其数额达到文化经费总量的95%，真正做到了取之于民，用之于民。(见下表)

西城区社区文化站基本情况（1995年）

社区名称和辖区人口(万人)	文化站总面积（平方米）	文化活动厅室面积及可容纳人数		年文化活动经费（元）		经营收入和参加人次（元）	
		面积(平方米)	可容人数	拨款数额	自筹资金	经营收入	活动人次
阜外|6	800	320	225	1000*	17250*	95000	18000
丰盛|5.5	400	320	260	1300	17000	120000	18000
西长安街|8	270	245	40	1000*	17250*	73000*	22230*
福绥境|8	300	115	80	900	10000	70000	36000
德外|8	1250	850	350	1000*	17250*	85000	30000
展览路|6.7	380	120	120	1200	17250*	73000*	22230*
月坛|12.4	570	380	330	1000	17250*	180000	22230*
二龙路|7.2	200	178	80	1000	40000	40000	28800
厂桥|8	485	152	205	900	22000	20000	10800
新街口|7.7	1050	350	280	1000*	17250*	37000	12000
总计|77.5	5705	3030	1970	10300	192500	793000	220290

（注：表中带“*”符号的数字是根据本项目栏中其他格里数字的平均数估计得出的，原表中这些格内均未填写数字。资料来源：北京西城区文化局。）

北京市东城区积极扩大对文化事业的财政投入，加快文化基础设施的建设速度，以满足群众文化需求的快速增长。据统计，“八五”期间，区财政文化事业费总支出高达3000万元，比“七五”增长近一倍。1996年区财政文化事业投入达到800万元，创历史最高记录。面积达8000平方米的文化馆和全国规模最大、功能最全，面积为11500平方米的区图书馆已经投入使用。经过10年努力，东城区文化设施面积已由原来的8000平方米扩大到32000平方米。正在兴建的“东方广场”工程就是以文化产业为主体开发的，引进外资共达20亿美元，建成后每年可为东城区增加7—8亿元人民币的税收，对东城区乃至北京市的经济文化发展都有很大的推动作用。

由于社区的工作体制还没有理顺，社区文化的发展也受到一定的影响。各个城市的社区文化发展很不平衡，有些地方没有社区文化工作委员会的组织机构，关系协调费时费力；有些地方没有社区文化发展规划和具体实施方案，严重缺少资金场地。有些群众文化工作者素质不够高，工作有盲目性，活动表面化的多，扎扎实实的少。文化经营活动收费不统一，账目管理有漏洞。工作者队伍不稳定，有临时思想，工作缺少计划性和连续性。老旧居民区的环境较差。文化市场管理人员少，力度不够，盗版、黄色出版物和三陪等现象比较严重。

·第三节·

中外社区文化比较

（一）

东西方文化差异及其表现

东方文化是强调共性的文化，是娱乐消遣、修身养性的文化，而充分显示个性的政治参与较少。这种文化的长处是整体性强，艺术性高，礼仪性多民主性少，社会关心不够。中国的饮食文化，艺术文化底蕴深厚，擅长形象思维，充满闲情逸致，精神自慰自娱，“知足者长乐”，生活情趣较为丰富。但是，中国传统文化有封闭性、保守性的倾向，讲礼仪，讲分寸，讲规矩，讲服从，言语谨慎，行为拘束，使人心理上有一定的负担，做事情可能会谨小慎微，中庸之道，大智若愚，顺其自然，难得糊涂，顾及情面关系，不利于发挥主观能动性，不容易达到最佳精神状态，取得最佳效果。

西方文化是强调个性的文化，是鼓励参与政治、学习科学、积极实现自我价值的文化。这种文化的长处是竞争性强，实效性高，自由性多；其缺陷是整合性弱，情趣性低，人情味少。西方文化有开放性、务实性的特点，对人的禁锢相对较少，使人的思维比较活跃，观念容易更新，很少保守。西方人习惯直线形推理思维，有进取精神、实干精神，竞争意识比较强，强调个人价值、权利、公平和法律。西方的科学文化发达，注重实验和分析解剖，研究论证力求精细准确，有利于科学发明和物质财富的创造。但西方文化过于强调利益交换，个人主义倾向较重，容易走向极端。

东西方文化的这些差异，反映在社区文化中，就表现为西方人注重社区参与，注重社区发展与自身的关系，而我国的社区居民对公共事务的参与意识则比较弱，不能积极主动表达自己对社区事情的意见和建议，依赖思想较重，这对于社区发展是不利的。

（二）
各国政府文化政策的区别

1．机构设置有所不同

美国中央政府和地方政府中没有文化部（局）、宣传部、体育总局（体委）等机构，政府制定管理法规和政策，由各种文化社会团体来具体做这些文化方面的事情，由法律部门负责文化市场的管理，政府没有沉重的经济负担和繁杂的事务拖累。法国的各级政府有文化机构，但他们的主要精力和财力是用于文化出版物的审查，文化活动的协调，文化设施的建设，文化信息的交流，文物的保护和文化旅游资源的合理开发。

中国的各级政府都设有文化机构，这对于文化的导向和文化市场的管理是很重要的，对于集体文化活动的开展非常有利，但是政府的事务负担和经济负担比较大，也可能造成对文化发展的一些制约。

2．文化政策差异很大

在美国，政府有不少有利于文化发展的政策。例如，政府鼓励企业赞助文化事业，赞助数额可以冲抵纳税；政府对各种非营利的文化组织都实行免税；鼓励发展各种文化俱乐部，在注册、信息和活动等方面提供积极服务；鼓励家庭手工业生产具有审美价值的商品，为社区创造大量的税收；积极开发文化娱乐设施，如影剧院、大礼堂、音乐厅、运动场、公园等，并为一些重要的文化体育活动无偿提供场地；采取各种办法使文化用品走进千家万户，比如绘画工具、演出服装、乐器、文化电器、健身器械等。

在文化设施方面，由于西方国家的经济实力很强，投入很大，社区居民可以使用的设施场地很多，质量也比较好。巴黎有博物馆 134 个，北京 17 个；巴黎有市属图书馆 64 个，北京 22 个；巴黎有剧院 141 个，北京 27 个。仅从这三项文化设施的数量对比来看，北京与巴黎的差距是很大的。

在文化组织方面，西方国家的俱乐部体制比较成熟，自我管理，自我发展，政府基本不介入。我国城市社区文化组织也不少，但是不很正规，组织过于松散，水平普遍偏低，高水平的文化活动过度依赖政府，造成政府精力的分散和经济的过重负担。此外，民间文化组织的登记制度太严格、太复杂，也在一定程度上影响了民间文化组织的发展。

在文化消费方面，西方人经济收入比较高，基本上都是个人消费，独立性很强。我国现在已经由计划经济转向市场经济，集体文化消费正在逐步减少，个人文化消费正在增加，城市和社区文化产业正在形成气候。

·第四节·

社区文化发展措施

（一）

调查研究和制定规划

社区文化属于社会科学的范畴，其实践内容涉及到文化学、社会学、经济学、民族学、民俗学、教育学、心理学、环境学、管理学等多种学科。政府、社会工作者和专家学者结合起来进行研究实验，可以不断地发现问题，解决问题，总结经验，剖析失败，使社区文化实践走上科学化规范化的道路，逐渐走向成熟，走向辉煌。社区文化工作像其他一切工作一样，要重视调查研究。其内容主要包括：(1) 资源调查，包括人才资源、社团组织资源、设施资源和文物资源。(2) 发现问题，分析研究，提出对策或解决措施。(3) 总结经验教训，即成功的经验和失败的教训。(4) 理论研究，包括学习先进的理论，形成新的观点，创立系统的学说。(5) 档案管理。历次调研的基础数字和材料以及研究的论文，要建立档案并存入电脑，有条件的还要上网，以供他人查询和进行纵向和横向的对比研究。

在调查研究的基础上，制定社区文化发展规划，包括长期、中期和近期规划。规划既要有宏观的描述，又要有详细的规划方案和具体的实施办法。规划不能只留在纸面上，而应该变成实际的行动和可感可见的结果。社区文化发展规划一般包括这样几个方面的内容：指导思想和基本原则；总目标和基本任务；阶段性目标和具体任务；检查考核措施。

社区文化发展规划制定以后要进行科学的可靠性论证和可行性论证。在论证过程中既要听取领导和专家学者的意见，又要听取社区文化工作者和广大社区成员的意见。规划修改确定以后，还要制定详细的实施方法和个体方案，指定责任单位和责任人，组织分工，规定完成时间和验收办法。

（二）
体制建设和队伍建设

1．理顺工作体制

社区文化是文艺、教育、体育、环境等文化成分共同组成的，需要社区内所有单位共同参与的大文化。因此，必须成立一个上下贯通的领导、协调、执行和管理机构，才能使社区文化健康快速地发展。由政府领导、社区主任、居民代表、人大代表、政协委员、单位领导、社会知名人士共同组成的社区文化工作委员会是一种很好的机构形式，如果再配之与较为完善的工作制度，如资格、责任、权利、利益、关系、内容、时间等具体条款，这种体制对于推动社区文化的顺利开展是非常有利的。

2．重视队伍建设

要建立一支高素质的社区文化工作者队伍，必须对现有的社区文化工作人员进行系统培训，使他们具有厚实的文化素养、高尚的敬业精神、干练的工作能力、精强的调研技能和一专多能的业余爱好。培训可以采取脱产、半脱产和在职进修的几种形式。培训的内容大致有五个方面：一是思想教育，如讨论道德、法律、政策、奉献精神等；二是基础知识学习，包括哲学、教育学、心理学、社会学、管理学、文化学、文学、历史等；三是能力训练，包括组织能力、调研能力、写作能力、演讲能力、交际能力等；四是业余爱好培训，包括文学、绘画、音乐、曲艺、体育等；五是基本技能培训，如电脑、外语、书法、化妆、各种竞赛规则等。培训工作要定期不定期地长久开展下去，使文化工作者自己首先接受继续教育和终身教育。

（三）
确定重点和工作落实

1. 开发文化资源

社区文化资源是建设社区文化的最为重要的条件。从某种意义来说，社区文化建设过程就是社区文化资源的开发过程。

培养利用人才。社区文化人才是社区文化的宝贵资源，是社区文化的主导力量。人才培养要从儿童抓起，与中小学的素质教育相结合，与学生的课外活动相结合。兴趣小组是人才培养的摇篮，小发明家、小作家、小画家、小歌手、小乐手、小球手、小棋手等活动是人才培养的成功手段。社区各种单位人才济济，藏龙卧虎。要通过开展社区人才资源调查和各种文化活动，积极发掘社区文化人才，充分发挥他们的特长，使社区文化更具活力，更有魅力。

壮大社团组织。群众文化社团组织是社区文化建设的骨干力量，如果把社区文化比作一个人，那么社区群众是血肉，文化工作者是筋络，社团组织则是骨架，筋络把骨架连接起来，就是血肉所依附之所，这就是壮大社团组织的重要性。社团组织要注重组织制度建设，要制定组织章程，就组织目标、性质、会员资格、民主议事、财务管理、活动方法等项内容作出明确的规定。会员登记要严肃认真，数目要精确到一人不差。每一次活动都要有记录，以备以后之需。社团组织内部要实行规范化管理，积极创造条件向标准社会组织或俱乐部模式过渡。

开发设施资源。文化设施资源的开发有两个方面的内容，一是增建新的文化设施，二是现有文化设施的资源共享。根据实际需要增建文化设施是开发社区文化资源的一项重要任务。文化设施的数量和质量是一个城市文化品位和经济实力的体现。随着人们生活水平的不断提高，人们的文化活动会越来越多，对文化设施的需求量越来越大，政府、企业和社团组织应该想方设法增加文化设施的数量，并且不断提高建设质量和服务质量，使人们的文化活动有去处，并得到满意的服务。设施资源共享是开发社区文化资源的另一项重要任务。在计划经济时期，单位承担许多社会职能，并且拥有自己的文化设施和场地。实行市场经济后，单位的社会职能弱化，社区的职能越来越多，文化设施和场地资源严重不足，而单位的文化设施和场地却大量闲置。实行文化设施和场地资源共享是社区文化发展的需要，也是城市实现现代化和国际化的需要。资源共享可以采取无偿、低偿和市场化三种形式，在目前阶段，应以前两种形式为主，逐步向后一种形式过渡，而对于优抚对象则应该始终执行无偿福利服务的政策。

保护利用文物。要利用文物资源，首先要调查文物资源和保护文物资源。文物资源的价值会随着时间的推移而不断增加，所以说，保护的投入也是一种回报率很高的长效投资。在保护的同时，充分利用文物的研究价值、欣赏价值和感化价值来创造直接的经济收入。利用文物资源要注意经济效益和社会效益的结合，门票收费不应过高，利润获取主要依靠文物衍生商品的高品位和高质量。

2. 丰富文化活动

人民群众享有丰富多彩的文化生活是经济发展、社会稳定、文化繁荣的重要标志。人们的文化兴趣多种多样，政府和文化工作者的重要职责之一就是尽可能地满足人们的各种文化需求，尽最大努力为群众的各种文化活动提供组织、协调等服务是理所当然的义务。文化活动应当遵循全面性、系统性和连续性的原则，自然而然就能实现丰富多彩的目标。全面性是指涉及的文化项目要多，民俗的、文艺的、体育的、教育的、环境的无所不有；系统性是指一项文化活动的创意、组织、辅导、选拔、提高和展现等环节要有条理；连续性是指一项文化活动的定期举行，使人们兴趣渐增，规模不断扩大，水平稳步提高。

文化活动和文化作品以及产品都要有自己的特色。所谓特色，其内涵是独特的色彩和风格，比如说，中国的书法、水墨画、京剧、气功、北京烤鸭，日本的和服、相扑，非洲的舞蹈，巴西的足球等等。而特色的外延还包括最广、最强和最好，像中国的乒乓球、美国的NBA、法国的香水、荷兰的郁金香等等。有了特色，就有了生命力和竞争力，就有了自信心和自豪感，就有了知名度和吸引力，就有了创造力和生产力。

要充分发挥本社区文化人才、组织、设施和文物的优势，逐步使某一两项文化活动形成传统，形成特点，形成风格，形成规模，形成强项，这样就会自然形成特色。

社区文化也有主文化与亚文化的关系问题，只有家庭文化、校园文化、企业文化、机关文化、军营文化等亚文化的坚实基础，才能有社区主文化的发展繁荣。同样道理，只有亚文化具有鲜明的特色，才能在此基础上形成社区主文化的特色。

3. 发展文化产业

社会主义市场经济的实行，为城市文化市场带来了生机，也为社区文化的有偿服务提供了理论性支持。文化服务，除福利性服务之外，也要遵循市场经济原则，逐步实现社区文化消费和供给的产业化经营。80年代以前，社区文化的资金主要来自政府，政府的经济负担很重，可社区的文化经费却仍然严重不足。改革开发后，人们的生活水平有了较大提高，人们有了花钱买娱乐、花钱买健康的文化消费需求，社区也就自然出现了文化消费的供给。文化服务主动适应市场经济的新形势，由过去单一无偿服务向部分有偿服务或完全市场型服务转变，在重视社会效益的前提下，尽可能创造良好的经济效益。社区文化服务产业化是社区服务产业化的重要内容，是社区经济的重要组成部分，提供场地和设施设备和开办各种文化培训班是社区文化有偿服务的主要方式。社区文化有偿服务减轻了政府的经济负担，弥补了社区文化经费的不足，当产业化经营有了规模效益后，还可以上缴税收，增强城市和国家的经济实力。

社区文化产业包括民俗产业、文艺产业、教育产业和体育产业。社区民俗文化产业包括传统小吃、民居参观游览、民间手工艺品，民间节庆、宗教文化等经济活动。社区文艺产业包括文学作品销售、书法、美术、摄影等作品的展览和拍卖、艺术表演、文物展览和游乐场、歌舞厅、电子游艺厅、娱乐城、美食城等娱乐经营。社区教育文化产业包括私立学校、老年大学、高教自考、职业培训、各种知识学习班、技能培训班，等等。社区体育产业包括健身活动、竞技观赏和保健用品等消费的供给。文化产业的运作和管理要逐步规范化，法制化，要使国家、集体和个人都能受益，还要充分重视社会效益。

4. 重视文化事业

有一些非常优秀的传统文化由于各种原因不一定很快就能成为文化产业，或者不太可能成为文化产业，但是这些优秀文化是极其宝贵的，必须加大投入予以保护支持，例如京剧、大鼓书等许多曲艺项目和泥人、面人、剪纸等许多民间艺术。越是稀有的，越是特色的，越是民族的，越是国际的，从更广更高更长远的视角来看，这些优秀文化的社会价值和经济价值不是没有，而是大得难以估量。这些传统文化大都是非常高雅的，属于阳春白雪之列，所以才和者盖寡，然而这些文化是民族文化的象征，其影响力是巨大的，其辐射范围是超越地界、超越国界的，而且对人们的影响是本质的、精神的，是深刻而又久远的。保护中华民族优秀的传统文化，既是我们传统文化继承和发展的事业性需要，也是发展地方经济和国家经济的产业性需要。

5. 做好服务工作

社区的中心工作是社区服务，文化是社区服务中的一项重要内容，而且是比一般性物质生活服务层次更高更深的服务，因为文化服务是为了满足人们的精神需要。做好文化服务工作对于精神文明建设具有极其重要的意义，对于社区的其他工作的开展也具有极其重要的意义，因为社区文化是社区的灵魂，人们对社区的认同感、福乐感、归属感和责任感都融合在这灵魂之中。

社区文化服务主要是由当地政府、社区、文化社团和文化企业提供的。政府应该主要负责规划、管理、协调和设施建设等方面的事项；社区应该主要负责群众文化活动的组织、协助和信息传递等方面的工作；文化社团应该主要负责活动设计、组织、筹措资金和业务指导；文化企业应该主要负责市场化的文化消费供给。社区文化服务可以分为福利性、公益性和消费性三种服务形式。福利性文化服务是指由政府承担经济支持，由社区负责组织，为五保户、军烈属和残疾人等享有荣誉待遇或具有特殊困难的优抚对象所提供的服务。公益性文化服务是社会进步的上佳途径。公益性文化服务是由社区负责组织，由享用者自己负担部分或全部经济费用的文化服务。这种服务不以营利为目的，实行社会效益为主、保本微利的原则，政府、社区、社会团体给予一定的经济支持。社区文化所提供的福利性和公益性服务是由社会性质和制度所决定的，是社会保障的具体实施，是社区和社会稳定的一项基础性工作。但同时应该注意到，社会的发展必然使社区文化发生新的变化。这个变化就是，随着人们生活水平的提高和观念的改变，人们的总体消费中文化消费所占的比重将越来越大，社区文化逐步走向产业化，即部分文化活动的社会市场化。这是一种发展趋势，顺应这一趋势就是顺应历史发展和社会进步的潮流。消费性文化服务是经济繁荣的重要手段。非福利性文化服务完全按市场经济方式运行，由文化企业提供服务，其服务原则是经济效益和社会效益兼顾，即在充分考虑社会效益的前提下以营利为主要目的，努力实现利润的最大化。

6．完善激励机制

社区成员和社区单位参与社区文化建设的热情需要保护和激励，要建立定期展览、汇演、比赛和奖励表彰制度，并且不断进行完善。竞争要公开，评比要公平，奖励要适当。奖励的原则是荣誉称号与物质奖励相结合，以精神鼓励为主。报纸、刊物、电台、电视台要大力宣传社区文化的活动情况，并引导社区文化的深入开展。

第七章
城市社区管理系统

社区管理是社区建设的有机组成部分，是社区建设得以顺利进行的重要保证。社区管理水平的高低，直接决定着社区建设的进程，对社区建设具有至关重要的意义。社区建设是一个涉及到方方面面的系统工程，因而社区管理的内容也是十分丰富的，包括社区设施管理、社区环境管理、社区人口管理、社区治安管理等诸多方面。

·第一节·
社区管理的基本理论与实践

(一)
社区管理的理论架构

1. 社区管理的概念、内容和特点

(1) 社区管理的概念

任何领域的任何事物都需要管理，需要通过社会组织机构运用指挥、监督、调节的手段，使其得以顺利进行。社区建设作为综合性的系统工程，管理也是必不可少的。社区管理是指“社区管理部门围绕社区规划和社区发展目标，以促进社区社会经济的协调发展、满足人的全面进步为宗旨，对社区内的社会公共事物进行指挥、监督、协调所开展的各项管理工作”。

从这个概念出发；社区管理要以人为核心，社区管理活动应符合社区建设的总体目标，兼顾各方利益，协调各方关系，进行综合管理。

(2) 社区管理的内容

社区是一个集自然、社会、经济、文化等要素为一体的综合有机体，涉及的内容十分广泛。它既要对社区中物的因素进行管理，又要对人的因素进行管理；既要管理社区生产，还要管理社区生活。一般来说社区管理主要包括以下几个方面的内容：

① 经济管理。包括对工业、商业、服务业等生产和交换活动进行管理。经济活动是人类的基本活动。每一个人都生活在一个个具体的社区中，以社区作为生活的基本单元。人们在社区进行其他活动的同时，也必然从事经济活动，发生各种各样的经济关系，因此，经济管理是社区管理的基本内容之一。

②基础设施管理。包括制定住宅、公共设施等的发展规划，加强住宅、公共设施等的维修管理，以及土地的管理等。基础设施是构成社区的要件之一，也是社区管理的基本内容。

③环境管理。包括对主要污染源的控制，环境卫生保洁、环境的绿化美化等管理，以及对自然生态的保护。社区环境质量是衡量社区文明水平的重要标志，关系到社区的协调与持续发展，在现代社会具有越来越重要的意义，是社区管理的主要内容。

④人口管理。指对社区人口的规模、人的行为规范，进行思想、文化、教育等的管理。人口是构成社区的最基本要素。社区管理的内容无论划分为几个方面，归根结底不外乎是人、财、物的管理，其中人又是最基本的方面。人既是管理的主体，又是管理的客体，因此，人口既是最基本的又是最重要的管理。

⑤文化教育管理。包括普及幼儿、中小学文化教育，专业培训、职业教育、文化艺术、图书馆、文化站等的管理，以及各项文化活动的管理。

⑥治安管理。包括预防、控制、减少犯罪，加强小区安全措施等管理，为社区居民提供安全的居住和生活环境。

(3) 社区管理的特点

①目标性。社区管理必须有明确的目标。社区管理是为实现社区建设总目标服务的。社区管理就是要在社区组织的领导下，在社区企事业单位和社区居民的共同参与下，利用社区资源，创造一个经济繁荣、环境优美、生活方便、社会安定、全面发展的文明社区。只有目标明确，才能对社区进行有序管理。

②系统性。社区是多层次、多系统的组合，包括行政系统、经济系统、文化系统、环境系统、安全系统等，这些系统下还有许多子系统。因此，社区管理应实行系统化管理，在管理过程中要注意系统间的联系和系统之间的相互关系。

③服务性。管理也是服务，社区管理应体现服务的特点。社区管理的目的在于为社区成员创造一个有利于社区生产、生活正常运转的良好的社会环境，只有将服务寓于管理之中，才能调动和发挥社区成员广泛参与的积极性，并自觉服从管理，最终实现社区管理目标。

④强制性。社区管理必须有健全的社会规范。社区管理不仅需要国家制定和实施有关法律、法规，而且需要由国家各级机关和管理系统所制定和实施的各种社会规范，以及社区组织所制定和实施的各种规章制度。所有这些，都规范着社区单位和社区居民群众的行为，使其明确应该做什么和不应该做什么。社区管理部门则应严格依法办事，依法管理，从而使社区管理处于稳定状态，实现有效管理。

2．社区管理的方法与原则

(1) 社区管理的方法

社区建设离不开社区管理，成功的管理可以产生倍加的效果。如果不重视社区管理或社区管理方式不能适应社区发展，则会影响甚至阻碍社区建设的进程。因此，社区管理必须根据社区的性质和特点，选择适当的方法加以运用。只有综合运用科学、合理的管理方法，才能充分发挥社区的作用，切实履行社区管理职能。社区管理的方法多种多样，主要包括行政方法、经济方法和法律方法。

①行政方法。行政方法是指社区权力机构为了实现其管理目的，运用行政的决议、决定、命令、规章、制度、工作程序和标准来实施对社区组织和个人的社会、经济活动的管理。我国社区建设是由政府发起和领导的，政府仍是社区建设的主导力量，因此，行政方法是目前社区管理的主要方法之一。运用行政方法进行管理的特点是，传达上级的命令和指示，强调纵向的隶属关系和服从关系，它是一种通过行政强制来直接控制被管理者行为的管理方式。运用行政手段进行社区管理，具有权威性、强制性和垂直性。

②经济方法。经济方法是运用各种经济手段，按照客观经济规律的要求来管理社区。运用经济方法进行管理，通常要借助于价格、税收、奖励、罚款以及经济合同等经济杠杆来调节物质利益，影响管理对象的活动，从而达到控制与管理的目的。

③法律方法。法律方法是指为了维护社区社会生活的稳定和社区居民的根本利益，通过社区立法和司法活动对社区的社会生活和经济活动进行管理。它的内容包括两个方面，一是对违法行为追究法律责任或实行法律制裁，特别是对犯罪行为追究刑事责任或实行刑事制裁，保证社区生产和人民生活在正常

的秩序下顺利进行。二是制定和实施社区规划、建设和环境保护等各种法规，运用法律手段来控制和调节各种关系，把社区管理纳入法制化轨道。

(2) 社区管理的原则

人是构成社区的基本要素，离开了人的存在也就无所谓社区。社区管理说到底是对人的管理，对人的行为的管理，同时，社区管理的实施也是通过人来进行的，因此，社区管理最基本的原则，应是树立以人为本的管理思想，一切活动都应以满足人的生理需求、物质需求和精神需求为准则。具体来说，社区管理应从社区建设的性质、任务和内在要求出发，遵循以下几个基本原则。

①社会化。社区组织应该是政府指导和居民自治相结合的一种社会组织，社区管理是一种具有自治性的社会管理活动。它体现社区成员的意愿，反映他们的要求，照顾他们的利益，并最终依靠他们的力量实现社区的全面发展。在我国长期计划经济体制下，政府几乎控制了所有的社会资源，单一行政化管理是当时社会管理的主要特征。随着经济体制改革的深化，导致利益主体多元化，引起多种利益关系的重新调整，城市社区管理社会化已成为一种必然趋势。社区管理社会化是指社区管理主体的社会化、多元化，即政府不是社区中惟一的管理主体，而是社区组织、社区单位、社区居民代表都从各自的利益出发积极参与到社区管理之中，形成多方参与、共同管理的局面。

②专业化。社区管理作为一种综合性管理，其工作覆盖了多种行业，许多工作的操作需要有一定的专业知识和职业技能。特别是在现代化城市社区中，由于建筑、服务等硬件设施的技术含量的增加，以及现代生活条件下人们的服务需求日益复杂，从而使社区管理面临的专业化要求越来越高。专业化管

理将是社区管理的一大趋势。

③法制化。社区管理涉及到社会的方方面面，各个管理主体之间、管理者与被管理者之间存在着一系列法律关系。因此，社区管理也应实行“依法治理”的原则，以法律为准绳，明确有关各方的责、权、利关系，严格实行依法管理。由于法律具有严肃性、公平性和约束力的特点，因此，只有社区管理法制化，才能体现社区管理的权威性，保持社区管理工作的协调性，保证社区管理工作的顺利进行。

（二）
国内外社区管理实践

1. 国外社区管理实践

国外社区发展运动已历经四十多年，欧、美、日本等发达国家的社区管理组织健全、管理规范，但具体做法各有特点。

(1) 美国

美国城市社区管理在组织机构健全的基础上，特别注意立法和规划。许多社会事务和人们的行为规范，法律都做了严格的规定。大多数法律条文都是“禁止人们做什么”，法律不禁止的，人们的行为不受限制。此外，各城市都注意城市规划工作，对城市的规模、人口、环境、交通、土地开发和利用、经济发展等都作出详细的预测和计划。在广泛征求市民意见的基础上，由市政府提交市议会批准，然后向全社会公布。任何部门和单位都必须遵守规划，严格按规划的要求办事。美国还比较注意吸收市民参与市政管理和社区管理。一些重大事情，如修公路、铁路、建设或改造地下排水系统，建学校以及其他一些重大社会福利项目，一般都要征求市民的意见，或者直接交全体市民投票决定。社区内与市民有关的事项，都要征求市民的意见和建议，或由居民组成一个行政小组，直接参与城市规划，评估市政府的工作。他们认为，市民参与是议会决策和市政府实施的基础，社会中介组织则是推行落实市政管理政策的最有利的帮手。美国社会的中介组织广泛介入城市规划研究、建造廉价房屋、环境保护、垃圾处理、社会救济等城市管理事务。

(2) 澳大利亚

澳大利亚非常重视社区管理，并用法规的形式加以规定。例如每个社区都要预留5%—10%的公用地作为绿化、公共休闲、娱乐之用，并对房屋、道路整洁都有具体规定。发现住户在房外私搭乱建或房屋外观陈旧凌乱，要限期纠正，否则强制执行，并给予处罚。澳大利亚在公众场所均设有残疾人位置及通道，路口有为盲人设置的警铃等，显示了较高的管理水平。

(3) 日本

日本对社区实行法制化管理。法规、条例与规定是约束居民行为的主要手段，与社区有关的法规、条例、规定多如牛毛，几乎涉及到社区的一切方面。一切行为有法可依，违法必究。比如限制锅炉使用高硫燃料；汽车必须使用无铅汽油；建筑工地必须全封闭，灰尘不得飘散到大气中；严禁乱放废弃物品；规定时间之外严禁倒垃圾；社区住宅在规定的时间之外禁止弹钢琴；禁止在规定之外的场所存放汽车与自行车；果蔬店铺不准出售变色、变味的食品；废弃家用电器必须丢放在指定地点；污染超标的工厂必须迁移等。这些规定大多有细则，容易对号入座。日本还注重社区管理的民主化。任何社区居民都有直接向区长、市长、町长、村长反映情况的权利。周一到周五都有值班的区长、市长、町长、村长，他们亲自解决居民的各种问题。能当时解决的就当时解决，解决不了的就立即转交有关部门，责令解决。一般社区并不设置各种监察机构，社区的问题由居民与首长协商解决。

(4) 以色列

以色列对社区事务实行统一管理。社区中心将社区文化、体育、美育、德育、国防观念培养和方便居民生活集于一身。管理机构根据居民的问题、需求和愿望，制定工作计划和发展规划。对社区资源，如学校、图书馆及活动设施，可以统一由居民使用，使资源共享，充分发挥其效能。以色列要求社区中心主管职业化，除了要具有正规大学的学士学位，其筛选程序也十分严格，它包括一次面谈、一个评估中心的评估和一个选举委员会的选举。每一位新主管都要参加为期一年的培训。培训课程包括金融、人事、环境、规划等学科。此外，还要进行其他方面的培训，如协商能力和团体领导艺术等的培训。

2. 国内社区管理实践

随着社区建设的进一步深入，加强社区管理已成为其中必不可少的一环。我国许多省市在社区建设实践过程中，对社区管理进行了有益的探索，创造了一些适合本地区实际情况的社区管理办法，积累了丰富的社区管理经验。

(1) 提高了认识，能够正确处理社区建设与社区管理的关系。在社区建设过程中，许多城市社区都对社区管理的重要意义有了比较深刻的认识，他们普遍认为社区管理是社区建设的重要保证，并将加强社区管理作为一项中心工作来抓。尽管各地对社区建设的内容在认识和实践上不尽一致，但却无一例外地将社区管理纳入社区建设的总体框架之中。如：青岛市将社区建设的重点归纳为三句话，即：服务是宗旨，管理是保证，建设是基础。明确了服务、管理、建设三者的关系，并把社区管理放在社区建设中一个十分重要的位置。又如：南京市鼓楼区提出要把“社区管理贯穿于社区建设的全过程”，并作为“社区建设成果的无限延伸”。许多城市社区在大力推进社区建设的过程中，十分注意处理好建设与管理的关系，做到边建设边管理，两者并重，形成建设与管理的良性循环。依托街道、居委会，动员社区力量，切实把社区治安、社区环境、社区物业管理等各项工作搞好，致力于把社区建设为治安良好、环境优美、卫生整洁、生活方便、关系和谐的文明社区。

(2) 进行了社区管理组织建设。许多城市社区先后建立了区、街、居三级组织架构，即在区一级成立社区建设指导委员会，街道办事处成立社区建设协调委员会，居委会一级成立社区建设管理委员会，对社区建设工作进行管理，从组织上提供了保证。南京鼓楼区不仅构筑起社区管理的三级组织网络，而且成立了“两会”组织，即“社区党建联席会”和“社区建设发展委员会”，其主要成员包括党政机关、企事业单位领导，区委书记、区长分别担任两会会长。“两会”还制定了组织章程，规定了主要任务，每年召开 1—2 次成员大会。成立两会的目的是实现纵横结合的管理模式，主要职责是规划社区建设目标、确定社区建设重大项目、协调社区建设中的有关问题。鼓楼区在居委会一级还建立了居委会、社区服务中心、物业管理公司三合一组织体系，探索出委托型、监督型、依托型、联合型等管理形式。

北京、上海、天津、广州、大连等城市，出现了小区管理委员会。其成员包括代表政府的街道办事处、居委会，代表政府各职能部门的派出所、工商部门、房管部门、环保局等，代表社区居民的业主委员会或社区居民代表，以及物业管理公司、绿化公司等专业性服务公司和企事业单位代表。形成了由行政组织、其他社区管理组织以及社区居民自治组织参与的网络式组织模式，街道政府构成了网络组织的核心和中介。管委会成员各自分工不同，起的作用亦不同；但是按照社区管理目标，互相配合、共同管理。如街道的任务主要是宏观管理，引导小区活动和管理的方向，为社区提供各种组织资源，协调疏通各种关系；居委会负责上传下达，协助社区管委会开展活动协调居民间关系，了解居民意见，协调居民与政府及社区组织的关系；业主委员会代表全体居民的利益，对小区建设、服务及其他活动、物业管理等提出意见，反映民意，有权招聘、解聘物业管理公司，有权向小区管委会反映情况和意见；小区管委会则负责制定社区法规，并组织实施、协调小区与外界的关系，引导小区向现代化社区转化。

(3) 采用多种方法，加强管理力度。在社区管理实践中，一些城市社区根据自身特点，探索出一系列适合本地情况的管理方法，加强了管理力度。如上海市甘泉路街道办事处，采取将专业管理与义务管理相结合、平时管理与突击管理相结合的方法，取得了很好的成效。专业管理与义务管理相结合，是指通过组建街区执法队伍、绿化养护队伍、市容管理队伍等专业管理队伍和由中、小学生参加的绿化近卫军以及由老年人组成的护绿队等义务管理队伍，采用专业管理与义务管理相结合的方法，使专业管理人员和社区居民共同参与管理，共同发挥作用；平时管理和突击管理相结合，是以日常管理为主，定期进行突击检查。这些方法的实施，使社区面貌得到了改观，实现了有序管理。

(4) 管理与服务和教育相结合。在单一行政管理体制下，管理就是控制。随着管理向社会化、专业化、法制化的转变，管理更多的是通过运用服务和教育的手段加以实现。许多城市社区在进行管理时注意将管理寓于服务和教育之中。如北京、上海、青岛、杭州、石家庄等地通过为老年人、残疾人提供特殊服务和为全体居民提供诸如房屋维修养护、绿化、保洁、保安、车辆管理等服务，将管理与服务相结合，最终达到管理的目的。在运用教育手段进行管理方面，形式则更加多样化。如利用电视、广播、报刊等舆论宣传工具，对社区居民进行宣传和教育，强化其社区意识，使建社区、爱社区、管社区成为社区成员的自觉行动，主动参与社区管理。又如许多街道办事处和居委会都建立了“市民学校”、“妇女学校”、“外来人口学校”等，对社区居民和外来人口定期进行文明礼貌、社会公德、遵纪守法、助人为乐等方面的学习教育。通过学习教育提高社区居民的文明素质，引导他们自觉遵守市民守则、文明公约、居民行为规范，自觉服从管理，从而实现社区管理目标。

(5) 组织社区居民参加各种管理活动，实现自我服务，自我管理。许多城市社区在社区管理工作中，通过组织各种活动，调动社区单位和社区居民参与的积极性和热情，使他们既是社区建设的参与者，又是社区建设的管理者。如通过创建文明小区、文明家庭等活动，组织社区成员参与治安值班、环境整治、门前三包等，调动社区成员参与社区建设和管理的积极性，实现自我服务、自我管理。

(三)
我国社区管理中存在的问题

国外社区管理最突出的特点是管理机构健全，法制化管理和民主化管理程度比较高，这正是他们社区管理的成功之处。我国虽然在这些方面进行了有益探索，但还存在着很多问题。

1. 现行的社区管理组织模式是区、街、居三级架构，政府扮演着主要角色甚至惟一角色，政府包办一切的传统模式并未有太多的改变。管理重心的下移，使街道的权、责加重，管的越来越多，工作量越来越大；而条条上的政府各职能部门不仅将工作转移给了块上的街道，而且处于检查和监督的位置，出现了新一轮的“角色”错位。同时，由于行政隶属关系及所有制级次关系还未打破，条块分割的矛盾依然很尖锐，社区管理工作效率不高。

2. 由于社区管理组织的主要角色是区、街、居政府或政府的派出机构，社区管理工作主要还是政府行为，是来自政府的自上而下的灌输，行政色彩依然十分浓厚。在社区管理中，由于社区企事业单位和社区居民参与管理的积极性还没有充分调动起来，社会化管理尚未形成。有些地方多方共管的管理组织模式，由于机制不健全多方参与流于形式。同时，由于各类社会中介组织发育不成熟，居委会群众自治组织的作用没有得到充分发挥，市民参与管理的渠道不畅通等问题的存在，以至于自觉服从城市管理秩序，主动维护城市文明形象，还没有成为人们的普遍行动。

3. 对社区管理目前主要还是依靠行政命令、群众运动等行政手段，缺乏法制化的规范管理，主要反映在社区管理法律、法规不完善，执法队伍不健全，执法人员素质不高等方面，在社区管理中“有法不依，违法不究”的现象还较严重。

4. 社区管理队伍专业化程度较低。社区管理工作不同于政府工作，也不同于企事业等单位的管理工作。社区管理的特点是涉及面广，专业化和综合性强。因此，要求社区管理工作者除了具备一定的文化知识，还应具备社区管理专业知识以及综合素质。但目前我国社区管理工作者，大多没有受过社区管理专业知识的培训，有的甚至文化素质较低，影响和制约着社区管理工作的质量。

(四)

我国社区管理的工作思路

社区管理在社区建设中具有重要意义，直接影响社区建设的进程，关系到社区建设事业的成败。建立一套科学的管理机制，制定适合社区发展的管理方法，是目前我国推动社区建设进程的关键所在。借鉴国内外已有的成功经验，结合我国的具体国情，仅提出以下一些社区管理工作思路。

第一，建立规范化的社区管理组织机构。社区发展的核心是社区成员自我服务、自主管理、依靠自身的力量建设自己的家园。因此，社区管理组织的理想模式是社区管理高度自治组织。鉴于国情，我国社区建设现在以及今后很长一个时期仍将由政府主导，社区管理模式仍以行政型管理模式为主。今后的工作思路，应是从行政型管理模式逐步向行政和社区自治相结合的混合管理模式过渡，最后实现以社区自治为主，政府指导为辅的社区自治型管理模式。目前应逐步建立行政和社区自治型的管理组织，成立社区管理委员会，行使社区管理的宏观决策领导权。其成员由政府代表、社区居民代表和社区内各企事业等单位的代表组成。在委员会中，各方代表地位平等，实行民主化的管理决策。政府代表在其中主要起沟通制衡作用，负责向上级政府部门反映社区的民情民意，同时向社区传达政府对社区发展和社区管理的意见，并对社区管理进行指导。此外，培育和发展以社区为活动区域的公益性、事务性的社团组织、中介机构和行业性公司，主要由他们从事社区的管理和服务活动。社区管理委员会则对其进行宏观协调和监督。

第二，社区管理法制化。为适应新型城市社区管理模式，必须制定和完善有关社区管理的法律、法规和配套制度，形成覆盖社区管理各个领域的社区管理法律系统。社区管理法律、法规的制定，应尽可能详细、明确，便于操作，使社区管理部门、社区组织和社区成员个人清楚地了解可以做什么，不可以做什么；哪些事情做了会产生什么后果，以及自己应负哪些法律责任，从而自觉约束自己的行为。实现社区管理法制化，关键还在于执法必严，违法必究，严格执法是社区管理走向法制化的保证。要充实管理部门和执法部门的力量，加强对执法人员的职业培训，培养一批具有社会责任感和较高的业务素质的执法人员，提高社区管理的法制化水平。

第三，进行社区管理的民主化建设。要不断增强社区居民的参与意识，建立社区居民参与的固定渠道，使社区居民能够与社区组织产生经常性的联系，实现社区组织和居民的互动；从而提高社区居民参加本社区的公共事务和管理活动的积极性，提高社区的自我管理能力，实现社区管理的民主化。

第四，培育社区管理的专业化队伍。提高社区管理水平，关键是提高社区管理工作者的素质。应尽快建立和完善社区管理专业人才的培养和引进机制。在高校设置社区工作专业，培养高层次的社区工作人才，鼓励大中专毕业生到社区组织从事管理工作。现有的社区工作者应进行社区工作专业培训，通过考试方能重新上岗。

·第二节·

社区人口管理

人口是构成社区的基本要素，并在社区诸要素中处于主导和决定性地位。任何社区都是通过人利用、控制或适应自然地域及其他技术要素而形成和发展的。社区的政治、经济、文化、人口、生态、资源等都是通过人来组织和管理的。人在社区管理中既是主体又是客体，因此，人口管理在社区管理中占有重要地位。

近年来，由于我国经济的飞速发展，城市化进程日益加快，城市人口结构出现了许多新的变化，主要表现在：外来人口急剧增加；无单位归属人员日益增长；社会困难群体数量加大；人口老龄化速度加快，等等。上述问题的出现，给我国城市和社区管理带来了新的矛盾，提出了新的挑战，其中特别是外来人口问题更为突出和紧迫。因此，本节在论述人口管理一般理论的基础上，侧重于对外来人口管理问题的阐述。

（一）
社区人口管理的一般理论

1. 人口管理的构成因素

社区的人口因素是多方面的，包括人口的数量、构成、分布和人口素质。不同的人口构成状况对社区产生的影响不同。人口构成因素的性质、质量决定社区的性质、质量。因此，加强人口管理，优化人口构成，提高人口素质，对于提高社区管理质量、推动社区发展具有重要意义。

人口数量。任何社区的存在都是以一定数量的人口为前提。所谓人口数量是指生活、工作在某一时期社区的人数，代表着那一社区人力资源的总和。人口数量的不同决定社区规模的不同，不同规模的社区在社会体系结构的复杂程度、社会和经济分化以及劳动分工的精细程度、维持生存的生产活动种类、社区的物质设施、公共服务机构、日常生活中人们交往和相互作用的种类、人际关系、对资源的需求等等方面，迥然不同；同时，社会秩序、社会控制手段，以及居民的发展心态也都不同。

人口数量是动态的，受出生、死亡自然因素和迁移社会因素的影响。人口的自然增长除受生物规律支配外，更多的受婚姻制度、家庭制度、生育制度、风俗习惯、社会经济发展水平及法规等制约。迁移是人口增长中最为复杂的因素，它反映并影响社会的变迁。引起人口迁移的因素是多方面的，以经济诱惑为主。人们总是从生活条件较差的社区流向比较优越的社区，或在一个社区中由一个落后的地方，移居到一个富裕的地方。此外，一个社区的自然环境、风土人情和地方文化也召唤着人们的认同和归属。

人口过多或过少对社区都会产生不利影响。人口过少可能导致社区的萎缩；人口规模过大则将产生许多难以解决的社会问题，如引起城市交通拥挤，住宅紧张，学校、道路、市场、医院等公共设施不足，失业率高，犯罪率增加等等。只有保持一个适度的人口规模，才能保证社区建设的顺利进行。所谓适度的社区人口规模就是“以最令人满意的方式达到某项特定目标的人口”。一方面，要使人口数量不至于减少到使社区居民需要付出更高的成本；另一方面，也不至于多到使社区居民难以维持良好的结构和功能。衡量社区人口规模适度与否的指标，包括个人福利、需要的满足、财富增加、充分就业、社区实力雄厚、文化知识丰富多样、社会和谐、家庭稳定等。社区人口管理就是通过一定的手段，进行适度控制，使人口规模与社区发展的需要相适应。

人口构成。人口构成是具有各种特征和属性的个体成员的组合。一个社区的人口构成包括许多方面的特征，如性别、年龄、种族以及与此相关的婚姻状况、家庭组合、职业类别、阶级阶层划分、宗教信仰、教育、消费水平等等。一个社区的人口性别构成，影响择偶、婚姻、家庭关系以及社区的发展，社区的人口性别比例失调，必然会产生一系列社会问题。人口年龄比例关系到社会分工、消费需求、文化教育以至人类自身的繁衍。人口年龄构成不同，导致社区的社会经济活动、居民社会心态及文化娱乐的类型不同，如一个老年人口众多的社区，常出现一种比较安闲而较低的社会价值取向。成年人比例大而受抚养的老年和少年比例小的社区，在投资、生活水平、发展方面处于有利的地位。社区婚姻状况构成则反映着社区的文化背景和发展水平。

社区人口的不同阶层、文化水平、宗教信仰、收入水平的构成，反映社区的现有生活水平、文化背景、受教育程度和权力结构及与之相联的互动形式、组织形式等。不同的人口构成其管理形式不同，居民参与程度也不同。

人口分布。人口分布是指一个社区体系中人口的自然或地理散布，包括人口的密度、距离、互相交往或与其他社区相联系的方式。人口分布除了个人意愿之外，主要受经济、政治、文化、科技等因素的影响。人口分布与社会经济发展有密切关系，人口过疏或过密都对社区的发展不利。人口密度过高，会造成社会分化、劳动分工及制度的复杂化。相反，人口分布密度过低的社区，会出现劳动力不足，社区发展成本加大，社会交往频率低，社会关系单一等问题。

人口素质。社区的人口素质对社区发展具有极其重要的意义。人口素质包括人口的体质和文化素质。如果社区的居民具有强健的体质，良好的风尚和较高的思想文化水平，社区就会充满生机和活力，实现持续、稳定发展；如果一个社区的人口素质比较低，社区居民缺乏适应生产技术发展的能力，缺乏学习新知识、新技术的素质，从而使社区的资源长期得不到有效的利用，社区将陷入贫穷、落后的恶性循环。因此，提高社区人口素质是社区管理的重要任务。

提高社区人口素质可以有多种途径。首先是实行优生优育，健全卫生保健制度，保证居民体质的提高；其次是加强教育投资，普及中小学教育和职业教育，社区决策者应保证教育在社区建设中的地位和投资份额；第三是增加大众传播渠道，使居民能通过各种生动的形式认识新事物和新思想，提高社区参与意识和参与能力。

2. 人口管理与社区建设的关系

一个社区的构成需要具备以下几个要素，即一定的地域性质、一定的人口规模、一定的活动方式、一定的社会联系和一定的文化特征。其中人口是社区的基本因素，任何社区的存在都是以一定的人口为必要前提。社区建设，国外称社区发展，无论是社区建设还是社区发展，人的因素都是很重要的。当然，人的因素不是惟一的，只有同自然条件及其他技术性因素保持和谐，才能推动社会的不断向前发展。

社区发展的初衷是为了减少失业、贫穷、疾病，缩小贫富差别，通过经济与社会的协调发展，实现人的全面进步。社区发展的终极目标是增进社区的社会经济福利，实现全体成员的文明和幸福。社区发展无论初衷还是最终目的都是以人为核心。社区发展的手段和方法也是重视人的作用，它强调全体成员对社区活动的广泛参与，对社区事务的自下而上的管理，对与社区共同利益有关的大事的共同商议、裁决和实施。社区发展成果的直接受惠者是社区成员，由他们共享创造的快乐。

既然社区人口在社区建设中有如此的地位，社区人口管理问题的重要作用就是不言自明的。社区人口管理的效果直接影响着社区建设的质量，人口管理工作做好了能极大的促进社区建设的进展；反过来，通过社区的文化建设和思想建设以及社区生活质量的提高、环境的改善、关系的和谐，必然会促进社区人口素质的提高。所谓人可以改变环境，环境也能改变人就是这个道理。

3．社区人口管理的战略与方法

我国人口管理实行的是“控制人口数量、提高人口素质、调节人口结构相结合”的战略，目前首要的是人口的数量控制。社区作为社会的基本单元，其职责和任务是将国家的人口战略结合本社区的实际情况，进行具体落实和实施。

人口是社会生活的主体，是社会经济活动的主体，人口活动涉及到人类社会生活的各个主要方面。人口问题是一个多元结构的复杂的系统工程，不仅包含人口学因素，而且往往包含经济、社会、婚姻、家庭、心理、伦理道德、风俗习惯等因素，甚至和资源、环境等相联系。因此，人口的管理必须采取综合性措施。所谓综合性措施是指在特定的社区，在统一领导下，根据共同的目标、方针和利益，不同部门分工协作，齐抓共管。

要实现综合管理必须具备必要的条件。首先，必须有一个可以协调各有关部门实施综合管理的领导机构。其次，要有实现综合管理的组织保障。第三，要有足够的经济实力的支持。第四，还要有社会群体行为的规范化和法制化。在社区人口管理中，要用服务促管理，注重思想和文化建设。

（二）
国内外人口迁移状况及政策措施

1. 国外人口迁移状况及政策措施

人口迁移流动是世界范围内一种普遍的社会经济现象，无论发达国家还是发展中国家都存在着人口在国际和国内各地之间的迁移活动。一般而言，许多发达国家早已完成了从农村向城市的人口迁移过程，目前主要是国内城市之间的人口迁移以及由国外迁入的移民；而大多数发展中国家目前还处在从农村向城市的人口迁移过程。加之各国的自然地理条件，社会、经济发展水平和政治制度等因素不同，其人口迁移活动呈现出不同的特点，人口迁移政策也不尽相同。

(1) 发达国家人口迁移状况及政策措施

①人口迁移状况

●美国

美国是一个众所周知的移民大国。从 15 世纪末 16 世纪初，即美洲新大陆发现时期始，就掀开了美国的移民历史。此后，世界各地迁往美国的移民高潮不断。到 20 世纪 70 年代末期，在美国的总人口中，移民及其后裔已经占到 99.6%。

在外国移民大举进入美国的同时，美国国内的人口迁移也异常迅速地发展。历史上，美国人口高度集中于东部地区。1870年，东北部的新英格兰、大西洋中部和中部东北三区，面积仅占全国的11.5%，人口却占全国的55.6%；东南部的大西洋南部、中部东南二区，是美国棉花生产主体地带，面积占全国的12.7%，人口达26.5%。从19世纪后半期开始，人口开始向西南部迁移，东部各区的人口比重逐渐下降。第二次世界大战以后，随着西南部经济的迅速发展，人口向西南迁移的规模更大了。据统计，到本世纪70年代中期，美国西部山区各洲的人口增加了37.1%，太平洋沿岸地区的人口增加了19.8%，南部区增加了22.4%，而东部和中西部只分别增加了0.2%和3.9%。北部和中部成为人口净流出州的集中地，而西部和南部各州多属于人口净流入州。如1950—1977年间，佛罗里达州人口自然增长36%，净移入增长却高达145%；同期加利福尼亚人口自然增长42%，净移入增长53%。

美国人口迁移的特点，一是人口流动性大、迁移频繁。据统计，1970年全国只有6.1%的人仍住在20年前的老地方，有26%的人生活在其所出生的州以外；每年平均有1/5的人搬迁，其中2/3在本县内移动，越出州界的占1/5。二是各区域间人口对流规模大。一方面表现为南北方之间的对流。一般来说，由南方向北方迁移的主要是黑人和白人贫民，他们大多来自农村，希望到北方城市找到一份工作，以改善原有的生活条件。由北向南方迁移的有些是退休人员，他们希望到气候温暖的地方度过晚年；另一些则是熟练工人、技术人员和大学毕业生，他们被南方新兴的尖端工业所吸引。人口对流的另一方面表现为城市与乡村以及大中小城市之间的对流。据统计，仅1970至1974年就有770万白人移居到郊区，同时又有约340万人从郊区移居到城市。为了逃避大城市由于工业高度发展而造成的污染以及人口密度过高而出现的交通拥挤、物价高昂、犯罪增多等社会灾难，越来越多的人向较小的城市移动。据1980年的统计，全国人口最多的50个大城市人口下降了4%，50个中等城市人口增长了5%，而50个小城市的人口则增长了11%。尽管美国人口对流较大，但其总的趋势仍然是城市人口的大量增加。到1991年，美国的城镇人口占总人口的比例已高达74%，人口的城市化水平已发展到相当高的程度。

●英国

英国历史上一直是人口净移出国，在人口大量流向国外的同时，国内人口的迁移活动也十分活跃。从工业革命开始，英国国内就开始了大规模的人口迁移。英国国内人口迁移的特点是人口不断地向南方迁移。以伦敦为中心的东南区一直是最主要的净移入区，近些年来，东盎格利亚区和西南区由于新兴工业部门的兴起吸引了大量移民，也成为重要的人口移入区。此外，越来越多的退休人员也喜欢迁往气候良好的南方居住；而北爱尔兰、苏格兰、威尔士一直是人口净移出区。英格兰北方各区自第一次世界大战以后，由于传统工业经济的不断衰退，失业日益严重，也导致了人口的大量外流。在南北方人口流动的同时，从本世纪中叶开始，城市人口向农村和郊区迁移的趋势日益增强。

●法国

法国国内的人口迁移和分布变化经历了一个由小到大的过程。法国由于地区之间自然环境差异不大，人口分布比较均匀，历史上国内人口迁移比较少见。自18世纪后半期以来，随着工业化和城市化进程的加快，农村人口开始大量流入城市。人口增长最快的有巴黎、里昂、马塞等大城市以及诺尔煤田和洛林铁矿为中心的北方工业区各省。二战之后，特别是60年代以来，一些传统的农业比重较大的地区人口继续相对甚至绝对减少，人口向大城市的集中逐渐减弱，但向其周围地区的人口迁移却更加兴旺。北方以煤铁为中心的老工业区显著衰退，而拉芒什海峡和东南沿海新兴工业区的兴起吸引了大量的人口流入。同时，随着人口老化、退休人员增多以及养生养老的需要，人口越来越多的向气候温暖的东南部各省迁移。

②人口迁移政策

发达国家人口迁移政策主要包括：一是兴建卫星城，发展中小城市。例如，英国建了33座能容纳170万人口的新城镇，其中8座是专为缓和伦敦住宅拥挤而建造的。二是利用经济杠杆，缓解市中心人口压力。英国伦敦和日本东京采用提高市中心居住成本的办法，达到疏散市中心人口的目的。三是利用经济手段和实施相关政策，引导人口的均衡分布。例如，美国采取鼓励移民开发西部、南部的政策，进行地区性的经济调整，使西部、南部成为迁入地区，减小了东北部和中西部地区一些城市的人口压力。四是改善农村地区的生活条件，发展人口稀少的落后地区及其他地区，阻止人口外移。

(2) 发展中国家人口迁移状况及政策措施

①人口迁移状况

●巴西

巴西在历史上是大批接受移民的国家，目前，外来移民及其后裔占其总人口的95%以上。60年代以来，开始出现人口外流现象。在人口国际间流动的同时，巴西国内也呈现出大规模的人口迁移趋势。由于巴西各地区的历史发展进程差异很大，以及自然环境的不同，生产力分布非常不平衡，使得人口迁移活动频繁。巴西的经济发展重心曾几度转移，即从东北部转移到米纳斯吉拉斯州和里约热内卢州，再转移到圣保罗州和巴拉那州；巴西迁都以来，中西部地区也兴旺发达起来。这种经济和政治重心的转移，带动了大规模的人口流动，人口不断地向着新开发区推进。巴西人口迁移的特点是以经济迁移为主，并且主要是从农村迁往城市，从而加速了城市化进程，巴西的城镇人口占全国总人口的比例，到 1991 年已达到 75%，城市化水平发展到很高的程度，接近或已超过发达国家的水平。

●墨西哥

墨西哥人口的国内流动规模，到目前为止仍然呈现不断扩大的趋势。据统计，1940 年全国平均有 10% 的人口曾经从一个地方迁移到另一个地方，而到 1974 年，这个比例已提高到 15%。墨西哥人口迁移的特点也主要是从农村迁往城市。随着人口流动规模的不断扩大，城市化发展速度也日益加快，到 1991 年，城镇人口占全国总人口的比例已达到 71%。墨西哥城市化的一个特点是大城市的畸形发展，如墨西哥城 20 世纪初人口不过 50 万，到 1981 年初，人口已达 1300 万，成为世界第一大城市。

②人口迁移政策

发展中国家的人口迁移政策，主要包括以下几个方面：一是对盲目流入城市的人口，采取各种限制性措施。各国普遍采取了拆除违章建筑，清理定居点的做法，但效果并不理想。有些国家采取限制就业的办法。古巴政府则采取限制住房的办法，规定在城内没有住房的人口不能移居首都。二是通过加强农村的开发和建设，提供尽可能的条件，逐步实现农村现代化，以稳定农民，减少外出；或是引导人口密集地区的农民流向边疆、内地尚有大量可耕地但人口不足的地区，发展农业，以防止农村人口过量流入城市。三是制定有利于农村地区发展的政策，鼓励工业及其城市人口迁往农村及地广人稀的地区。例如，墨西哥对私人和外资在农村的投资给予减少税收和提供廉价的能源等优惠条件。四是通过兴建和发展中小城镇、兴建新的工业区，来吸引人口迁入，以达到防止大城市人口过度膨胀，促进人口重新分布、合理布局的目的。例如，巴西把东北地区亚马逊河流域和中西部列为优先发展的地区，拨出大批款项，投资这些地区的工业、兴建中小城镇和支援农业垦荒，以吸引外来人口迁入。五是有计划地疏散机关或其他单位。例如，墨西哥将部分工厂、机关、教育机构连同其联邦职员及其家属100万人迁出首都。六是迁都。尼日利亚、坦桑尼亚、巴西等国家在内地新建首都，吸引人口迁入新首都附近地区，以缓解原首都的人口压力。七是积极安置，加强管理。主要是通过为迁移人口提供廉价公共住宅和提供就业机会，实现强化管理的目的。例如，印度尼西亚采取建立移民区的办法，为迁移人口提供廉价住房和其他福利；并通过完善移民行政区化，完善移民领导管理机构，达到便于管理移民的目的。

2．我国外来人口现状及其影响

北京市外来人口状况在外来人口集中的一些大城市中具有很强的代表性，在下面的分析中，我们将主要以北京市的情况作为分析样本。

(1) 外来人口现状

近年来，我国外来人口增长速度很快，全国到1995年流动人口已达8000万左右。北京市1997年11月的普查资料显示，全市外来人口总数为285.9万人，比1978年的30万人增长近10倍，其中农民约占在京居住一天以上外来人口总数的70%，构成外来人口的主体。当前外来人口具有以下一些基本特征：

①经济特征显著，农民构成外来就业型人口的主体。据统计，1997年在京的外来人口中，就业型人口为181万人，占全部外来人口总数的78.7%；其中农民164.1万人，占就业型人口的91.1%。

②男多女少，以青壮年为主。外来人口进入城市的主要目的是从事生产经营活动，因此，相对于女性来说，男性对职业的选择范围要远大于女性。在北京的劳动适龄人口（即男性16—59岁，女性16—54岁）中，男性外来人口约占七成。外来人口具有年青化的结构特点，劳动力年龄人口明显高于其他年龄组，其中最具年龄优势的16—39岁青壮年占全部在京外来人口总数的79.9%。

③外来人口滞留地相对集中，城乡结合部尤为突出。外来人口大多集中在城近郊区。北京居住在城近郊区的外来人口占其总数的78.9%，其中又有58.5%的外来人口集中在城乡结合部的朝阳、海淀、丰台三区。在全市26个万人以上的外来人口聚集区中，有23个位于三环路两侧。

④外来人口滞留时间长，且具有“移民”倾向。以北京为例，目前在京居住半年以上的外来人口已占其总数的63.6%，其中，居住3年以上的占19.4%，占10.4%的人口在京居住已达5年以上。在就业的外来人口中，私人个体雇主在京居住时间最长，平均达30.8个月，其次是自营劳动者，平均居住时间为25.5个月。他们绝大多数已在北京安家立业，经营场所固定，生活稳定，具有一定的竞争实力，已经成为大都市中没有户籍的“新移民”。据统计，在北京的外来人口中，举家迁移的有40万人之多，占全部外来人口总数的17.6%。

⑤整体受教育程度偏低。在北京市外来人口中仅受过中、小学教育的比重高达76.4%，且另有3.2%的人口处于文盲、半文盲状态。在6—15岁的外来人口中，失学儿童近万人，占同龄人口的14%。

外来人口大量流入城市有经济和社会的多种原因，归纳起来主要有以下几个方面：

①农村剩余劳动力转向城市寻求就业机会，是他们的自然

选择。改革开放以来，通过乡镇企业、小城镇发展等多种途径，各地已经消化、吸纳了众多的农村剩余劳动力。尽管如此，我国目前农村尚有近两亿农民程度不同地处于就业不充分状态。他们急切希望走出黄土地，寻求新的就业渠道。而城市、特别是像北京这样的大都市是他们久已向往的黄金宝地。与农村相比，城市生活对农民有强大的“拉动效应”。突出表现在：第一，城市就业机会大于农村。随着我国人均耕地面积日益减少以及农业科技水平的不断提高，农业必要劳动力呈现萎缩状态。而我国的城乡分工体制，决定了第二、三产业相对集中于城镇。因此，长期以来，尽管我国城镇就业压力一直比较大，但比起农村地区，其就业条件相对优越，就业环境也相对宽松。特别是城市中一些环境较艰苦、条件较差、有一定危险的工作，城里人不愿干，由此造成的某些行业劳动力短缺状况，为农民进城提供了难得的就业机会。第二，城市的“预期收入”明显高于农村。从人口迁移理论来讲，决定农民迁移的是城乡之间“预期收入”的差异，而不是城乡之间实际收入的差距。改革开放20年来，城乡居民的收入水平有了明显增长。但总体而言，城镇居民收入的增长幅度快于农民，城乡之间收入差距已由1980年的2.297:1扩大到1995年的2.467:1，且有加大的趋势。正是这种“预期收入”的差距，使得越来越多的外来农民“乐不思蜀”，逐渐演化为城市的“新移民”。除此之外，市场化改革，特别是城市食品供给体制、低生活费用和补贴制度的改革以及住房商品化的实施，导致居民生活资料价格提高，而迁移者生活资料价格相对下降。迁移外部环境的改变，大大降低了迁移成本，又从另一个方面提高了迁移者的预期收入，于是人口和劳动力迁移城市的势头愈演愈烈。第三，对城市文明生活的追求与向往。在我国，大部分地区的城乡差别是显著的。农村的教育水平相对落后，文化生活比较单调，信息渠道比较狭窄。特别是传统观念中农民社会地位的偏低促使农民、尤其是年轻一代寻找一切机会摆脱土地的束缚，追求高质量的生存环境。而大城市高雅的文化氛围、优越的生活条件，吸引着急切想改变身份的广大农民。此外，最先走出家门并在城市率先解决温饱问题，甚至富裕起来的农民，对于那些想要而又尚未走出家门的农民来说，起到了示范效应和桥梁作用。各地，特别是贫困地区的各级政府，也都把劳务输出作为解决农村就业，引导农民脱贫致富和振兴本地区经济的一项战略措施来抓。于是，近年来一浪高过一浪的"民工潮"终于在城市形成了。

②城市建设与经济发展需要外来民工的大力支持。第一，改革开放以来，一方面，大规模的城市建设和经济的飞速发展，创造了大量新的就业岗位；另一方面，尽管城镇企业下岗、待业职工逐年增加，但在建筑及一些工作环境较差、劳动强度较高的行业或部门，如环卫、纺织、采掘、修理、废品回收等，劳动用工依然不足，都需要大量外地劳动力补充。第二，外地农民就业成本低，在简单岗位上具有竞争能力，使城市一些行业、企业大量雇佣外地农民从事生产经营活动。据北京市劳动局提供的最新数据表明，本市职工与外地务工人员人工成本费差距很大。使用一名本市职工的人工成本费每月为1241.7元，而使用一名外地民工的人工成本费约为600元，两者相差一倍。外地农民大多来自外省市偏远、贫困地区，当地收入水平低，生活条件艰苦，从而造就了他们吃苦耐劳、服从管理的性格。特别是他们没有城市户口和城市补贴，没有劳保、公费医疗和退休、养老金等要求，因而在就业上，不仅有劳动力成本上的优势，而且比较容易与改革用工体制对接，比较适应产业结构和企业结构的调整。在很多行业，业主既怕北京人不好管理，又不愿意承担经济负担，因此，雇佣外地农民

的情况比较普遍。

③就业政策的松动和放宽，为农民进城开亮“绿灯”。中国传统的劳动就业制度的基本特点是统包统配，由国家充当用工主体和分配主体，用人单位和职工都处于无权地位。50年代形成的全国统一的劳动力招收、调配制度，是就城镇劳动力而言的，把农村劳动力置于劳动就业的范围之外，从而形成了城镇和农村两大封闭就业领域。同时，计划配置劳动力的体制也为劳动力在行业和区域间的流动设置了牢固的障碍。其结果是，改革以前的中国经济发展，虽然国民经济的产值构成发生了变化，农业占国民收入的比重从1952年的57.5%下降为1978年的32.8%；但是就业结构的变化却大大滞后，农业劳动力比重从1952年的83.5%下降为1978年的70.5%。与此相适应，1978年的城市人口比重只有17.9%，仅比1952年提高了几个百分点。这种二元经济式的人口和劳动力格局为改革以后开始的劳动力转移和人口迁移积累起一个很大的势能。当市场取向的经济改革从体制上和产业机会上为人口、劳动力迁移提供了可能性时，这种迁移具有极大的初始动力。通过考察劳动力流动过程，我们不难发现，它是与长期近于停滞的城市化开始重新起动以及劳动力在地区之间、行业间的分配，逐渐由行政手段为市场手段所代替这两种变化相联系的，从而使劳动力的流动，以过去几十年所未曾有的规模和速度发生了。

(2) 外来人口产生的影响

城市外来人口迅速膨胀，这部分人在为城市创造财富，为人民生活提供方便，促进经济和社会繁荣等方面，作出了重要贡献；同时，也给城市管理、社会治安等方面带来很大压力。具体表现在：

①外来人口涌入城市，加大了城市基础设施的压力。供水紧张、交通拥挤、住房困难、供电、供热、供气、通讯、教

育、卫生等方面矛盾突出。例如，北京是严重缺水城市，目前城市日供水能力约180万吨，而日需求约230万吨，每天缺50万吨。在城市用水矛盾已经十分突出的情况下，200多万外来人口每天仅生活用水就需增加50余万吨，这无疑使本来就很突出的供求矛盾更加尖锐化。同时，由于流动农民活动频繁，近年来，市内交通异常紧张。外来人口损害市容环境卫生，脏、乱、差现象也随处可见。

②社会治安问题突出。第一，违法犯罪活动猖獗，对城市治安秩序危害严重。近年来，外来人口中违法犯罪活动日益突出。尽管公安部门下大力气持续不断地打击整治，但外来人口犯罪比重依旧呈逐年上升趋势。以北京市为例，全市抓获的刑事犯罪分子中，外来人口所占比重1990年为22.5%，到1998年已达到63%，年均增长5个百分点。特别是外来人口中团伙作案、流窜作案、做大案、做恶性案件明显增多。在一些外来人口，特别是少数民族聚集区，还存在带有政治目的和民族宗教的问题。此外，打架斗殴、流氓滋扰、吸毒贩毒、赌博、卖淫嫖娼等治安问题和社会丑恶现象也很突出。第二，“三无”闲散人员流落城市各个角落，治安隐患逐年增多。近几年，北京市公安机关每年收容遣送和动员离京的“三无”闲散人员都在30万左右，1998年达到50万人，已占外来人口总数的17%左右。第三，聚集区内各类案件居高不下，加大了城市管理的难度。多年来，在城乡结合部出现了一些以地缘、亲缘、业缘为纽带形成的外来人口聚集村、点。北京市仅万人以上的聚集区就有42个，其中绝大多数集中在朝阳、海淀、丰台三个区。这些地区普遍治安秩序混乱，各类刑事案件居高不下，并呈持续上升的势头。在抓获的刑事犯罪分子中，外来人口犯罪所占比例高达70%—80%，个别地区甚至超过90%，比全市平均比例高出10—30个百分点。除此之外，聚集区内市政公共设

施超负荷运转、卫生环境恶劣、非法经营活动突出、且有“行帮”性势力组织抬头的迹象。第四，房屋出租秩序混乱，藏污纳垢问题严重。

③外来育龄妇女超计划生育情况严重。据统计，北京市目前外来暂住人口中，育龄妇女为33.2万人，占女性总数的85.6%，其中60%是20—35岁的婚育高峰期妇女。由于长期处于常住、暂住两地都难管的状态，他们当中早婚早育、计划外生育等问题严重。

此外，进城农民用工成本低廉所形成的局部不平等竞争局面，在一定程度上冲击了城市再就业工程，等等。

（三）
我国外来人口管理中的困难与问题

近年来，政府在外来人口管理方面已作出了种种探索性努力，相继出台了一系列加强外来人口管理的政策、条例及办法，取得了一定成效。但仍存在较大困难与问题。主要表现在：

第一，职能部门职责分离、条块分割，管理部门间相互协调配合比较困难。这一问题主要体现在两个方面：一是外来人口管理的职能部门各司其职，相互间分工协作关系不清。外来人口管理工作涉及到公安、工商、税收、劳动、房管、规划、建委、计生等13个职能部门，各职能部门在外来人口的就业以及衣食住行的管理上，各负其责、各司其职。例如，规划部门确认和拆除主要供外来人口租住的违法建筑。房管部门主管现有公、私房出租，工商部门核发营业执照，税务部门负责收税，计划生育部门管理育龄妇女，公安部门则依法打击外来人口中的违法、犯罪活动。由于各个职能管理部门分属不同的行政管理系统，部门间的关系自身难以协调。而归在公安口、作为外来人口管理"龙头"的外来人口管理办公室，作为协调管理部门，由于是非常设机构，级别有限，也很难充分、有效地发挥协调各职能部门、形成工作合力的作用。二是条块分割，街乡对外来人口的属地管理较难实现。由于辖区内有众多的机关、事业、企业、学校、驻军等单位，他们的隶属关系、行政级别各不相同，行政上又不归街道或乡政府管理，协调关系比较困难。因此，在属地无权管理的中央、市属和军队单位，存在大批外来人口，形成了管理上的"真空地带"。

第二，尚未形成动员社会力量，对外来人口齐抓共管的社会化管理局面。外来人口作为一个庞大的、相对流动、缺少组织约束的群体，仅仅依靠政府力量进行管理，显然是"势单力薄"。但在外来人口管理的现实工作中，作为与外来人口接触密切的基础管理部门还未做到充分调动包括外来人口在内的广大群众参与管理的积极性，也尚未探索出一条依靠社区组织力量进行社会化管理的新途径。因此，在繁重的工作任务面前，管理部门往往顾此失彼，容易造成一些本可以避免发生的工作失误。

第三，管理工作尚不到位。这主要是由于：一是经验不足。外来人口管理工作对我国传统的人口管理部门而言，是一项新的工作，可借鉴的经验较少。外来人口管理基础工作的范围、任务、措施等缺乏一整套科学、明确、统一、规范的模式，在实际工作中难以操作。二是管理工作缺少规范要求，责任制尚未落实。政府已经颁布了一系列条例和规章制度，从户籍、房屋租赁、治安、务工经商管理、计划生育等多方面制定了明确的规范。但一些基层管理部门并没有严格按照法规和责任制去开展工作，没有根据各自的实际制定具体实施意见和管理措施，把外来人口管理切实纳入工作的目标管理考核范围，使管理人员在工作中缺少应有的压力和动力。三是警力不足、配备又不尽合理。随着外来人口的持续增长，作为外来人口治安管理基层职能部门的派出所，警力不足的矛盾日益突出。特别是在那些外来人口占常住人口半数以上，甚至超出常住人口的聚集区，警力严重不足长期困扰着各项管理工作的正常开展。

第四，对外来人口规模控制缺少科学、有效的管理手段。一是管理手段比较落后，主要表现在计算机信息网络不健全，缺乏对城市就业需求、容纳能力的监测体系；制定的外来人口规模控制指标及其分解不够科学合理；交通、通讯、办公装备水平也普遍滞后。二是在外来人口规模控制上，大多依靠行政措施，没有充分发挥经济杠杆的调节作用，经济手段力度不够。

第五，“保护合法”措施不够得力。政府在外来人口的日常管理中，在“取缔违法，打击犯罪”方面效果明显，但“保护合法”的力度尚显不够。在为合法从事务工经商活动的外地人员提供生产、生活服务，保护他们人身、财产不受损失的措施方面，因缺少相应的政策，难以发挥较好的示范效应。

（四）
我国外来人口管理的基本对策

1. 调控总量，净化构成，引导外来人口合理有序流动

运用法律的、行政的、经济的、科技的手段，对外来人口总量构成、内部结构、地区分布等进行调控，逐渐扭转外来人口盲目无序流动的问题，最大限度地减少各种治安隐患。

（1）完善法规，加大综合执法力度。一是尽快出台“对外来务工经商人员进行规模控制的规定”，明确对外来务工经商人员实施规模控制的主体、客体和各自的权利、义务及处罚措施等。二是通过立法，制定实施对“三无”人员进一步加大收

容遣送力度的政府规章，将收容遣送工作由原来的社会救济为主，转变为维护社会稳定和治安秩序为主。三是依照现行的法规规章，对目前大量存在的违章、违法租赁房屋，无证做工、非法用工、无照经营、非法经营及超计划生育等违规行为，严格依法行政。四是充分发挥城市管理监察大队的综合执法作用，进一步加大执法力度。

(2) 科学合理地制定管理办法，提高管理效率。一是试行对外来人口分层管理。按照自然资源和基础设施承载能力、管理水平和环境秩序的不同，在不同地区实行分层管理，并分别提出可容纳外来人口的数量、质量标准。二是继续实行有区别的行业准入政策。劳动部门要在充分考虑就业安置需要的基础上，每年提出批准使用外地务工人员的总量指标，并明确规定允许、调剂、限制外地工的行业工种，严格控制无文化知识、无一技之长、无明确就业意向的农民盲目流入。工商部门要研究制定允许、限制外地人员经营的行业范围，严格按照规定办理、换发外来经商人员的经营执照，对目前一些主要由外地人员从事经营的特种行业，实行统一审批、统一标志、统一管理。三是加强违章出租房屋的清理和拆除，并严厉打击、查处混杂其间的各类违法犯罪活动。四是对外来人口、尤其是家庭式流入人员实行严格的计划生育管理。计生部门为主，公安、劳动、工商、房管等部门配合，禁止超计划生育人员从事务工经商活动，禁止租房暂住。五是卫生防疫部门制定明确规定，严禁在出租房屋内从事食品加工，公安、工商、房管部门积极配合，切实加强监督检查。六是应本着“优胜劣汰”的社会筛选机制，通过政府的“区别对待，分类指导”政策优化城市用工结构。

(3) 运用经济杠杆，调节用工结构和引导流动方向。一是提高外地务工经商人员管理服务收费标准。二是实行协税制，征收房屋出租“四税一费”，对单位和个人出租的各类房屋，依法征收出租房屋房产税、营业税、城镇土地使用税、城市建设维护税和附加教育费。三是向包括文化娱乐、餐饮、洗浴发廊等服务业在内的所有外地工的单位统一收取就业安置费，其中对建筑、煤炭、纺织、环卫等脏、累、苦、险等行业工种给予优惠鼓励。四是对限制使用外地工的行业工种，超过规定比例，劳动部门有权加大对用工单位的罚款力度。

(4) 运用科技手段，提高管理水平。加快计算机管理网络系统的建设，实现采集录入、资料汇总分析、暂住人口管理、重点人口防控等方面的网络化、信息化、自动化，确实提高管理的科学性、准确性和及时性。要创造条件，改善通讯、交通跟不上形势发展要求的被动局面，不断提高现代化管理水平。

2. 加强组织建设，提高协同管理能力

(1) 建议将外来人口管理领导小组及其办公室由目前的非常设机构转制为常设机构。

(2) 建立街乡合一的政府管理机构，解决地区统一领导问题。

(3) 加强各职能部门的协作关系，在明确职责任务，发挥职能作用的同时，协同好职能部门之间、条块之间的权利和利益关系，以保证对外来人口管理的整体效果。

(4) 结合街道工作体制改革，按照属地管理的原则加强辖区的组织领导，充分发挥基层管理机构的作用。要特别重视发挥辖区内社区联席工作会等社区组织对外来人口管理的渗透作用。充分调动辖区内机关、企事业单位、人民团体、居民自治组织等社会单位共同配合地区政府或派出机构共同做好外来人口的管理工作。

(5) 充分发挥共青团和妇联等社会团体具有覆盖面广泛的优势，通过民工学校、社区志愿者队伍及各种形式的妇女组织，将广大外来团员、青年、妇女组织起来，在提高自身素质的同时服务于社会。

（6）健全完善社会治安防范网络。在基层派出所进一步充实扩大包括民警、协管员、联防、治保积极分子等各种力量在内的管理网络。

3．强化日常管理工作

（1）加强清理整顿，严格落实工作责任制，有效遏制外来人口犯罪上升势头。清理重点是外来人口聚集区、出租房屋、农贸市场、复杂行业场所。

（2）搞好服务，融合感情，将管理寓于服务之中。政府应该通过为外来人口多办实事、多办好事，大力加强服务保护工作，使他们体会到党和政府的温暖，充分调动他们自觉维护社会治安秩序的主人翁精神。将管理寓于服务之中的有效途径包括：第一，加快有关的制度建设，完善用工制度、法律保护与监督制度、激励制度。第二，在外来人口聚集区，建立与完善配套的社区服务，使他们可以就近解决诸如住房、医疗、职业介绍、购物、通讯、子女入托就学等实际困难，解除他们生活上的后顾之忧。积极推进社会保险事业，为有条件、自愿参加保险的外来人口提供医疗、人身、财产、养老等服务项目。将外来人口管理纳入社区综合管理的范畴，成立有外来人口参加的社区管理委员会或相应机构，负责协调民工内部、民工与邻里、民工与雇主之间的关系。通过这些方式，使外来人口通过社区组织逐渐融入都市社会。第三，办好外来人口集中住宿、规范管理试点，以便于统一管理。既能减少由于外来人口散居和私搭乱建而引发的各种问题，又能减轻民工的经济负担，做到安居乐业。第四，对具备一定条件的外地人口实施相对稳定的就业政策。第五，借助新闻媒体的传播效应，通过广播、电视、报纸等宣传手段，客观地介绍外来人口在城市经济建设、社会发展中起到的积极推动作用，真实地反映他们工作、生活中的苦恼与困难，引导市民转变观念，公正地看待他们。

(3) 建立培训制度。外来民工上岗前必须接受职业技能、安全生产方面的培训；从事技术性岗位和特种作业的人员，必须依照国家的有关规定持证上岗。同时，通过举办民工学校、民工培训班、专题讲座等形式，对民工进行文化补习、专业知识培训，提高外来人口的整体素质。

·第三节·

社区治安管理

社区治安，是指在政府和公安部门的领导下，依靠社区力量，共同组织实施对社区中刑事犯罪的防范和打击。社区治安是城市安全的重要组成部分。搞好社区治安工作，维护社区人民群众工作、学习和生活的正常秩序，是社区建设的一项极其重要的内容。

(一)

社区治安的重要性

社区治安问题是社区居民最关心、最敏感的问题。社区治安的好坏，直接影响社区成员的生产和生活，进而影响到整个社会的安定。做好社区治安工作，可以提高社区群众的社会责任感和民主参与意识，共同营造一个良好的工作和生活环境，促进社区经济、社会、文化和环境等事业的协调发展。

(二)

社区治安的基本方法

根据社区地域、人口、价值取向和相互关系四个组成要素的特点，社区治安应该采取集属地性、全民性、教化性、协调性于一体的综合防范治理方法，具体内容包括：

第一，宣传教育。加强法制宣传教育，尤其是对青少年的道德法律教育，提高社区群众的社会意识、法律意识和安全防范意识，减少或杜绝各种违法犯罪的发生。

第二，共同参与。社区治安工作涉及面广、问题复杂、工作难度大，需要各级政府领导和执法部门的高度重视和积极配合；然而仅仅依靠政府的力量是远远不够的，因此，社区治安工作还需要所有驻区单位的大力支持和所有社区成员的共同参与。

第三，防范为主。强化社区治安管理，要坚持“重在治本、标本兼治、打防并举”和“以防为主、专群结合、群防群治”的方针，要采用“防范、打击、教育、改造、管理、建设”综合治理的手段，以实现预防犯罪和控制犯罪的目的。打击固然是重要的，但防范才是最根本的。

第四，社区治安的社会环境。社会环境对社区治安环境有巨大的影响。社会分配不公、逃税偷税、失业人口增多、社会保障覆盖面小、水平低、贫富差距过大、干部贪污腐化、官僚主义作风、欺压百姓、法制体系不健全、有法不依、执法不严、贪赃枉法等等问题都在直接、间接地构成社会不安定因素，只有社会的大环境治理好了，社区的小环境才能达到长治久安。区域封闭措施并非长久之计，祸水源头不涸，总会殃及四方。国家和城市制度及政策的正确性、严肃性和高效性是社区治安的根本保障。

（三）

国外社区治安管理

我国的警防人员力量和技防技术及财力条件与世界发达国

家相比是有较大差距的，但是我们的社区治安搞得是比较好的。一些发达国家的公安部门和研究单位，例如美国芝加哥警察局和芝加哥大学犯罪学系，曾经到我国来学习社区治安属地管理和警民联防的经验，而他们的一些创新理论和实践也同样值得我们学习借鉴。

1. 重视社区治安的多种功能

美国是个犯罪率很高的国家，很多州的法律规定私人可以拥有武器，再加上种族不同和贫富悬殊等问题，要搞好社会治安，减少犯罪，是一件非常棘手的事情。而社区的治安状况如何，不仅直接影响居民的安居乐业，而且关系到居民的经济利益。在美国，如果一个社区治安状况好，则买房的人就多，该社区的房地产就会升值；如果一个社区治安问题严重，大多数有条件的居民就会逐渐搬走，这个社区就会慢慢衰落。所以，社区治安状况如何，对社区的发展至关重要，因而这也是社区居民最关心的问题。近年来，美国的治安状况有所好转，这一方面得益于大环境的改善，如经济发展势头较高、生活水平提高、政府注重社会发展、采取措施治理和振兴贫困社区等。但还有一个重要因素是，政府治安部门转变观念，由注重打击变为注重防范，注意发挥居民维护社区安全的积极性，警察与社区居民共同配合，较为有效地抑制了犯罪率的上升。

2. 建立社区治安的概念体系

美国和英国社区治安的概念体系涉及的内容有：治安与社会进步、社区治安理念和警察的功能。

社区治安是美国社会进步与发展中的一个重要环节，社区治安中所倡导的许多方法，如分散决策权、改变警民关系、改善社区环境、关心服务对象、种族平等、杜绝吸毒现象等，都是对公众生活质量普遍关注的具体表现。

在英国，近来有一种观点很流行，“社区治安从根本上说就是一种治安理念或是一种治安范式”。根据出版物中有关警方与公共关系的描述，社区治安理念的主要内容可以用一句话概括为：警方在决定和执行治安计划时，应该与公众协商，尊重民意，并且与公众密切合作。

社区治安理念和实践

理念	原则	目标	组织策略	运作策略	具体运作策略
社区治安	协商合作	责任制 确定问题 解决问题 居民满意	分散化	社区会议 社区犯罪防范	咨询群体、步行巡逻、联络巡逻、社区警察、治安亭、治安诊断、邻里互助、财产登记、安全审查、伙伴关系、问题定向的治安、目标巡逻

上表提出了一种在社区治安理念、组织结构和运作策略之间的假设性关系。在该表中，警民协商原则以及根据公众意愿和警方对于公众的职责决定治安目标的原则，在逻辑上与为警方和公众间的协商提供具体办法的治安策略联系起来。同样，合作的原则，以及确定问题和解决问题的治安目标，也在逻辑上与有关犯罪防范和“实效取向的治安”的运作策略联系起来。然而，社区治安的原则和目标与运作策略的联系比上述关系更为复杂，许多运作策略，如协商和合作二者的构成部分也是这样。

社区治安的历史不是很长，在过去的几十年中，治安一直发挥着四种基本功能。首先，警察是社会努力控制犯罪的一支最重要的力量。警察机构是地方政府的基本武装力量，控制犯罪是其基本职责，通过巡逻等警务活动震慑企图犯罪的人。警察的第二个功能是执行法律，即及时制止可能的犯罪和逮捕犯罪嫌疑人，并通过诉讼使罪犯受到法律的制裁。警察的第三个功能是向处在危难中的人提供迅速的援助，包括对遭遇犯罪以外的紧急援助，如火灾、车祸、疾病突发等。警察的第四个功能是提供各种非紧急性服务，包括帮助迷路人、控制交通、帮助汽车抛锚的司机，等等。

在当代社会，社区治安并没有放弃上述四种功能，而是增加了新的功能，即社区治安防范的功能。传统的犯罪控制的治安理论基础是威慑、剥夺行为能力和使其重新做人。社区治安属于社会性防治，强调犯罪环境治理，探讨犯罪根源，事先教育和引导可能犯罪的人。

3. 研究社区治安的公平和效率问题

警察要动员社区居民参与治安决策，并在社区治安勤务中公平地提供服务，不能有种族歧视和滥用职权的行为，否则会造成信任危机。治安效率是指警察准确地把握问题，有效控制犯罪，以最低的成本达到较高的治安效果，或者说是利用所提供的社区资源达到产生最大治安效果。

4. 芝加哥的"肯斯"(CANS)战略实施

芝加哥全市共分成77个社区（行政区）。1988年，芝加哥成立社区安全联合会（Chicago Alliance Neighborhood Safety），简称CANS。

在芝加哥市长和警察局长写给市民的一封公开信中这样写道："亲爱的社区居民：芝加哥市现在有了打击犯罪的新武器，这个新武器就是您。通过实施芝加哥警民共同治安战略，即CANS战略，我们正在警察与居民之间建立起一种合作关系，这样做可以减少犯罪，改善我们居住区的生活质量。用我们的CANS战略，我们已经采取了几项措施，使我们的城市变得更加安全。"他们采取的具体措施是：

警区巡逻。芝加哥警察局将全市分为279个巡逻区，这就使巡逻区范围缩小。每个巡逻区派一个巡警官在同一巡逻区同一班次至少巡逻一年，有时是乘坐警车，有时是步行。用这种方法，警官可以在巡逻中熟悉居民并发现问题，居民也可以和警察们熟悉起来，及时向警察提供各种犯罪活动信息。

快速反应。自动紧急报警系统会使居民得到及时救助。不时出现的警车及其警笛成为美国城市的一大景观。快速反应通常是由社区驻防警力作出的，这样可以保证社区中可能出现的犯罪得到当场打击。

环境整治。在城市其他专业职能部门的支持下改善环境。乱涂乱画的街道，废弃的汽车和建筑，破损的街灯和其他街道标志都会对社区犯罪分子造成一种因环境适宜而产生的犯罪心理，并使人们产生不安全感。根据“芝加哥警民共同治安战略”的服务要求，警察局会同城市专业职能部门与居民一起协力改善社区环境，防止犯罪发生。他们拆毁废弃建筑，拖走废弃汽车，修好街灯，粉刷墙壁上的乱涂乱画，清扫广场，大大减少了犯罪的物质环境条件和心理动因。

共同研究。巡警和社区居民、社区顾问委员会定期召开社区联席会议。警民联防的基地是在社区。芝加哥每一个巡逻区都有一个社区顾问委员会，由居民、社区领导者、企业主和其他一些人士组成。顾问委员会定期与警区指挥官和巡警一起开会探讨造成犯罪的原因，共商治安防范措施。在会上还讨论青少年、家庭服务、公共财产爱护和公园安全等问题。为了方便居民了解和参与，警方与社区领导将每个月的活动日程，讨论主题及时间（大多在晚上）、地点事先安排好，公布于众。

法院辩护。每个社区有一个法院辩护委员会，该委员会确定并参加对本社区非常重要的法律案件的审理。受过专门培训的志愿者出席听证会，对社区的受害者给予支持，同时指控犯罪者。

全民参与。CANS战略的目的不仅仅是控制犯罪，更多的是防止犯罪，所以该战略特别注重鼓励居民积极参与。社区设有邻里关系办公室，该办公室经常举办各种活动，吸引居民参与社区事物。如在社区公园举办食品节、艺术节，在教堂或其他公共场所举办冷餐会等，利用这些活动吸引和培养居民的参与意识。在美国，居民对社区事物的参与热情很高。市民参与的活动包括：了解自己的社区和警区在地图上的确切位置范围，了解社区和警区的各种治安组织的名称、功能和联系电话；及时将犯罪活动信息报警，并用电话或亲自到警察局提供犯罪线索；积极参加社区治安的各种活动，除了做警察的“眼睛和耳朵”外，居民还积极参加警察与居民的各种会议，并到法院旁听案件的审理，参加听证会，对社区的重要事项发表意见等。居民不仅自己守法，还积极协助警察共同防止犯罪。

5．英国的分散化治安

英国的警察部门在80年代末90年代初，经历了一场重大的变革。这一变革是按照警方和政府共同制定的改革方案进行的。警方和政府的共同目标是，提高治安服务的质量与公众的满意度。英国社区治安理念的主要内容是：由警方持有的一种治安观点，这种观点认为，警方在决定和评价治安实践时，应当与公众协商，考虑其愿望，并且在确定和解决治安问题时与当地公众合作。在过去几年中，英国一直存在某种形式的分散化治安。即通过将全国划分为由分局和支局组成的警备区，以形成面积通常小得足以让警员了解其详情的管辖单位。也就是说，实施区域治安。在英国，定期召开的社区会议有助于警方就公众的治安需要向公众咨询和解释警方所采取的行动，在这种意义上，社区会议构成了社区治安的一部分。此外，英国还在社区设立专门的治安警察，给当地社区提供完全的治安服务同时还实施了邻里互助计划。这一计划在实施过程和结果两个方面都已取得令人满意的效果，无论是警方还是公众都喜欢这项计划。它增进了警方和社区之间的关系并使社区更为紧密地成为一个整体，使社区焕发了活力，增进了邻里的友好气氛。邻里互助计划自20世纪80年代在英国创始以来，它的声望持续增长，目前它已是英国最为普及的面向社区的犯罪防范策略。

（四）

我国社区治安实践探索

社区治安问题是当前城市社区居民最关心的问题之一，也是我国社会转型、经济转制、政府转变职能所遇到的一个极其重要的问题。

1. 社区治安任务艰巨

从整体趋势来看，城市社区的犯罪案件上升速度很快，作案方法更加诡秘，手段更加凶残，性质更加恶劣。

杭州某区的调查材料表明：一是犯罪团伙数量有逐年增多的趋势。1992年查获团伙36个，125人，比1991年增加50%。同时，犯罪活动性质、形式、手段带有倾向性、综合性，有的犯罪已逐步发展成为犯罪集团，具有黑社会性质。新近破获的一个流氓斗殴、吸毒、贩毒案件，是一起解放以来杭州市罕见的团伙作案，他们集多种犯罪于一身，涉及吸毒人员14人。二是以侵占财产为目的的盗窃、诈骗、抢劫等刑事案件上升幅度特别大。统计资料显示，1984—1992年间，侵财案件均占全部刑事案件的90%以上，特别是在1990、1991和1992年，侵财案件所占比例不断上升，占全部刑事案件比例数连续三年呈递增趋势。三是流窜犯罪和外来人口犯罪日益猖獗。1992年批准逮捕的128名刑事罪犯中，外来人口和流窜作案犯有119名，占92.9%。他们以做工、经商为名，租住农民出租房屋，结伙成帮，大肆作案。四是新的、严重的犯罪形式和犯罪方法逐渐增多，犯罪手段更加狡猾诡秘。五是早已绝迹的社会丑恶现象沉渣泛起。卖淫嫖娼、流氓、赌博等案件时有发生。六是犯罪低龄化突出。1993年三季度抓获的167名犯罪分子中，14—25岁的有103名，占全部人犯的61．68%。同年10月3日，广场派出所在新天龙商场抓获陈某等7人盗窃团伙，全是初三年级的在校学生，他们作案多起，涉及上城、拱墅等城区，累计金额达1万多元。又如，某中学3个高二年级学生，在一个月内连续蒙面持刀抢劫作案4起，十分猖獗。可见，青少年犯罪问题已经到了相当严重的程度。

2．社区治安成绩显著

北京市西城区是首都中心城区，其保持社会安定的意义非同寻常。作为国家可持续发展实验区和全国社区建设实验区，西城区1997年、1998年连续两年荣获北京市社会治安综合治理先进区称号，他们的经验是：

第一，大力加强基层基础工作，做好“三个建设”。一是做好基层防范体系建设，完善群防群治措施，提高防范能力；二是做好居委会的“组织体系、防范体系、管理体系”的建设，布置防范网络；三是做好基层党支部为核心的配套组织建设，使基层党支部达到了367个，占应建总数的100%。居委会在居民党支部的领导下，建立起治保、调解、普法、帮教、巡逻五位一体的综合治理组织机构。

第二，对全区基层治保会进行了全面的整建工作。通过深入细致的调查研究，了解分析了全区基层治保会组织的总体状况，尤其是问题及其原因。在此基础上，区政府制定了《关于进一步加强治保会建设的意见》。从治保会的组织建设、职责任务、工作程序、纪律作风、物质保障和领导关系六个方面提出了比较明确具体的政策措施。通过整建，全区新建治保会和独立治保小组1488个，增加治保会成员7139人，增加治保积极分子近万人，社区治保组织已发展到5495个。

第三，建立健全了各项制度，并逐步形成了一套管理体系。使居委会在社区治安防范中发挥越来越重要的作用，有效地控制各类刑事案件的发生。

第四，实施小区封闭管理，广泛深入开展基层安全创建活动。近年来，全区广泛开展了基层安全创建活动，不断加强基层防范体系建设。安全创建活动包括三个方面的内容。一是开展了创建安全文明小区活动，对居民小区实行封闭式管理。展览路街道的10个居民小区作为试点小区，一年内自行车盗窃案件下降了91.5%，刑事案件下降了85%，机动车全年无一丢失。之后，全区推广试点经验，提出封闭小区的“四有标准”，即“有传达室、有专人值班巡逻、有自行车存车处和管理人员、有机动车位和管理办法”。现在，全区已建成封闭式小区216个，占应封闭总数的89.6%。各小区刑事案件已经下降65%，自行车和机动车盗窃案件分别下降了49%和23%，居民的安全感得到增强。二是深入开展创建安全居家委会活动。区政府下发了《关于在全区开展创建安全居家委会活动的意见》，以抓两头促中间的办法，广泛深入地开展创安活动，全区树立起22个创安示范单位。同时，将那些基础工作薄弱，问题多的居委会作为创安活动的重点，狠抓后进的转变帮促工作，使其达到安全居（家）委会的标准。通过广泛深入开展创安活动，促进了治安防范、法制宣传、社会帮教、民事纠纷调解等项工作的深入开展，各类案件发案率大幅度下降。

第五，加强基础设施的建设，在人防基础上，提高技术防范的能力。自1997年起，区、街两级财政每年拨款200万元作为科技创安活动经费，先后在4个居委会建成了楼寓对讲等电子自动报警系统，一年来没有一起案件发生。目前，又有12个居委会正在安装高科技自动报警系统。到1999年5月，西城区安全达标居家委会已达83%。

第六，加强社区保安建设，提高防范能力。为进一步增强社会防范能力，1998年，西城区从维护全区社会治安的实际出发，提出了吸纳本区下岗职工参加社会治安管理，创建社区保安的新思路。首先以德外地区为试点，通过严格的政审、体检，从300多名下岗职工中选聘50人，成立了第一支社区保安服务队。经过一年的实践，社区保安服务队已发展到11个中队，609人。社区保安服务队成立一年来，协助公安部门抓获犯罪嫌疑人2663人，其中刑事拘留283人，破获各类刑事案件110起，其中大案20起，帮助群众解决困难3100多件；在维护社区公共安全和治安秩序，在预防犯罪、打击犯罪、救助服务等方面发挥了重要作用；使刑事案件发案率明显下降，成为一支让群众放心的保安队伍，为解决下岗职工再就业也开辟了一条渠道。

3．社区治安经验总结

在社区治安工作中，经过多年的理论研究和实践探索，各个城市的社区取得了许多成功的经验，归纳起来有以下几个方面：

廉洁勤政，化解矛盾。在法制还不健全的情况下，政府和各级领导干部尤其要重视人民群众来信来访工作，要以人民的利益高于一切为最高准则，以人民的满意为最高目标，严格限制并坚决查办官僚作风、以权谋私、滥用职权、欺压百姓等恶劣行为；注意正确处理人民内部矛盾，并且尽量避免由于工作失误造成的冤错案件。法院、公安局、街道办事处、居委会和民间社团要加强人民调解工作，随时化解不安定因素，防止民事纠纷矛盾激化而造成严重后果。

重点教育，实际帮助。对“两劳”释放人员和失足青少年要加强教育、感化和挽救工作。建立帮教小组，帮助安置工作，解决生活来源问题，避免造成他们重新违法犯罪的诱发因素。

加强管理，避免疏漏。有些社区或小区采取封闭式的管理，防止不法游商和可疑人员随意进入，使社区生活秩序明显改善。加强外来暂住人口的管理和教育工作，使他们增加法律知识和守法意识，并且主动关心他们的生活，使他们有居住之地，有合法工作，有正常交往，确保他们作为公民不受歧视的权利，让他们真正把社区当成自己可爱的家园。

整治环境，预防犯罪。社区环境对于社区治安产生很大的影响，环境整治是社区治安的基础性工作。建筑环境和卫生环境的脏、乱、差是适合犯罪的外在条件，而环境的整洁优美可以使人心态平和友善，有利于释解敌意和仇恨，减缓犯罪冲动。环境的规整有序还可以震慑犯罪企图和降低犯罪潜逃的可能性。

警民结合，打防结合。要与当地的公安部门协作，坚持专职警力、保安人员与联防队伍相结合，广大群众积极参与。加强群众队伍的建设，组织街道、社区内的下岗人员和离退休人员建立治保协调小组，按时巡逻，防患于未然。形成一个专群结合的社区控制网络，减少犯罪分子的作案机会并增加捕获罪犯的可能性。

利用科学，技术防范。有些社区或小区还安装了电视监视器、电子报警和楼寓防盗电控门对讲器等安全防范系统，充分发挥技术防范的重要作用。

（五）

我国社区治安的对策措施

第一，领导重视。各级政府和各个单位的领导对于社区治安负有重要责任。政府领导要经常深入社区进行调查研究，制定规划和落实方案，以坚强有力的领导努力实现一方平安，为整个社会的安定奠定基础。区内各单位的领导要积极配合社区治安的工作，在单位内采取各种安全措施，保证本单位的安全；并在人力、物力等方面尽可能为社区大安全提供支持，为社区和社会安定作出贡献。

第二，注重社区整合。社区整合是社区治安的基础工作，其重要性是不言而喻的。社区整合的目的是使社区变得温馨可爱，具有强大的吸引力、凝聚力，使人们具有认同感、归属感。社区整合主要通过社区文化的方法来实现，即通过民俗、教育、文艺、体育、环境建设来形成社区的整体性，减少社区内部发生矛盾、矛盾激化或滋生犯罪的可能性，增强对外来骚扰和犯罪的防御能力。

第三，注意偏离校正。青少年是世界观形成和行为模式定型的关键时期，对于那些缺少家庭温暖、性情古怪、心理变态、行为异常的青少年要给以更多的精神上的关心、慰抚和生活上的照料、帮助。要尽可能创造条件，组织引导他们参加健康有益的文体活动和社交活动；对于他们沾染的酗酒、吸毒、打架、性乱等恶习要及时规劝、制止；并使他们知法守法，以减少他们走向犯罪的可能性。

第四，加强犯罪防范。在社区内，公安人员要与群众治保组织相结合，经常分析排查各种不安定因素，随时清除隐患。对于重点人、重点地段和重点单位进行严密监视，采取定时不定时巡逻联防、电子监控报警等措施。要不断提高快速反应能力，瓦解、震慑、制止图谋犯罪。

第五，严格法律实施。对于已经发生的犯罪，要组织专业和群众力量加强侦破，迅速捕获犯罪嫌疑人。法院要秉公执法，程序公开，量刑适当。检察院要加强监督，不畏权势，不徇私情，查处一切徇私舞弊、贪赃枉法的行为。司法是政府形象的直接体现，是保证公平，维护人民合法权益，稳定社会和净化社会的重要途径，是社区治安的基本手段。

第六，重视两劳帮教。要成立各种帮教组织，开展各种帮教活动。对劳动教养和劳动改造释放人员关心、教育，努力消除社会歧视，尽可能为他们联系安排工作，使他们产生愧对社会、感激社会和报答社会的情感，防止他们重新走向犯罪的道路。

第七，搞好环境整治。社区环境的好坏与社区治安的状况有很大关系。搞好社区的卫生、照明、绿化和车辆管理可以震慑犯罪，减少发案率，还可以提高反应速度，增加抓获犯罪嫌疑人的可能性。

第八，增强治安意识。社区成员要增强自我人身和财产安全意识，以及对社区治安的参与意识和责任感。发现或察觉可疑情况，要及时与公安和治保组织联系，以便及时防止或制止犯罪。多一双警惕的眼睛，就多一点对企图犯罪者的威慑力，就多一点侦破案件的可能性。

·第四节·
社区环境管理

社区是社区成员生活和工作的地方，搞好社区环境建设意义非常重大。哈尔滨工业大学的郭旭教授认为：“生态环境的好坏对社区居民的身心健康起着重要作用，它是文明程度的标志之一。多开辟绿地、水体、植树、栽花、种草，减少各种污染，利用地方资源创造独特的城市景观，使社区干净、清新、美丽，使自然与人相互依存，和谐共生，实现可持续发展。”“搞好社区环境卫生，及时清运垃圾，防治各种环境污染，拆除违章建筑，治理交通秩序，加强社会安全防范，这是加强社区安全性，改善环境质量，完善社区形象的重要方向。”

（一）
社区环境的内容

社区环境主要是一种人文环境，或者说是文化环境。社区环境主要由生态环境、生活工作环境和治安环境组成。社区环境是城市大环境的组成部分，要建成健康优美的城市环境，必须建设好每一个社区的环境。

1．社区生态环境

人对自然的热爱程度影响人对生态环境的态度。人类和大自然到底是什么样的关系呢？应该说，人类和大自然就是一家人。大自然是我们人类的母亲，人类像其他一切动植物一样都是大自然的儿女。大自然生育我们，哺育我们，抚育我们，教育我们。她是那么纯朴，那么无私，那么真诚、善良和美丽，我们应该尊重她，敬仰她，热爱她，保护她。我们需要具有一种大自然情怀，一种大自然情感，一种大自然情结。只要怀有对大自然深深的爱恋，我们就会十分透彻地理解她，十分谦顺地遵从她，十分虔诚地爱戴她，十分自觉地保护她。我们要用诚挚的忏悔来慰藉她的心灵，用感恩的目光来景仰她的容颜，用爱抚的双手来医治她的创伤。我们要重新给她穿上绿装，重新给她戴上鲜花，重新给她披上彩霞，把她装点得更有韵致，更加秀美；让她永远年轻，永远可爱；让她和她的所有的儿女一起共同生活，共同繁荣，共同享乐。

在地球生命的整个进化过程之中，我们人类一直是属于大自然的，是大自然给予我们生命，给予我们思想，给予我们智慧，给予我们文化。然而，当人类有了一定的能力之后，却愚蠢地颠倒了自己与大自然的位置。企图与自然分离，与自然对立；企图统治自然，驾驭自然。人类野蛮掠夺自然，把自然当成自己的奴仆，让自然一切都为自己服务，绝对服从自己的意志，完全剥夺了自然中其他动植物生存延续的权利。人类物种发展得过快，数量过多，占据的地盘过大，对财富过于贪婪，对生活过于奢侈，对自然的需求量远远超过了自然承载力。崇高的自然平衡被破坏了，严整的自然秩序被打乱了，神圣的自然规律被践踏了。结果到头来，我们人类却是聪明自误，既伤害了自然，也伤害了自己。好在我们人类及早地发现了自己的错误，并开始重新审视自己与大自然的关系，重新确定自己在大自然中的位置。我们人类只有不断清除了自己文化的污染，精神的污染，才能清除和防范环境的污染，才能保持环境的洁净，才能实现环境的美化。我们需要摈弃反自然的病态文化，建设亲自然的健康文化。我们应该继承古人天人合一的圣明文化，即自然文化；我们应该创造与自然和谐共生的理智文化，即生态文化。只有不断净化我们的文化，大力提倡自然文化和生态文化，才能做到保护自然、净化自然、美化自然，推动人类社会在与大自然的共生共荣中朝着更高层次的文明进化。

2．社区生活和工作环境

生活工作环境包括建筑环境和卫生环境。良好的生活环境是生存的需要、健康的需要、审美的需要、创作的需要、休闲的需要、娱乐的需要、安全的需要和生物多样性的需要。随着人们生活水平和文化水平的不断提高，人们对环境质量的要求愈来愈高。

社区生活工作环境质量与社区成员的素质有很大的关系，文化水平决定环保意识。文化对人们的行为习惯产生影响，而人们的行为习惯对环境又产生影响。我们的民族有崇尚自然、顺应自然的优秀传统，却也有一些不利于生态环境和卫生环境的不良行为习惯。吸烟、餐食野味、随地吐痰、践踏绿地、乱丢废弃物、丑陋字牌、无序招贴、乱鸣喇叭、衣着不整、随意在室外晾晒衣物等不良行为习惯都会造成空气污染、视觉污染、生态失衡和生物多样性的破坏。这些不良行为是习惯性的，具有无意识和传承性的症结。因此，我们必须充分认识这些不良行为习惯的潜在的危害性，努力提高文明素质，有意识地培养和增强自己对自然的情感，对周围环境的重视；从自己做起，从现在做起，彻底戒除或坚决改正一切不良的行为习惯，努力营造良好的社区环境，这样做可以增加人们对社区的认同感和归属感。只要人人都有环境保护意识和对环境的爱的奉献，社区的环境就一定会有美好的明天。

3．社区治安环境

社区治安环境由安全意识、防范能力、发案率和安全感几个方面组成。社区治安环境与社区文化建设、卫生管理和人们的安全意识有极为密切的关系。社区文化搞得好，人们的素质就高，自身犯罪的可能性就少，对于犯罪的防范意识就强；社区文化搞得好，可以营造良好的环境，减少社区偷盗、抢劫等刑事案件的发生率。预谋犯罪者是需要作案条件的，环境的脏乱差则对他们作案、躲藏和潜逃是很有利的，例如缺少路灯、废弃建筑、脏乱工地、破损门窗等等。整洁的环境使犯罪失去了一些必要的条件，优美的环境还可能使企图犯罪的人减少或打消作案的念头。

人们的素质提高了，自然会提高安全意识，不乱停乱放车辆和器物，自觉遵守交通规则。这样，行路交通就会顺畅，交通事故就会减少。建筑内外的公共空间如果没有违章堆放杂物，公共环境就会清洁雅观，邻居之间拌嘴吵架的现象和单位之间的纠纷自然就会减少，社区的安全稳定性就会提高。

（二）

社区环境与社区形象

社区环境是社区形象的直观展示。环境不仅仅是人与建筑在某一区域聚集而呈现的外在景观，还是社区文化的重要内涵，因为社区环境与社区成员的文化素养、生活习惯、环境意识、法规意识等有直接的关系。社区是城市的基本单元，社区成员的文化素养不高，城市的脏乱差就难以解决。相反，社区成员如果具有文明的举止，待人礼貌热情，会给来访者留下美好的印象。优美的人工生物环境，如树木、花草、鸟类等动植物种类的多样性和色彩的丰富性，可以使社区变得鸟语花香、空气清新、景色迷人。高雅的人文物质环境，如精美的建筑、装饰、雕塑等等，会使社区变得优美雅致，可爱动人。高雅的社区环境所呈现的良好的社区形象，还可以对住户、游客和投资者产生很强的吸引力，使社区经济和文化充满活力，繁荣昌盛。

（三）
国外社区环境建设经验

社区环境质量是经济发展水平和社会发展水平的重要标志，是城市生态、卫生、治安等管理和法律实施的具体目标，是服务宗旨、施政能力和办事效率等政府形象的具体表现，是居民文化素质、社会公德和政治参与的综合反映。

1. 美化居住环境

居住环境的美化在社区建设中具有非常奇特的作用。社区居民在设计、建造、装修自己的住房和美化房子外表以及周围的环境时，已经使自己与这块土地和这里的人们紧紧地结合在一起了。

美国的一些社区常把房地产的开发过程和房屋设计过程看作是艺术的一部分。《有目的的设计活动》的作者 M. 车尔·佩亚托克认为，一个社区的形成是由其最初的开发者、房主、社区和居民们共同努力的结果。社区的这种创建过程一开始就是共同协作进行的，并且要一直延续下去。社区的建设者和服务者与当地居民结合起来，就能形成自己的文化特色和民主气氛。

房屋设计是一项需要广泛合作的活动，它使大家围绕一个问题展开讨论，对于形成社区的凝聚力很有好处。室内或室外的环境设计是促使人们长期居住在这个地区的重要因素。在社区居民的心目中，自己居住的地方应该有神圣而又美丽的光环，无论这光环的具体形式被创造成什么样子。世界上最有特色的房子绝不是建筑师后来设计的那些东西，而是由当地居民自己精心设计并经过历史演变留存下来的那些东西。居民的创造性与社区标志是一种文化装饰的结果。社区居民、艺术家参与社区建筑和环境的设计和美化，是社区建设的一种有效的途径。在具体实施美化社区计划的过程中，居民们为自己建议或同意的计划而努力工作、共同协作，使自己的价值和希望得以实现。房屋设计和社区建设，能够使居民产生成就感和自豪感，产生对社区的认同感和归属感。社区因此而有了自身的深度，一种特别的艺术魅力和文化氛围就会环绕在整个社区。人们被自己精心设计和辛勤劳动所营造的特有的社区文化氛围所感动，所迷恋，所鼓舞，怀着自豪与喜悦之情，不断开拓进取，创造更加美好的生活。

2．保护生态环境

巴黎市政府非常重视环境建设。尽管城市用地十分紧张，政府还是尽一切可能在城市社区中增加绿地，提高城市社区的环境质量。目前，巴黎建有多处国家公园、市属公园及开放绿地等，人均绿地面积达 11.06 平方米。

在巴黎的市政府和区政府中，涉及公园、花园和绿地养护，环境保护以及河流管理的工作人员是最多的，一共有 14224 人，占总数的 28.8%。

巴黎是艺术之都、体育之都，也是鲜花之都。无论是在房间里、阳台上、院子中，还是在商店里、橱窗前和路边上，到处都有盛开的鲜花，到处都有迷人的芳香。至于那五彩缤纷的花店和花团锦簇的公园，更是常常让人驻足观赏，流连忘返。

巴黎的文物、鸟类、植物等环境保护组织和宗教组织经常在社区中开展各种活动，使环境保护成为社会公德，成为风气，成为公众自觉自愿的行动。环境保护组织开展的活动有，举行讲座，举办热爱大自然美术及摄影展览，组织参观、集会或游行，分发宣传材料、宣传环境保护的重要性和有关知识，以及实施垃圾分类、认养绿地树木、种植花草、给鸟儿喂食等具体措施。

3．爱护社区环境

西方国家早已实行了住房私有化，社区环境的好坏直接影响房地产的价值。社区居民关心社区环境，不仅是出于对自己的生活质量和身心健康的考虑，而且也是对经济利益的考虑。社区环境好，自己的房地产可以保值升值，一旦要搬家，可以卖个好价钱；反之，则要遭受经济损失。这样说来，关心社区环境，既是关心大家共同的利益，也是关心自己的利益。如果有人破坏社区环境，不等社区委员会来管，社区居民会主动干预，或向社区反映情况，要求迅速解决问题，不然，就要向法院起诉。例如，在美国的中等以上的社区中，在户外晾晒衣物是不可以的，即使是在自己的院内也不行。因为这样的行为会被认为是贫民的生活习惯，很不雅观，影响视觉环境。原来的有些住户会因此而搬走，而外来想要在此购买房屋的人也会因此而放弃，结果，这个社区的房地产自然就会贬值了。在洛杉矶一个社区中，有某户人家的一位老者，因为经常在院内晾晒衣物，被社区居民强烈反对。社区警告说，如果再这样做，就到法院起诉，结果这户人家因不能说服老人改变这一做法而不得不搬家。这个例子说明，社区环境与社区每一户居民的利益都密切相关。即使是个人的某种生活习惯，如果对社区环境构成不良影响，也不能被社区大多数人所接受。还比如，在有的社区，即使自家的花园草地管理太差，也要受到邻居、社区或环保组织的干预，其道理和前面的例子是一样的。

（四）
我国社区环境状况

我国的城市社区环境在党和政府的领导下，经过广大人民群众的艰苦努力，已经取得了很大的进步。广东佛山市和珠海市十分重视城市环境的建设，他们把社区环境建设当成社区文化建设的重点来抓。号召社区居民增强环境意识，养成符合环境保护的生活习惯，共同创造整洁优美的居住环境。通过扎扎实实的社区宣传教育和管理，社区环境有了极大的改善，他们分别被联合国人居中心评为“全球人类住区优秀范例城市”和“国际改善居住环境最佳行动奖”。社区环境建设促进了城市经济、社会和文化的可持续发展，促进了城市文明，增强了城市的影响力和吸引力。

深圳市的社区在老旧住宅区的环境建设方面取得了比较成功的经验。水贝工业区曾是一个“脏乱差”出名的小区，配套设施不全，设备陈旧老化，排水管道锈损，污水四溢，车辆停放杂乱无章，私搭乱建严重，垃圾随意倾倒，臭味难闻。1996年6月，深圳特力物业管理公司把这个小区列为全面整治的重点对象。他们拆除违章建筑3200平方米，增加了绿化面积并加强养护，维修了公用设施和区内道路，改造了停车场，增设了路灯，规范了各种标识物。经过改造的水贝工业区环境大为改观，环境净化美化，治安状况明显好转，社区文化更加丰富繁荣，受到居民的广泛赞扬，得到市委市政府的表扬，还被评为深圳市安全文明标兵小区。

在社区环境建设方面，北京市西城区不断加强环境保护的力度，取得了比较显著的成绩。经过二十余年的点源治理、面源治理和环境综合治理，全区自然环境大大改善，降尘已由原每月每平方公里30吨降至每月每平方公里16.8吨。集中供热面积100万平方米，二环路内实现“黄土不露天”。区内共有树木141万株，人均公共绿地3.41平方米。区内环境噪声值57.2分贝，交通干线噪声值72分贝，全部实现噪声达标。1999年，西城区遵照市政府指示，以拆除违法建设为重点，开展环境综合整治。各有关部门整体配合，重点拆除44条主要大街、干支道路和重点部位的违法建设，仅上半年就已完成拆除违法建设10129平方米。拆除违法建设后，他们大量铺种草地，绿化美化面积达7500平方米，植树4016棵，使绿化覆盖率达到28%，人均绿地达到9.8平方米，比1997年的3.41平方米提高了187%，进步非常快（但比巴黎的11.06平方米还有一些差距）。为提高大气质量，西城区已经建成10个无燃煤小区。他们还撤销占路市场10个，占路摊点2171个，拆迁转停商业网点4个，整治治安乱点39个。通过综合整治，环境质量大大提高，受到老百姓热烈称赞。

在我国的一些社区，尤其是在那些老旧居民区，还存在不少环境问题：一是规划问题。那些老居民区和一些旧小区，建设年代较早。限于当时的规划理论和经济条件，规划上存在“先天不足”：市政设施不配套，商业服务设施、文教设施和户外场地不足，绿地面积太少。

二是规划实施问题。80年代左右建设的一些小区，虽然规划比较合理，但建设过程中，通过种种非法手段对规划进行了不合理的更改，结果造成上述现象的大量出现。

三是管理问题。社区内房屋设施、绿地空地由多家分管，职责不清，政出多门，对待问题相互推诿扯皮。绿化面积原本不足，由于缺少公共户外文体活动场地和停放自行车及汽车的场地，绿地还要遭到毁坏。空气污染、水体污染、各种噪声污染和脏乱差等视觉、嗅觉污染比较严重，有许多私搭乱建的非法建筑和非法摊商游商，缺少统一的严格而又有效的社区环境管理法规和监督管理手段。据北京房地产协会物业部对北京城区 12 个小区（建筑面积 189 万平方米）的调查，这些小区内有违法建设 23000 平方米，占总面积的 1.2%，有违章摊位 315 个，常住小区的非法摊贩 707 人。依次推算，全市 1964 万平方米的旧小区内大约有非法建设 23.57 万平方米，违章摊位 3142 个，常住非法摊贩 7000 多人。由此可见，城市居民区内的环境问题是非常严重的。

（五）

社区环境改善和管理的方法

社区环境是城市整体容貌的重要组成部分，社区环境的状况直接呈现城市物质文明和精神文明建设的水平。搞好社区环境改善和管理，创造健康优美的生态环境、整洁舒适的生活工作环境、安全稳定的治安环境，是提高人民生活质量的需要和培养人们高尚审美情操的需要是保障人身财产安全和安居乐业的需要。

第一，制定社区环境细则。我们现在有环境保护法，还应该制定社区环境保护的实施细则，对于践踏绿地，装修房屋及娱乐噪声，楼道阳台乱放杂物，乱扔乱堆垃圾，泼洒污水等有损环境的行为作出具体的处罚规定，使得社区环境保护的日常管理有法可依。

第二，健全管理监督制度。城市环境管理是市政府和区政府的一项重要工作，社区环境管理则是街道办事处（即社区委员会）的重要职责。政府的规划、市政、园林、环保、环卫等职能部门要在办事处和社区居民的监督下为社区环境保护服务，要经常深入社区，切实做好执法工作，不能本末倒置，高高在上，给街道办事处“下达指示，布置工作”。街道办事处、居委会和物业管理公司等部门没有执法权，也不应该接受委托执法权，其责任是做好巡视检查工作，为执法工作提供信息和必要的帮助。

第三，制定社区环境规划。要做好社区环境管理工作，必须首先作出社区环境保护和改善规划，对于破坏环境的一切现象进行全面彻底地清理整治。包括拆除违法建设，维修市政设施，清除垃圾渣土，扩大绿地面积，开辟公共活动场地，禁止游商和不法摊贩，等等。进行环境整治之后，日常管理必须到位，划分责任区、指定责任人，真正做好巡视检查和执法工作；不能前整后乱、常整常乱，使整治成果任意付之东流。

社区建设既是一个重大的理论问题，又是一个具有现实意义的实践问题，无论国内外都在不断的发展过程中，有待于进一步深入研究和探讨。在课题研究的过程中，由于我国与欧美及一些发展中国家，在历史文化传统和政治经济体制等方面存在许多不可比的因素，使我们的研究受到一定的局限性，不可能全面展开。对国内外社区发展理论和实践情况的介绍以及提出的一些观点，也只是一家之言，仅供社区研究的理论和实践部门参考。社区建设是适应市场经济需要，大有可为的事业，相信我们的研究是十分有意义的。我们即将或已经进入21世纪，随着科学技术水平的加速发展，各国经济结构将进一步调整，经济增长将进一步加快，全球经济区域化、一体化的趋势将进一步增强；随之而来的一些新的社会问题的突现，使社区在经济社会发展中的作用越来越重要。社区发展任重而道远。

附录

北京市居民社区生活调查问卷

居民朋友：

您好！

为了科学地考察北京市居民在基层社区（街道办事处及居民委员会所属居民生活区）的生活状况，改进城市基层社区的管理和服务工作，推动城市社区的繁荣和发展，我们制定了这次“北京市居民社区生活抽样调查”。希望得到您的支持和帮助。本调查以无记名方式进行，故不会给您带来回答问卷之外的任何麻烦。衷心感谢您的真诚合作！

北京市社会科学院社会发展研究中心

一九九七年十一月

调查地点：

______________________________区；

______________________________街道；

______________________________居委会。

调查时间：

____年____月______日；

从____点____分开始，至____点____分结束。

调查人员：

调查员姓名________，复核员姓名________；

编码员姓名________，编码复核员姓名________。

一、请回答您个人及家庭的一些基本情况：

1．您的姓别：

（1）男（2）女

2．您的年龄是________岁。

3．您在本居民区连续居住了________年。

4．您的婚姻状况：

（1）未婚（2）离婚（3）再婚（4）丧偶（5）分居两地

（6）一般性婚姻

5．您的文化程度：

（1）基本不识字（2）小学（3）初中（4）高中或中专

（5）大学（6）研究生

6．您的健康状况：

（1）很好（2）较好（3）一般（4）较差（5）很差

（6）残疾

7．您家住房的产权状况：

（1）单位租赁房（2）单位集资房（3）房管局租赁房

（4）私人租赁房（5）私人商品房

8．您的家庭结构：

（1）单身户（2）无小孩的夫妇家庭

（3）有小孩的夫妇家庭（4）三代同堂家庭

（5）与成年子女分居的老年家庭

（6）单亲家庭（7）其它____________

9. 您目前的工作状况：

(1) 在职工作 (2) 离退休后赋闲在家

(3) 离退休后重新应聘 (4) 停薪留职 (5) 辞职

(6) 长期病休 (7) 被动下岗位

(8) 其它________

10. 您现在或离退休前工作机构的性质：

(1) 全民所有制单位 (2) 集体所有制单位

(3) 三资企业 (4) 私有企业 (5) 个体户

(6) 其它________

11. 您现在或离退休前工作机构的所属行业或系统：

(1) 国家党政机关或工青妇机构

(2) 新闻媒体及出版业 (3) 工商税务金融系统

(4) 交通系统 (5) 部队 (6) 教育、科研系统

(7) 工业 (8) 商业 (9) 建筑业 (10) 地质勘探业

(11) 邮电及通讯系统 (12) 医疗卫生系统

(13) 司法及执法系统 (14) 文化、艺术、体育系统

(15) 环保系统 (16) 其它________

12. 您现在或离退休前的职业：

(1) 各类专业及技术人员 (2) 行政管理干部

(3) 一般办事人员 (4) 商业工作人员

(5) 服务工作人员 (6) 其它________

13. 您第一次参加工作的时间是______年；参加工作的方式是：

(1) 学校分配 (2) 街道分配

(3) 顶替父母的工作 (4) 市场应聘 (5) 私人开业

(6) 合伙开业 (7) 其它________

14. 您工作变动（指从一个工作机构换到另一个工作机构）过______次；

如有过工作变动，那么最后一次工作变动是______年；

最后一次工作变动的趋向：

（1）国有工作单位⇨国有工作单位

（2）国有工作单位⇨非国有工作单位

（3）非国有工作单位⇨国有工作单位

（4）非国有工作单位⇨非国有工作单位

最后一次工作变动的方式：

（1）组织调动（2）被动下岗（3）顶替父母的工作

（4）私人开业（5）合伙开业

（6）人才或劳动力市场中的双向选择

（7）其它__________

最后一次工作变动的原因（请按主次选择前三项：①____②____③____）：

（1）服从组织安排　　　（2）适应家庭生活

（3）改变人际关系　　　（4）提高职业声望

（5）提高工作报酬　　　（6）提高福利待遇

（7）获得晋升及发展机会（8）改善工作条件

（9）符合个人专业或兴趣（10）尝试更有挑战性的工作

15．您全家的经济收入相应于家庭生活基本需求的状况：

（1）远远超过（2）有点剩余（3）正好

（4）有点紧张（5）差距较大

16．您的闲暇时间（正常工作之余除去满足生理需要及家务劳动等生活必要时间支出后的时间）是：

（1）很少（2）较少（3）适中（4）较多（5）很多

闲暇时间的主要活动方式（请按主次选择前三项：①____②____③____）：

（1）捞取外快（2）钻研业务（3）教育小孩

(4) 进修学习 (5) 文化消闲 (6) 社会活动

(7) 参加工作机构上的非业务活动

(8) 其它____________

17. 您在本职工作之外，有没有从事其它有经济收入的工作或事情：

(1) 有 (2) 没有

如果有其它收入，主要是哪些方式（请按主次选择前三项：①____②____③____）：

(1) 兼职 (2) 揽私活 (3) 倒卖 (4) 炒证券

(5) 炒邮票 (6) 炒古董 (7) 做代理 (8) 做传销

(9) 赚稿费 (10) 销售个人制作品

(11) 其它____________

近一年内业外收入与业内收入相比：

(1) 很少 (2) 较少 (3) 差不多 (4) 较多 (5) 很多

18. 您的文化消闲方式主要是（请按主次选择前三项：①____②____③____）：

(1) 读书 (2) 读报刊 (3) 听广播 (4) 看电视

(5) 旅游 (6) 健身活动 (7) 棋牌活动 (8) 球迷活动

(9) 看电影 (10) 参加舞会 (11) 文体观赏

(12) 其它____________

您的文化消费月平均支出占月平均收入的比例是：

(1) 5%以下 (2) 6%—10% (3) 11%—20%

(4) 其它______%

您文化生活中最需要的是（请按主次选择前三项：①____②____③____）：

(1) 场地 (2) 组织 (3) 辅导 (4) 资金 (5) 信息

(6) 其它____

19. 您的进修学习方式主要是（请按主次选择前三项：①

____②____③____)：

(1) 参加工作机构提供的进修

(2) 参加社会上的收费学习班

(3) 跟着广播自学 (4) 跟着电视自学

(5) 跟着书刊自学 (6) 请私人辅导

(7) 参加本居民区的学习班 (8) 其它____________

您的进修学习月平均支出占月平均收入的比例是：

(1) 5%以下 (2) 6%—10% (3) 11%—20%

(4) 其它____%

20. 您的社会活动方式主要是（请按主次选择前三项①____②____③____)：

(1) 朋友聚会 (2) 参加有关协会

(3) 参加本居民区的有关活动

(4) 其它____________

二、您评价您目前或离退休前工作机构相对于职工及其家庭以下方面的情况：

1. 工作报酬：(1) 很公平 (2) 较公平 (3) 一般 (4) 不太公平 (5) 很不公平
2. 业余时间：(1) 很自由 (2) 较自由 (3) 一般 (4) 不太自由 (5) 很不自由
3. 物质福利：(1) 很丰厚 (2) 较丰厚 (3) 一般 (4) 不太丰厚 (5) 很不丰厚
4. 医疗保障：(1) 很完善 (2) 较完善 (3) 一般 (4) 不太完善 (5) 很不完善
5. 生活服务：(1) 很完善 (2) 较完善 (3) 一般 (4) 不太完善 (5) 很不完善
6. 纠纷调解：(1) 很有效 (2) 较有效 (3) 一般

(4) 不太有效 (5) 很不有效

7. 老年保障：(1) 很完善 (2) 较完善 (3) 一般
(4) 不太完善 (5) 很不完善

8. 救危解难：(1) 很有效 (2) 较有效 (3) 一般
(4) 不太有效 (5) 很无效

9. 文化生活：(1) 很丰富 (2) 较丰富 (3) 一般
(4) 较不丰富 (5) 很不丰富

10. 人际关系：(1) 很融洽 (2) 较融洽 (3) 一般
(4) 不太融洽 (5) 很不融洽

11. 社会声望：(1) 很好 (2) 较好 (3) 一般 (4) 较差
(5) 很差

12. 住房待遇：(1) 很好 (2) 较好 (3) 一般 (4) 较差
(5) 很差

13. 子女入托待遇：(1) 很好 (2) 较好 (3) 一般 (4)
较差 (5) 很差

14. 子女教育待遇：(1) 很好 (2) 较好 (3) 一般
(4) 较差 (5) 很差

15. 子女就业待遇：(1) 很好 (2) 较好 (3) 一般
(4) 较差 (5) 很差

三、请评价您所在居民区以下方面的情况：

1. 公共交通：(1) 很便利 (2) 较便利 (3) 一般
(4) 不太便利 (5) 很不便利

2. 邮电通讯：(1) 很便利 (2) 较便利 (3) 一般
(4) 不太便利 (5) 很不便利

3. 文化生活：(1) 很丰富 (2) 较丰富 (3) 一般
(4) 较不丰富 (5) 很不丰富

4. 人际关系：(1) 很融洽 (2) 较融洽 (3) 一般

(4) 不太融洽 (5) 很不融洽

5. 便民服务:(1) 很完善 (2) 较完善 (3) 一般
(4) 不太完善 (5) 很不完善

6. 纠纷调解:(1) 很有效 (2) 较有效 (3) 一般
(4) 不太有效 (5) 很无效

7. 救危解难:(1) 很有效 (2) 较有效 (3) 一般
(4) 不太有效 (5) 很无效

8. 老年活动:(1) 很丰富 (2) 较丰富 (3) 一般
(4) 不太丰富 (5) 很不丰富

9. 老年保障:(1) 很完善 (2) 较完善 (3) 一般
(4) 不太完善 (5) 很不完善

10. 社区教育:(1) 很丰富 (2) 较丰富 (3) 一般
(4) 不太丰富 (5) 很不丰富

11. 社会声誉:(1) 很高 (2) 较高 (3) 一般 (4) 较低
(5) 很低

12. 环境绿化:(1) 很好 (2) 较好 (3) 一般 (4) 较差
(5) 很差

13. 公共卫生:(1) 很好 (2) 较好 (3) 一般 (4) 较差
(5) 很差

14. 社会治安:(1) 很好 (2) 较好 (3) 一般 (4) 较差
(5) 很差

15. 水电供应:(1) 很好 (2) 较好 (3) 一般 (4) 较差
(5) 很差

16. 医疗条件:(1) 很好 (2) 较好 (3) 一般 (4) 较差
(5) 很差

17. 市场供应:(1) 很好 (2) 较好 (3) 一般 (4) 较差
(5) 很差

18. 咨询服务:(1) 很好 (2) 较好 (3) 一般 (4) 较差

(5) 很差

19. 幼儿教育条件:(1) 很好 (2) 较好 (3) 一般 (4) 较差 (5) 很差

20. 学校教育条件:(1) 很好 (2) 较好 (3) 一般 (4) 较差 (5) 很差

21. 居委会干部文化素质:(1) 很高 (2) 较高 (3) 一般 (4) 较低 (5) 很低

22. 居委会干部办事能力:(1) 很强 (2) 较强 (3) 一般 (4) 较弱 (5) 很弱

23. 居委会干部对待工作:(1) 很热心 (2) 较热心 (3) 一般 (4) 不太热心 (5) 很不热心

24. 居委会与居民的沟通:(1) 很密切 (2) 较密切 (3) 一般 (4) 不太密切 (5) 很不密切

25. 外来人口的管理工作:(1) 很有效 (2) 较有效 (3) 一般 (4) 不太有效 (5) 很不有效

26. 外地人与本地人关系:(1) 很融洽 (2) 较融洽 (3) 一般 (4) 不太融洽 (5) 很不融洽

四、请评价以下人员或机构在您家庭生活需要帮助时的重要性:

1. 亲戚:
(1) 很重要 (2) 较重要 (3) 一般 (4) 不太重要 (5) 很不重要

2. 朋友:
(1) 很重要 (2) 较重要 (3) 一般 (4) 不太重要 (5) 很不重要

3. 同事:
(1) 很重要 (2) 较重要 (3) 一般 (4) 不太重要

(5) 很不重要

4. 邻里:

(1) 很重要 (2) 较重要 (3) 一般 (4) 不太重要

(5) 很不重要

5. 律师:

(1) 很重要 (2) 较重要 (3) 一般 (4) 不太重要

(5) 很不重要

6. 工作机构: (1) 很重要 (2) 较重要 (3) 一般

(4) 不太重要 (5) 很不重要

7. 居民委员会: (1) 很重要 (2) 较重要 (3) 一般

(4) 不太重要 (5) 很不重要

8. 街道办事处: (1) 很重要 (2) 较重要 (3) 一般

(4) 不太重要 (5) 很不重要

9. 公安派出所: (1) 很重要 (2) 较重要 (3) 一般

(4) 不太重要 (5) 很不重要

五、您对以下各种说法赞同的程度如何:

1. 本居民区只不过是您居住的地方而已。

(1) 很同意 (2) 比较同意 (3) 无所谓 (4) 不太同意

(5) 很不同意

2. 邻里之间没有什么特别的事情无需来往。

(1) 很同意 (2) 比较同意 (3) 无所谓 (4) 不太同意

(5) 很不同意

3. 现代城市居民仍然应当发扬中国文化中"守望相助"的优秀传统。

(1) 很同意 (2) 比较同意 (3) 无所谓 (4) 不太同意

(5) 很不同意

4. 如果在外地偶然遇到同住本居民区的人,您会有亲切之感。

(1) 很同意 (2) 比较同意 (3) 无所谓 (4) 不太同意 (5) 很不同意

5. 居民有权利了解居民区的公共事务。

(1) 很同意 (2) 比较同意 (3) 无所谓 (4) 不太同意 (5) 很不同意

6. 既然住在这个居民区，大家就随时可能在生活的某些方面发生关系。

(1) 很同意 (2) 比较同意 (3) 无所谓 (4) 不太同意 (5) 很不同意

7. 无论人们如何评价本居民区，您都不在乎。

(1) 很同意 (2) 比较同意 (3) 无所谓 (4) 不太同意 (5) 很不同意

8. 如果可能迁居，您不会留恋本居民区。

(1) 很同意 (2) 比较同意 (3) 无所谓 (4) 不太同意 (5) 很不同意

9. 居委会干部素质对居民区的发展来说是一件重要的事情。

(1) 很同意 (2) 比较同意 (3) 无所谓 (4) 不太同意 (5) 很不同意

10. 您在出差、旅游或其它原因外出时不可能想起本居民区的人、物或事情。

(1) 很同意 (2) 比较同意 (3) 无所谓 (4) 不太同意 (5) 很不同意

11. 如果有人做出不利于本居民区共同利益的事情，您会长时间感到不舒服。

(1) 很同意 (2) 比较同意 (3) 无所谓 (4) 不太同意 (5) 很不同意

12. 建设一个舒适、文明的居民区，是全体住户共同的事情。

(1) 很同意 (2) 比较同意 (3) 无所谓 (4) 不太同意 (5) 很不同意

13. 外来人口对居民区的影响利大于弊。

(1) 很同意 (2) 比较同意 (3) 无所谓 (4) 不太同意 (5) 很不同意

六、请回答您对于所在居民区有关事务的一些意向：

1. 您是否愿意参加本居民区的健身活动（如早晨、傍晚的体育锻炼）：

(1) 很愿意 (2) 比较愿意 (3) 无所谓 (4) 不太愿意 (5) 很不愿意

2. 您是否愿意参加本居民区的文化活动（如棋牌活动、唱歌跳舞、知识竞赛等）：

(1) 很愿意 (2) 比较愿意 (3) 无所谓 (4) 不太愿意 (5) 很不愿意

3. 您是否愿意遵从居委会关于一些常规事务作出的安排：

(1) 很愿意 (2) 比较愿意 (3) 无所谓 (4) 不太愿意 (5) 很不愿意

4. 您是否愿意参加志愿者活动（即无偿服务）：

(1) 很愿意 (2) 比较愿意 (3) 无所谓 (4) 不太愿意 (5) 很不愿意

5. 您是否愿意参加捐献活动：

(1) 很愿意 (2) 比较愿意 (3) 无所谓 (4) 不太愿意 (5) 很不愿意

6. 对于居委会干部选举，您是

(1) 很关注 (2) 比较关注 (3) 无所谓 (4) 不太关注 (5) 很不关注

7. 您愿意就居民区的公共事务向居委会或有关部门提出建议吗？

(1) 很愿意 (2) 比较愿意 (3) 无所谓 (4) 不太愿意 (5) 很不愿意

8. 您愿意向生活上需要帮助的邻里伸出援助的手吗？

(1) 很愿意 (2) 比较愿意 (3) 无所谓 (4) 不太愿意 (5) 很不愿意

9. 您愿意调解邻里的家庭纠纷吗？

(1) 很愿意 (2) 比较愿意 (3) 无所谓 (4) 不太愿意 (5) 很不愿意

10. 您在家庭生活上遇到困难时愿意求助于居民委员会吗？

(1) 很愿意 (2) 比较愿意 (3) 无所谓 (4) 不太愿意 (5) 很不愿意

11. 如果您自己遇到家庭纠纷，您愿意找居委会干部来调解吗？

(1) 很愿意 (2) 比较愿意 (3) 无所谓 (4) 不太愿意 (5) 很不愿意

12. 如果您意识到某工厂发出的噪音明显有损于本居民区居民健康，您愿意出面制止吗？

(1) 很愿意 (2) 比较愿意 (3) 无所谓 (4) 不太愿意 (5) 很不愿意

七、您家庭需要本居民区提供哪些便民（有偿）服务，您可以提供哪些便民服务，您志愿（无偿）提供哪些服务（不“需要”、不“可以”或不“志愿”的项目，无需打✓）

1. 车辆存放：（1）需要（2）可以（3）志愿
2. 幼儿入托：（1）需要（2）可以（3）志愿
3. 家庭教师：（1）需要（2）可以（3）志愿
4. 家务服务：（1）需要（2）可以（3）志愿
5. 服装加工：（1）需要（2）可以（3）志愿
6. 健康咨询：（1）需要（2）可以（3）志愿
7. 婚姻咨询：（1）需要（2）可以（3）志愿
8. 就业咨询：（1）需要（2）可以（3）志愿
9. 法律咨询：（1）需要（2）可以（3）志愿
10. 保姆咨询：（1）需要（2）可以（3）志愿
11. 代取牛奶：（1）需要（2）可以（3）志愿
12. 帮助搬家：（1）需要（2）可以（3）志愿
13. 托老服务：（1）需要（2）可以（3）志愿
14. 照顾病人：（1）需要（2）可以（3）志愿
15. 早点服务：（1）需要（2）可以（3）志愿
16. 专题讲座：（1）需要（2）可以（3）志愿
17. 图书借阅：（1）需要（2）可以（3）志愿
18. 食品加工：（1）需要（2）可以（3）志愿
19. 废品回收：（1）需要（2）可以（3）志愿
20. 订送报纸：（1）需要（2）可以（3）志愿
21. 便民信箱：（1）需要（2）可以（3）志愿
22. 公用电话：（1）需要（2）可以（3）志愿

23. 瓜果菜摊：　(1) 需要　(2) 可以　(3) 志愿
24. 便民百货：　(1) 需要　(2) 可以　(3) 志愿
25. 便民餐馆：　(1) 需要　(2) 可以　(3) 志愿
26. 便民理发：　(1) 需要　(2) 可以　(3) 志愿
27. 家庭医疗保健：(1) 需要　(2) 可以　(3) 志愿
28. 生活用品维修：(1) 需要　(2) 可以　(3) 志愿
29. 文体活动指导：(1) 需要　(2) 可以　(3) 志愿
30. 学龄儿吃午饭：(1) 需要　(2) 可以　(3) 志愿
31. 接送孩子上学：(1) 需要　(2) 可以　(3) 志愿
32. 学生课外辅导：(1) 需要　(2) 可以　(3) 志愿
33. 其它________：(1) 需要　(2) 可以　(3) 志愿

八、您对自己生活在本居民区感到满意吗？

(1) 很满意 (2) 较满意 (3) 一般 (4) 不太满意
(5) 很不满意

九、您对本居民区的建设与发展有什么意见和建议？

北京人的社区心态

所谓社区心态，指人们以所在社区为取向的心理活动状态，包括社区需求、社区评估、社区满意感、社区认同感、社区参与意愿等。无疑，人们的社区心态作为社区自身存在与发展的要素之一，一直是社区研究的重点。尤其是我国进入改革年代以来，城市中以往由各级各类单位自成一个个“小社会”的格局逐渐消解，城市居民的居住区域不再仅仅是一个居住的所在，而是一个城市居民在生活的各个方面都在发生或可能发生关联的社会场所。在这个意义上说，随着我国改革全面、深入地进行，城市居民的居住区域正愈来愈具有社区意味。显然，在这样一个背景下考察和研究城市居民的社区心态，对于我们探索具有中国特色的城市社区发展之路具有特别重要的现实意义。应当说，国内在这方面已有不少的相关研究，但大都流于零散、表面化。本课题主要以北京人的社区心态为考察对象，通过实证调查而对之进行系统地描述和分析。需要特别指出的是，社区有广义和狭义之分。广义的社区可以指任何地理区域规模的社会场域；狭义的社区则特指非行政区域规模的社会场域。本课题涉及的社区为后者，即城市中街区以下的社会场域，或者称作城市基层社区。

一、社区需求

所谓社区需求，即人们对所在社区的需求。从理论上说，需求是人们一切心理活动和社会活动的逻辑起点。自然，社区需求也就是人们社区心态中的动力成分。确实，如果人们对所在社区没有什么需求，即无所谓社区心态；而只有对社区有所需求，人们才会对所在社区相关的方面进行评估，随之在一定程度上形成对整个社区的满意感和认同感，进而产生对社区相关事务的参与意愿。

正如人们的一般需求有不同层次之分，人们的社区需求亦存在不同的层次。我们在这里将社区需求分为社区基本需求和社区服务需求两个层次。所谓社区基本需求，指人们对社区生活必要条件的需求；而所谓社区服务需求，则指人们对社区生活一般福利的需求。由于现代城市在社会分工上得到了相当充分的发展，城市居民的经济生活资源（如经济收入）主要来自于各种社会分工组织，而绝大多数社会分工组织并不隶属于居民社区；另外，诸如交通、通讯、医院、影院、学校、市场等城市公共设施亦大都不隶属于居民社区。因此，城市居民最基本的社区需求显然是安全保障、水电供应、公共卫生、环境绿化等基本项目。对此，毋庸赘述。问题是，城市居民的社区服务需求究竟是什么状况？

对北京人的调查显示，在可能出现的32个社区服务需求项目中，需求率排行的前十位均在56%以上，它们依次分别是：(1）车辆存放，需求率为77.1%；(2）生活用品维修，需求率为69.0%；（3）便民理发，需求率为66.6%；（4）废品回收，需求率为65.8%；（5）便民百货，需求率为65.6%；(6）早点服务，需求率为60.0%。（7）订送报纸，需求率为59.7%；(8）瓜果菜摊，需求率为58.6%；(9）健康咨询，需求率为57.3%；(10）便民信箱，需求率为56.2%。显然，前六位均属于物质生活方面的需求。不过，订送报纸、健康咨询和便民信箱三项文化信息需求项目同样进入了“十高”行列。另外，三成以上、甚至半数左右的居民还希望社区提供如下服务：家庭医疗保健、服装加工、便民餐馆、图书借阅、公用电话、文体活动指导、幼儿入托、食品加工、代取牛奶、照顾病人、法律咨询、托老服务、家务服务、帮助搬家、就业咨询。其中，图书借阅、文体活动指导、法律咨询、就业咨询等属于典型的文化服务项目。详见表1.1。

表1.1　　北京人的社区服务需求

需求项目	人数	有效百分比
1．车辆存放	652	77.1
2．生活用品维修	584	69.0
3．便民理发	563	66.6
4．废品回收	556	65.8
5．便民百货	554	65.6
6．早点服务	507	60.0
7．订送报纸	505	59.7
8．瓜果菜摊	495	58.6
9．健康咨询	484	57.3
10．便民信箱	475	56.2
11．家庭医疗保健	464	54.9
12．服装加工	456	54.0
13．便民餐馆	447	52.9
14．图书借阅	407	48.2
15．公用电话	390	46.2
16．文体活动指导	362	42.8
17．幼儿入托	357	42.2

续表

需求项目	人数	有效百分比
18．食品加工	338	40.0
19．代取牛奶	333	39.4
20．照顾病人	329	38.9
21．法律咨询	324	38.3
22．托老服务	323	38.2
23．家务服务	299	35.4
24．帮助搬家	296	35.0
25．就业咨询	286	33.8
26．学龄儿吃午饭	267	31.6
27．学生课外辅导	262	31.0
28．接送孩子上学	228	27.0
29．家教服务	196	23.2
30．保姆咨询	196	23.2
31．专题讲座	195	23.1
32．婚姻咨询	154	18.2

调查进一步显示，北京人的社区需求与某些个人基本社会特征有明显的关联，它们分别是：性别、年龄、文化程度、就业状况、单位所属性质、单位行业性质等。

如表 1.2 所示，男女居民在绝大多数社区服务需求上没有明显的差别，具有统计意义的显著差异项目只有 3 个，即：男性对于图书借阅的需求率为 52.0%，而女性相应的需求率为 45.1%，前者比后者高出近 7 个百分点；男性对于照顾病人的需求率为 43.5%，而女性相应的需求率 35.3%，前者比后者超出8个多百分点；男性对于托老服务的需求率为42.7%，而女性相应的需求率34.6%，前者比后者超出8多个百分点。由此可以看出，男性对社区的需求要比女性对社区的需求稍微多一些。

表1.2　男、女居民不同的社区服务需求率

需求项目	男性居民	女性居民
图书借阅	52.0	45.1
照顾病人	43.5	35.3
托老服务	42.7	34.6

卡方检验的显著性：<0.05

如表1.3所示，老年人（55岁以上）、中年人（35—54岁）、青年人（34岁以下）在多项社区服务需求上表现出明显的差异。总体上说，青年人对于社区服务的需求率要大大高于老年人相应的需求率，尤其在法律咨询、婚姻咨询、就业咨询、图书借阅、订送报纸等文化服务项目上更是如此；中年人的社区服务需求率则大都居于老年人和青年人两者之间。如以法律咨询项目为例，老、中、青居民的需求率分别为30.0%、41.5%、51.6%，三者依次相差10个左右的百分点。显然，这个结果反映出青年人比中、老年人具有更多的文化生活追求。而老、中、青居民在幼儿入托、家庭教师、帮助搬家、接送孩子上学和学生课外辅导等项目上的需求差异，则与不同年龄居民相应的家庭发展阶段直接相关。另外，青年人对家务服务的需求率（49.0%）明显高于中、老年人相应的需求率（31.0%、33.5%），这个结果也显示出青年人比中、老年人具有更强的家务社会化愿望。

表 1.3　老、中、青居民不同的社区服务需求率

需求项目	老年人	中年人	青年人
车辆存放	70.9	81.4	82.6
幼儿入托	38.1	41.2	54.2
家庭教师	17.4	26.9	29.0
家务服务	33.5	31.0	49.0
婚姻咨询	14.2	17.0	30.3
法律咨询	30.0	41.5	51.6
就业咨询	24.5	39.0	45.2
保姆咨询	22.9	19.5	31.6
图书借阅	38.4	50.5	66.5
订送报纸	56.5	56.7	73.5
帮助搬家	55.3	49.5	54.2
接送孩子上学	22.1	29.7	32.9
学生课外辅导	24.8	36.8	33.5

卡方检验的显著性：<0.05

如果将城市居民的文化程度分为三个等级，即低等（小学水平或不识字）、中等（中学水平）和高等（大学及其以上水平），那么，不同文化程度者在社区服务需求上的差异可以概括为：文化程度愈高的居民，对社区服务项目的需求率愈高。这种差异不仅表现在法律咨询、专题讲座、图书借阅、订送报纸、便民信箱等文化服务项目上，同样也表现在服装加工、家务服务、医疗保健、食品加工、便民餐馆、生活用品维修等家务社会化的服务项目上。详见表 1.4。

表 1.4　　不同文化程度者的社区服务需求率

需求项目	低等文化程度者	中等文化程度者	高等文化程度者
车辆存放	67.5	78.1	82.3
家务服务	32.5	33.5	44.5
服装加工	49.0	52.6	64.0
法律咨询	31.8	38.1	45.7
托老服务	43.7	34.9	43.9
专题讲座	16.6	20.2	38.4
食品加工	34.4	38.7	50.0
图书借阅	29.1	47.6	67.7
订送报纸	53.0	58.0	72.0
便民信箱	48.3	56.4	62.8
便民餐馆	49.7	50.9	62.8
家庭医疗保健	55.0	52.4	64.0
生活用品维修	62.9	68.1	78.7

卡方检验的显著性：<0.05

如表 1.5 所示，四种不同就业状况者在部分社区服务需求项目上存在显著差异（所谓辞停人员，指辞职或停薪留职人员）。其中比较具有典型意义的是：在职职工对于家务服务的需求率（39.8%）明显高于下岗职工相应的需求率（22.2%）；而下岗职工对于就业咨询的需求率（51.1%）明显高于在职职工相应的需求率（38.0%）。应当说，这个结果比较充分地反映了两者实际的工作和生活状况。下岗职工既然失去了稳定的工作，自然就比在职职工更关注就业的问题，同时在没有工作的现阶段有更多的时间忙于家务。另外，还有一个相关联的差异是，有近半数的下岗职工希望社区提供法律咨询服务，明显多于有此需求的其它就业状况者人数。这个结果提示我们，目前下岗职工面临着较多的法律困惑问题，亟须法律给予有关权利的保障及法律知识的援助。

表 1.5　　不同就业状况者的社区服务需求率

需求项目	在职职工	离退人员	辞停人员	下岗职工
车辆存放	85.0	72.9	65.5	73.3
幼儿入托	49.4	38.3	31.0	28.9
家庭教师	27.8	17.5	24.1	28.9
家务服务	39.8	33.0	27.6	22.2
健康咨询	52.1	62.2	55.2	53.3
就业咨询	38.0	26.6	31.0	51.1
法律咨询	44.3	30.5	27.6	48.9
图书借阅	58.1	39.3	51.7	55.6
帮助搬家	41.0	30.2	20.7	42.2
学龄儿吃午饭	36.2	29.4	24.1	17.8
接送孩子上学	32.9	23.6	17.2	17.8
学生课外辅导	34.1	26.6	24.1	42.2

卡方检验的显著性：< 0.05

如表 1.6 所示，国有单位人员对于家庭教师、家务服务、图书借阅、婚姻咨询及法律咨询的需求率明显低于非国有单位人员相应的需求率，前者分别为 21.1%、33.4%、46.7%、16.6%、36.0%；后者分别 35.0%、50.0%、60.0%、27.5%、

52.5%。这个结果反映出：虽然单位自成一个“小社会”系统的组织体制随着改革的深化而逐渐消解，各个单位不再为其职工提供政治、法律、经济、文化等面面俱到的保障和服务；但国有性质的单位仍然在一定程度上带有改革前单位“高、大、全”的特征。正因为如此，国有单位人员比非国有单位人员更有可能从工作单位中获得某些社会需求上的满足，与此同时对社区服务的需求率自然要低一些。

表 1.6　　国有与非国有单位人员的社区服务需求率

需求项目	国有单位人员	非国有单位人员
家庭教师	21.1	35.0
家务服务	33.4	50.0
图书借阅	46.7	60.0
婚姻咨询	16.6	27.5
法律咨询	36.0	52.5

卡方检验的显著性：<0.05

如表 1.7 所示，不同行业系统的人员在所列举的 32 个社区服务需求项目上大都没有明显差别，具有统计显著性差异的项目只有四个，即：托老服务需求、专题讲座需求、食品加工需求、便民百货需求。需要说明的是，限于调查样本的规模，本课题在调查中随机抽样到的被试对象，主要集中于机关系统、科教系统、工业系统、商业系统和文化系统等五个行业系统，其它行业的被试对象均不足 30 人而无统计意义。因此，这里所谓的不同行业即特指这五个行业系统。

表 1.7　　不同行业人员的社区服务需求率

需求项目	机关系统人员	科教系统人员	工业系统人员	商业系统人员	文化系统人员
托老服务	38.2	44.8	41.8	27.7	29.0
专题讲座	28.1	35.8	22.8	13.4	16.1
食品加工	46.1	50.7	40.5	28.6	58.1
便民百货	66.3	62.7	68.6	58.8	90.3

卡方检验的显著性：<0.05

综上所述，北京人的社区服务需求范围相当广泛，几乎涉及到日常生活的方方面面，其中既有物质生活方面的需求，又有文化生活方面的需求。相对而言，北京人在社区物质生活方面的需求率明显高于其在社区文化生活方面的需求率。可见，北京人在社区物质生活方面的需求比其在社区文化生活方面的需求更为现实一些。当然，北京人在社区文化生活方面的需求也具有相当大的潜在发展势头。就居民中不同人群在社区服务需求上的差异来看，大体上男性比女性、青年人比老年人、高等文化程度者比低等文化程度者、非国有单位人员比国有单位人员的社区服务需求率要明显高一些。另外，与其它就业状况者相比，下岗职工对于就业咨询及法律咨询的需求比较突出。

二、社区评估

所谓社区评估，指人们对所在社区实际状况的认知评估。如果说社区需求是人们社区心态中的动力成分，那么，社区评估显然是人们社区心态中的基础成分。事实上，人们既然生活在社区场中，并对所在社区有所需求，就必然对社区方方面面的情况有认知上的反映，进而依据自身的价值标准进行评估。换而言之，究竟人们的社区评估如何，一方面取决于社区的实际状况；另一方面取决于个人的价值标准。在这个意义上，社区评估必然成为人们形成其它有关社区心理取向的坚实基础。

本课题在综合人们对社区已有认识的基础上总结出20多个社区评估项目，并进一步经过同行专家评议和试调查而确立了14个正式调查的社区评估项目。调查中，每个社区评估项目的取值最高者为5分，依次为4分，3分，2分，最低者为1分。

因素分析表明，14个社区评估项目被分为三个相对独立的因素。第一个因素的特征值为5.63，可以解释40.2%的方差，负荷在第一个因素上的项目为救危解难、纠纷调解、社区教育、老年活动、便民服务、文化生活、人际关系，我们称之为社区氛围评估；第二个因素的特征值为1.55，可以接着解释11.0%的方差，负荷在第二个因素上的项目为干群关系、干部态度、干部能力，我们称之为社区组织评估（这里的社区组织即居民委员会）；第三个因素的特征值为1.48，可以再接着解释10.6%的方差，负荷在第三个因素上的项目为公共卫生、环境绿化、社会治安、水电供应，我们称之为社区条件评估。三个因素总共能解释61.8%的方差。各个项目在分别在三个因素上的负荷情况详见表2.1。

表2.1　社区评估的斜交转轴因素分析

评估项目	因素1	因素2	因素3
救危解难	0.80		
纠纷调解	0.74		
社区教育	0.72		
老年活动	0.66		
便民服务	0.63		
文化生活	0.57		
人际关系	0.45		
干群关系		0.87	
干部态度		0.85	
干部能力		0.77	
公共卫生			0.86
环境绿化			0.75
社会治安			0.63
水电供应			0.55

以因素负荷值作为权重，将负荷在三个因素上的项目分别相加，即得出社区氛围评估、社区组织评估和社区条件评估三个分析变量。调查显示，北京人对社区氛围、社区组织及社区条件的评估都比较高，其平均值分别为15.43、9.58、9.60，均高于各自的理论预期平均值（13.71、7.47、8.37）。详见表2.2。

表2.2　　北京人的社区评估

评估维度	平均值	标准差	最小值	最大值	人数
社区氛围评估	15.43	3.15	7.12	22.85	718
社区组织评估	9.58	1.89	2.49	12.45	885
社区条件评估	9.60	2.26	3.34	13.95	886

进一步的方差分析表明，具有不同基本社会特征的人在社区评估上有显著差异。也就是说，个人基本社会特征对其社区评估有一定的影响。详见表2.3。

具体地说，性别特征对社区氛围评估有影响，即女性居民的社区氛围评估均值（15.60）要高于男性居民相应的评估均值（15.15），但性别特征与社区组织评估及社区条件评估则没有什么关联。年龄特征则与社区氛围评估及社区条件评估没有关联，但对社区组织评估有一定的影响。即年龄愈大，社区组织评估愈高。老、中、青居民的社区组织评估均值分别为9.99、9.35、9.07。文化程度与社区组织评估及社区条件评估没有关联，但对社区氛围评估有一定的影响，即：低等文化程度者的社区氛围评估最高，其均值为16.57；其次是高等文化程度者，其社区氛围评估均值为15.28；中等文化程度者的社区氛围评估最低，其均值为15.15。就业状况对三个社区评估因素均有影响。在离退人员、在职职工、下岗职工和辞停人员四种角色中，离退人员的社区评估最高，其社区氛围评估、社区组织评估和社区条件评估的均值分别为 15.90、9.87、9.76；在职职工的社区氛围评估高于下岗职工的社区氛围评估，前者均值为 15.14，后者均值为 14.51，辞停人员的社区氛围评估最低，其均值为 14.05；下岗职工与在职职工在社区组织评估上差不多，两者均值分别为 9.35 和 9.32，辞停人员的社区组织评估最低，其均值为 8.74，当然更低于离退人员；辞停人员的社区条件评估最低，其均值为 8.51，其次是下岗职工，其均值 90.05，在职职工的社区条件评估较高，其均值为 9.62，仅低于离退人员的社区条件评估。

表 2.3　　不同角色在社区评估上的均值比较

评估项目	社区氛围评估	社区组织评估	社区条件评估
男性居民	15.15		
女性居民	15.60		
青年人		9.07	
中年人		9.35	
老年人		9.99	
低等文化程度者	16.57		
中等文化程度者	15.15		
高等文化程度者	15.28		
在职职工	15.14	9.35	9.62
离退人员	15.90	9.87	9.76
辞停人员	14.04	8.74	8.51
下岗职工	14.51	9.32	9.05

方差检验：SigF < 0.05

应当说，北京人对所在社区评估较高的结果与我们的预想是相吻合的。事实上，改革以来北京市政府一直非常重视基层社区的建设与发展，基层社区组织也在政府及其派出机构的指导下大力组织和开展各种社区服务工作。由此，不仅社区基本生活条件得到很大的改善，社区文化生活及人际关系均朝着良性运行的方向发展。也就是说，目前北京市基层社区确实为居民提供了较好的生活环境。因此，姑且不论居民自身的价值标准及认知偏差，北京居民必然相应地给所在社区以较高的评估。

至于居民中不同人群在社区评估上的差异，很大程度上是取决于不同人群评估的价值标准，价值标准愈高，社区评估愈低。具体地说，由于男性居民在社区氛围上的价值标准高于女性居民，因而女性居民的社区氛围评估高于男性居民的社区氛围评估。同样，年龄愈大的居民，社区组织评估标准愈低，因而社区组织评估愈高；文化程度愈高的居民，社区氛围评估的标准愈高，因而社区氛围评估愈低；下岗职工及辞停人员对于社区评估的标准均高于离退人员及在职职工，因而他们的社区评估都比较低。

三、社区满意感

所谓社区满意感，指人们对社区生活是否满足自身需求的一种主观感受。广义地说，社区满意感也是人们对社区的一种评估，只不过前文讨论的社区评估偏向于对社区环境的认知评估，而社区满意感则是一种将社区环境与自身需求结合起来的综合性心理活动。在这个意义上，社区满意感是社区心态的主体成分之一。

本课题对于社区满意感的调查采取了单维向度测试的方式，即对被试人员直接提问：您对自己生活在本居民区感到满意吗？很满意者取值为5分，较满意者为4分，一般满意者3分，不太满意者为2分，很不满意者为1分。

调查显示，被试人员总体的满意感平均值为3.78，标准差为0,90。由于这个实际的满意感平均值明显高于理论预期平均值（3.00），因此，我们可以说，北京人对社区生活的感受还是偏向于满意的。

进一步以被试人员基本社会特征作为影响因素而对社区满意感进行方差分析，结果表明，只有年龄特征和就业状况对社区满意感有影响，其它基本社会特征，如性别特征、文化程度、单位所属性质、居住年限、婚姻状况、职业、单位行业性质等，均与社区满意感没有显著的关联。详见表3.1。

表3.1　　北京人的社区满意感

	平均值	标准差	最小值	最大值	人数
被试总体	3.78	0.90	1	5	923
青年人	3.58	0.84	1	5	168
中年人	3.61	0.90	1	5	350
老年人	4.01	0.87	1	5	405
在职职工	3.62	0.83	1	5	358
离退人员	3.94	0.92	1	5	438
辞停人员	3.58	0.92	1	5	31
下岗职工	3.60	0.89	1	5	48

方差检验：SigF < 0.05

具体地说，老、中、青三个年龄组居民的社区满意感均值分别为4.01、3.61、3.58。也就是说，老年人的社区满意感明显高于中年人和青年人的社区满意感，而中年人和青年人之间则差别不大。

在不同就业状况的居民中，离退人员、在职职工、下岗职工和辞停人员的社区满意感均值分别为3.94、3.62、3.60、3.58，可见，离退人员的社区满意感明显高于其它三者，而在职职工、下岗职工和辞停人员在社区满意感上则没有显著差异。事实上，由于离退人员在年龄上绝大多数属于老年人行列，因此，这个结果与前面所述年龄差异具有内在一致性。

前文曾指出，社区评估可能是影响其它社区心态成分的基础成分。那么，北京人的社区满意感是否受到其社区评估的影响呢？

以社区氛围评估、社区组织评估和社区条件评估三个变项对社区满意感进行回归分析，统计结果如下：复相关系数（MultipleR）为0.456，决定系数（RSquare）为0.208，F值统计检验具有显著性（SigF < 0.05）；社区氛围评估、社区组织评估和社区条件评估三个变项的标准化回归系数分别为0.094、0.213、0.251，净相关系数分别为0.069、0.179、0.200，T值检验均具有显著性（SigT < 0.05）。由于决定系数反映出自变项对因变项的预测能力，回归系数反映出各自变项预测因变项量的权重，而净相关系数反映出各自变项单独预测因变项的能力，因此，这个结果表明三个社区评估因素对社区满意感的变异均具有明显的解释力，换而言之，人们对所在社区的评估愈高，其社区满意感愈强，其中，对社区满意感影响最大的因素是社区条件评估，其次是社区组织评估，最后是社区氛围评估。详见表3.2。

表3.2　社区满意感的回归分析

	标准回归系数	净相关	SigT
社区氛围评估	0.094	0.069	0.0179
社区组织评估	0.213	0.179	0.0000
社区条件评估	0.251	0.200	0.0000
MultipleR = 0.456 N = 935	R Square = 0.208	F = 81.689	Sig F = 0.000

从上面的统计分析结果来看，北京人的社区满意感比较强，而年龄特征和社区评估是影响社区满意感的主要因素。事

实上，年龄愈大的居民，其社区需求的强度往往都比较弱，或者说容易满足；而社区评估愈高，即意味着社区实际提供的生活环境比较好，当然也就可能较好地满足居民自身的需求；因此，居民年龄愈大，对社区评估愈高，其社区满意感也就愈强。

四、社区认同感

所谓社区认同感，又可称作社区归属感，指人们对自己社区成员身份的确认及其相应的主观感受。从逻辑的角度来看，人们对自己社区成员身份的确认，即意味着其意识到自己作为社区成员的权利和义务；同时在将自身融入社区时必然伴随着对整个社区的喜爱和依恋情感。在这个意义上，社区认同感与社区满意感一样是一种综合性的心理活动，因而是人们社区心态的又一种主体成分。

为了确实把握城市居民的社区认同感，本课题在同行专家评议和试调查的基础上确立了 7 个正式调查的社区认同感项目。调查中，每个项目由一种陈述的说法表示，它们可以分别简化为：应当共建文明居民区；有权利了解公共事务；区内大家随时有关联；外遇同区人备感亲切；居委会干部素质重要；遇有损公益之事反感；邻里之间应守望相助。各项目的取值依被试人员对该说法赞同的程度而定，很同意者为 5 分，比较同意者为 4 分，无所谓者为 3 分，不太同意者为 2 分，很不同意者为 1 分。

因素分析表明，从 7 个社区认同感项目中只能抽取到一个因素，该因素特征值为 3.25，可以解释 46.4%的方差，各项目的因素负荷值均在 0.50 以上。详见表 4.1。

表 4.1　　　　社区认同感的因素分析

认同项目	因素 1
应当共建文明居民区	0.67
有权利了解公共事务	0.63
区内大家随时有关联	0.62
外遇同区人备感亲切	0.62
居委会干部素质重要	0.61
遇有损公益之事反感	0.60
邻里之间应守望相助	0.53

由此看来，我们可以将这 7 个社区认同感项目看作对社区认同感单一维度的测量。为了提高测量的信度和效度，我们以因素负荷值作为权重，将各个社区认同感项目相加起来构成社区认同感变项。调查显示，北京人社区认同感的平均值为 18.34，远远高于其理论预期平均值（12.84）。可见，北京人具有较强的社区认同感。

进一步以被试人员基本社会特征作为影响因素而对社区认同感进行方差分析，结果表明，年龄特征、文化程度、就业状况、单位行业性质等对社区认同感均有一定影响；而性别特征、单位所属性质、居住年限、婚姻状况、职业等则与社区认同感没有显著的关联。详见表 4.2。

具体地说，老、中、青三个年龄组居民的社区认同感均值分别为 18.74、18.16、17.76。可见，老年人的社区认同感明显高于中年人的社区认同感，而中年人的社区认同感又明显高于青年人的社区认同感；也就是说，年龄愈大，社区认同感愈强。

在不同文化程度者中，低等文化程度者的社区认同感最弱，其均值为 18.11；其次是高等文化程度者，其社区认同感均值为 18.30；中等文化程度者的社区认同感最强，其均值为 18.41。在不同就业状况的居民中，离退人员、在职职工、下岗职工和辞停人员的社区认同感均值分别为 18.79、18.01、17.85、17.29。可见，离退人员的社区认同感最强，其次是在职职工、下岗职工和辞停人员，四者在社区认同感上均有显著差异。

在不同行业系统的居民中，教科系统人员的社区认同感最强，其均值为18.88；其次为工业系统人员，其社区认同感均值为18.45；再次是党政机关人员和商业系统人员，其社区认同感均值分别为18.14和18.10，这两者之间没有显著差别；而文化系统人员的社区认同感最弱，其均值为17.93。

表4.2　　北京人的社区认同感

	平均值	标准差	最小值	最大值	人数
被试总体	18.34	2.34	9.17	21.40	859
青年人	17.76	2.34	9.64	21.40	164
中年人	18.16	2.34	10.95	21.40	320
老年人	18.74	2.27	9.17	21.40	375
高等文化程度者	18.30	2.21	12.75	21.40	168
中等文化程度者	18.41	2.39	9.64	21.40	536
低等文化程度者	18.11	2.54	9.17	21.40	153
在职职工	18.01	2.16	11.61	21.40	343
离退人员	18.79	2.30	9.17	21.40	404
辞停人员	17.29	2.32	12.35	21.40	27
下岗职工	17.85	3.20	9.64	21.40	42
党政机关人员	18.14	2.27	12.75	21.40	90
教科系统人员	18.88	1.92	14.22	21.40	69
工业系统人员	18.45	2.37	10.24	21.40	306
商业系统人员	18.10	2.12	11.73	21.40	118
文化系统人员	17.93	2.03	12.84	21.40	30

方差检验：SigF < 0.05

再以三个社区评估因素及社区满意感对社区认同感进行回归分析，统计结果如下：复相关系数（MultipleR）为0.229，决定系数（RSquare）为0.053，F值统计检验具有显著性(SigF<0.05)；社区条件评估、社区满意感、社区组织评估和社区氛围评估四个变项的标准化回归系数分别为-0.021、0.131、0.136、0.033，净相关系数分别为-0.017、0.116、0.113、0.025，其中只有社区满意感和社区组织评估的T值检验具有显著性（SigT<0.05）。由此可以看出，在控制其它影响因素的条件下，社区满意感和社区组织评估对社区认同感的变异具有单独的解释力。也就是说，人们的社区满意感愈强，其社区认同感就愈强；人们对所在社区中居委会及其干部的评估愈高，其社区认同感也愈强；而社区氛围评估及社区条件评估则不能单独预测社区认同感的变化。详见表4.3。

表4.3　　社区认同感的回归分析

	标准回归系数	净相关	SigT
社区条件评估	-0.021	-0.017	-0.6052
社区满意感	-0.131	-0.116	-0.0003
社区组织评估	-0.136	-0.113	-0.0004
社区氛围评估	-0.033	-0.025	-0.4422
MultipleR=0.229 N=935	RSquare=0.053	F=12．926Sig	F=0.000

按理说，居民在基层社区中居住，即获得社区成员身份。似乎无所谓社区成员身份确认的问题。其实不然。同样是居住，既可能将社区仅仅作为一个住所之地，也可能将自身与所在社区视为休戚相关的整体。因此，社区认同感作为居民对社区身份的确认及其主观感受，实际上是一种相当复杂的心理成分，受到多种因素的影响。上面的统计结果表明，年龄特征、

文化程度、就业状况、单位行业性质、社区满意感及社区组织评估等因素，均对社区认同感有显著的影响效果。不过，比较令我们感到意外的是，社区氛围评估和社区条件评估对社区认同感没有独立的影响。我们认为，其主要原因可能在于这两个社区评估因素与社区组织评估有较大的相关。事实上，居民委员会几乎是我国城市基层社区惟一的一种社区组织。可以说，这种社区组织具有许多非常鲜明的中国特色，其中最突出的一点是，居民对基层社区的认识和感受在很大程度上取决于这种社区组织的工作成效。正因为如此，社区组织评估对社区认同感的影响，在很大程度上代表了社区氛围评估和社区条件评估对社区认同感的影响。

五、社区参与意愿

所谓社区参与意愿，或者说社区投入意愿，指人们参与社区相关事务及活动的心意或愿望。无疑，社区参与意愿与社区认同感及社区满意感一样是一种综合性的心理活动，因而是社区心态的又一种主体成分。不过，社区满意感偏向于以自身需求为基点时对社区的心理反映，社区认同感偏向于以社区身份确认为基点时对社区的心理反映，两者都是对社区的主观感受；而社区参与意愿则是在对社区具有各种主观感受的前提下对社区的回馈倾向，直接引导着一定的社区行为。在这个意义上说，社区参与意愿是社区心态与社区行为的结合点。为了确实把握城市居民的社区参与意愿，本课题在同行专家评议和试调查的基础上确立了7个正式调查的社区参与意愿项目。实际上，这7个项目分别涉及到7种互为关联的行为，其简化形式是：向居委会提供建议；参加志愿者活动；关注居委会的选举；帮助需帮助的邻居；参加本区文化活动；遵从居委会的安排；制止附近工厂噪音。各项目的取值依被试人员做出该行为的意愿程度而定，很愿意者为5分，比较愿意者为4分，无所谓者为3分，不太愿意者为2分，很不愿意者为1分。

因素分析表明，从7个社区认同感项目中只能抽取到一个因素，该因素特征值为3.16，可以解释45.1%的方差，各项目的因素负荷值均在0.50以上。详见表5.1。

表5.1　社区参与意愿的因素分析

参与项目	因素1
向居委会提供建议	0.66
参加志愿者的活动	0.61
关注居委会的选举	0.61
帮助需帮助的邻里	0.61
参加本区文化活动	0.59
遵从居委会的安排	0.56
制止附近工厂噪音	0.55

依据以上因素分析，我们将这7个社区参与意愿项目作为对社区参与意愿单一维度的测量。同前面关于社区认同感的处理一样，提高了测量的信度和效度。我们以因素负荷值作为权重，将各个社区参与意愿项目相加起来构成社区参与意愿变项，以提高测量的信度和效度。调查显示，北京人社区参与意愿的平均值为16.48，高于其理论预期平均值（12.57）。也就是说，北京人具有较强的社区参与意愿。

进一步的方差分析表明，年龄特征、就业状况、单位所属性质和单位行业性质等个人基本社会特征对社区参与意愿具有一定影响，而性别特征、居住年限、文化程度、婚姻状况、职业等则与社区参与意愿没有显著的关联。详见表5.2。

如表5．2所示，老、中、青三个年龄组居民的社区参与意愿均值分别为17.00、16.40、15.47，可见，老年人的社区参与意愿明显高于中年人的社区参与意愿，而中年人的社区参与意愿则介于老年人、青年人两者之间。可见，年龄愈大，社区参与意愿愈强。

在不同就业状况的居民中，离退人员、在职职工、辞停人员和下岗职工的社区参与意愿均值分别为17.12、15.96、15.51、16.35。显然，离退人员的社区参与意愿最强，其次是下岗职工、在职职工和辞停人员，四者在社区参与意愿上均有显著差异。

在不同所属性质单位工作的居民中，国有单位人员的社区参与意愿明显强过非国有单位人员的社区参与意愿，前者均值为16.57，后者均值为15.59。

在不同行业系统的居民中，工业系统人员、教科系统人员及党政机关人员的社区参与意愿比较强，其均值分别为16.76、16.64、16.53，三者差别不大；商业系统人员的社区参与意愿比较弱，其均值为16.13；而文化系统人员的社区参与意愿最弱，其均值为15.33。

表5.2　　北京人的社区参与意愿

	平均值	标准差	最小值	最大值	人数
被试总体	16.48	2.62	8.38	20.95	825
青年人	15.47	2.48	8.38	20.95	159
中年人	16.40	2.69	8.91	20.95	313
老年人	17.00	2.48	10.20	20.95	353
在职职工	15.96	2.47	8.38	20.95	328
离退人员	17.12	2.56	10.20	20.95	383
辞停人员	15.51	2.35	12.07	19.78	28
下岗职工	16.35	2.80	9.46	20.95	45

续表

	平均值	标准差	最小值	最大值	人数
国有单位人员	16.57	2.60	8.38	20.95	722
非国有单位人员	15.59	2.80	8.91	20.95	78
党政机关人员	16.54	2.81	8.38	20.95	82
教科系统人员	16.63	2.18	12.04	20.95	65
工业系统人员	16.76	2.56	10.64	20.95	298
商业系统人员	16.13	2.49	9.46	20.95	298
文化系统人员	15.33	2.20	11.41	19.68	30

再以三个社区评估变项及社区认同感和社区满意感对社区参与意愿进行回归分析，得到如下统计结果：复相关系数（MultipleR）为0.647，决定系数（RSquare）为0.418，F值统计检验具有显著性（SigF < 0.05）；社区条件评估、社区认同感、社区满意感、社区组织评估和社区氛围评估五个变项的标准化回归系数分别为-0.015、0.510、0.128、0.141、0.125，净相关系数分别为-0.012、0.497、0.113、0.116、0.092，除社区条件评估外其它四个变项的T值检验均具有显著性（SigT < 0.05）。由此可以看出，在控制其它影响因素的条件下，社区认同感、社区满意感、社区组织评估和社区氛围评估均对社区参与意愿的变异具有单独的解释力，也就是说，社区认同感愈强，社区参与意愿愈强；社区满意感愈强，社区参与意愿愈强；社区组织评估愈高，社区参与意愿愈强；社区氛围评估愈高，社区参与意愿愈强。其中，社区认同感对社区参与意愿的影响最大，其次是社区组织评估，再次是社区满意感，最后是社区氛围评估。而社区条件评估则不能单独影响社区参与意愿的变化。详见表5.3。

表 5.3　　　　社区参与意愿的回归分析

	标准回归系数	净相关	SigT
社区条件评估	-0.015	-0.012	0.6449
社区认同感	0.510	0.497	0.0000
社区满意感	0.128	0.113	0.0000
社区组织评估	0.141	0.116	0.0000
社区氛围评估	0.125	0.092	0.0003
MultipleR = 0.647 N = 935	R Square = 0.418	F = 133．851Si	Sig F = 0．000

从上面的统计分析来看，影响城市居民社区参与意愿的因素有：年龄特征，就业状况，单位所属性质，单位行业性质，社区认同感，社区满意感，社区氛围评估，以及社区组织评估。其中，社区认同感是最主要的影响因素。确实，一旦人们具有了较强的社区认同感，就会有意识或下意识地投入到与社区相关的事务或活动中去。另一个主要的影响因素是社区满意感，毋庸讳言，居民对社区的参与多多少少与自己的切身利益相关；如果其对社区生活不满意，就很可能在社区参与上打折扣。至于社区评估因素，更主要的是通过影响社区认同感和社区满意感，而进一步对社区参与感产生影响。

参考书目

[1] 郑杭生:《社会学概论》,中国人民大学出版社,1994 年第 1 版。
[2] 童星:《社会管理概论》,南京大学出版社,1991 年 4 月第 1 版。
[3] 施雪华:《政府权能理论》,浙江人民出版社,1998 年 6 月第 1 版。
[4] 冯晓英:《大城市社区发展国际比较研究综合报告》,北京市科委软科学研究项目,内部出版,1998 年 7 月。
[5] 侯玉兰:《墨西哥、巴西社会发展的做法与启示》,《北京社会科学》,1996 年第 4 期。
[6] (日)中田·实:《日本的居民自治组织“町内会”的特点与研究意义》,《社会学研究》,1997 年第 4 期。
[7] 梁祖彬:《香港社区工作发展情况》,内部资料。
[8] 孙慧民:《城市社区发展》,载《上海跨世纪社会发展问题思考》,上海社会科学院出版社,1997 年 8 月第 1 版。
[9] 夏学銮主编:《社区照顾的理论、政策与实践》,北京大学出版社,1996 年 4 月第 1 版。
[10] 汤晋苏:《中国城市社区建设的基本走向》,《北京社会科学》,1999 年增刊。
[11] 夏学銮:《克林顿政府的授权区和事业社区项目》,《北京社会科学》,1999 年增刊。
[12] 于燕燕:《上海市居民区组织体制改革的实践与设想》内

部资料。
[13] 卢汉龙：《论我国基层社会的组织重建》，《中国民政》，1999年第7期。
[14] 赵黎青：《非政府组织与可持续发展》，经济科学出版社，1998年10月第1版。
[15] 侯玉兰、侯亚非主编：《国外社区发展的理论与实践》，中国经济出版社，1998年8月第1版。
[16] 徐中振主编：《志愿服务与社区发展》，上海三联书店，1998年5月第1版。
[17] 李亚平、于海选编：《第三域的兴起》，复旦大学出版社，1999年版。
[18] 李亚平、吴铎选编：《参与·分享：政府、社会团体在社区服务中的责任、角色以及它们之间的合作》，华东师范大学出版社，1997年版。
[19] 谢泽宪：《罗山市民会馆调查与思考》，《北京社会科学》，1999年增刊。
[20] 赵宏生、张红：《开展"青少年文明社区创建工程"的实践与思考》，《北京社会科学》，1999年增刊。
[21] 董春芙：《以社区志愿服务为龙头，全面推进社区建设再上新台阶》，《北京社会科学》，1999年增刊。
[22]《城市居住区现代管理》，《城市问题》，1996年度增刊。
[23]《北京市西城区民政工作资料汇编》，北京市西城区民政局，1997年元月。
[24]《新加坡的精神文明》，红旗出版社，1993年1月第1版。
[25] 陈丽云：《社区康复及社区服务配套：香港的经验》，"内地与香港社会福利发展第四次研讨会"资料。
[26] 郭慧仪：《安老服务对社区需求的回应——香港模式》，"内地与香港社会福利发展第四次研讨会"资料。

[27] 劳平、王则柯编：《市场经济与政府责任》，中国经济出版社，1999 年 4 月版。

[28] 叶金生著：《社区经济论》，企业管理出版社，1997 年 9 月版。

[29] 徐中振、卢汉龙、马伊里主编：《社区发展与现代文明》，上海远东出版社，1996 年 11 月版。

[30] 陈颐著：《中国城市化和城市现代化》，南京出版社，1998 年 12 月版。

[31] 王辉、潘允康主编：《城市社区研究》，天津人民出版社，1997 年 11 月版。

[32] 黎熙元主编、何肇发副主编：《现代社区概论》，中山大学出版社，1998 年 3 月版。

[33] 沈建法著：《城市化与人口管理》，科学出版社，1999 年 8 月版。

[34] 李竞能著：《现阶段中国人口经济问题研究》，中国人口出版社，1999 年 1 月版。

[35] 田雪原著：《大国之难——当代中国人口问题》，今日中国出版社，1997 年 9 月版。

[36] 冯晓英、魏书华：《加强政府在外来人口管理中的宏观调控作用》内部出版，1999 年 4 月。

[37] 伊然：《英国推进福利服务市场化》，《中国民政》，1999 年第 2 期。

[38] (美) R. E. 帕克等著：《城市社会学》，华夏出版社，1987 年 6 月第 1 版。

[39] 仲富兰：《中国民俗文化学导论》，浙江人民出版社，1998 年 7 月版。

[40] 陈平：《北京市东城区文化文物工作报告》，1997 年 5 月 13 日。

[41] 西城区政府文教办公室:《西城区教育社会化示范工程实验报告汇编》, 1997年4月。
[42] 巴黎市政府《巴黎的统计数字》, 1996年出版。
[43] 王恩鸣编著:《当代美国社会文化》, 上海外语教育出版社, 1997年6月版。
[44] 白志刚:《社区文化工作的实践与理论》,《北京社会科学》, 1998年第1期。
[45] 中央党校培训部中青班三支部一组《以文化建设作为切入点, 推动两个文明协调发展——对北京东城区文化建设与管理的调查》, 1997年6月9日。
[46] 西城区"创建全国文明社区简报", 第11、12、14、28期, 1999年5月18日。
[47] R. E. 帕克、E. W. 伯吉斯和R. D. 麦肯齐著《城市社会学》, 华夏出版社, 1987年6月第1版。
[48] M. 霍本费尔德《哥伦比亚过程》,《城市的发展》, 花园城出版社, 1971年版。
[49] 1996年《中国文化文物事业统计年鉴》。
[50] 赵文春《社区安全是社会生活秩序稳定的基础》, 载于《城市问题》, 1999年第4期。

后　记

经过三年多的艰苦努力，本书终于付梓了。

本课题能够按时顺利完成，首先要感谢课题组成员的创造性工作。1998 年初，由于我工作的变动，使课题的进展受到一定影响。一年多来，课题的研究和讨论都是在周末或者晚上进行，其中的艰辛自不待言。课题组成员承担了绝大多数的写作任务，如果说本书在社区发展比较研究上有所开拓的话，是与他们不畏困难的勇气和求实创新的研究态度分不开的。

其次，要感谢我的学友，北京市委党校社会学教研部主任尹志刚教授、副主任侯亚非教授及他们领导的教研部同仁。没有他们的支持和付出，就没有《国外社区发展理论与实践》一书的翻译和出版，本书也难以达到目前的水平。

我还要感谢社会学界前辈袁方教授、郑杭生教授、宋书伟研究员、陈光庭研究员，以及北京大学社会学系王思斌教授、谢立中教授、马凤芝教授，中国人民大学社会学系夏建中教授，首都师范大学房宁教授。他们都曾在不同的方面给予课题组很大的支持和帮助。特别是袁方先生还抱病为本书写序，对此深表谢意。

北京市科委国际合作处，西城区政府、科委，北京市社会科学院科研处、外事处，北京市哲学社会科学规划办公室以及王新华主任、王迎春处长对本课题的顺利完成提供了很大帮助。北京市社会科学界联合会秘书长、北京市社会科学理论著作出版基金办公室主任张兆民同志为保证本书的高质量出版做了大量工作，在此一并致谢。

在课题研究过程中，我们也吸收了国内外学界同仁的一些研究成果与资料，在此，谨致谢意。

1999年11月，北京市哲学社会科学规划办公室邀请首都部分专家学者对本书稿进行了鉴定验收。参与本书鉴定的专家有：北京大学教授袁方、王思斌；中国人民大学教授夏建中；北京市委党校教授尹志刚；北京市社会科学院研究员宋书伟；中国社会科学院研究员景天魁和北京市民委主任李保群。他们不仅对课题的学术价值和理论与实践意义给予了充分的肯定，还对这一论著的进一步修改提出了许多建设性的意见，使本书能以更加完善的面貌呈现在读者面前。对此，我们衷心感谢。根据专家的评审意见，北京市哲学社会科学规划办公室已将此事列为社科规划的精品工程。

由于我们水平和学识有限，了解和掌握的资料有限，书中对国外情况的介绍有很大的局限，提出的观点仅为一家之言，疏漏和谬误之处在所难免。我代表课题组成员恳请学术界同仁和广大读者批评指正。

侯玉兰

1999年12月

图书在版编目(CIP)数据

城市社区发展国际比较研究/侯玉兰主编. -北京:北京出版社,2000

(跨世纪青年学者文库)

ISBN 7-200-04108-4

Ⅰ.城… Ⅱ.侯… Ⅲ.城市-社区-对比研究-世界
Ⅳ.C912.81

中国版本图书馆 CIP 数据核字(2000)第 33457 号

跨世纪青年学者文库

城市社区发展国际比较研究

CHENGSHI SHEQU FAZHAN GUOJI BIJIAO YANJIU

侯玉兰　主　编

冯晓英　副主编

*

北　京　出　版　社　出　版

(北京北三环中路 6 号)

邮政编码:100011

北京出版社出版集团总发行

新　华　书　店　经　销

北京朝阳北苑印刷厂印刷

*

850×1168 毫米　32 开本　13.75 印张　316 000 字

2000 年 6 月第 1 版　　2000 年 6 月第 1 次印刷

印数 1—6100

ISBN 7-200-04108-4

G·66 (平) 定价:27.00 元